GILI

GILLY MACMILLAN

DIE NANNY

ROMAN

Aus dem Englischen
von Sabine Schilasky

blanvalet

Die Originalausgabe erschien unter dem Titel
»The Nanny« bei Century, London.

Sollte diese Publikation Links auf Webseiten Dritter enthalten, so übernehmen wir für deren Inhalte keine Haftung, da wir uns diese nicht zu eigen machen, sondern lediglich auf deren Stand zum Zeitpunkt der Erstveröffentlichung verweisen.

Verlagsgruppe Random House FSC® N001967

1. Auflage

Redaktion: Kerstin Kubitz
Umschlaggestaltung: Sandra Taufer unter Verwendung von Motiven von © Shutterstock.com (Radek Stwgolewski, Elymas, Evgeny_Popov, Jerry Lin, Dinga, ilo/ab), © DGLimages/iStockphoto
JB · Herstellung: sam
Satz: GGP Media GmbH, Pößneck
Druck und Einband: GGP Media GmbH, Pößneck
Printed in Germany
ISBN: 978-3-7645-0717-6

www.blanvalet.de

Für Helen Heller, sagenhafte Agentin,
Modeguru, Aussprachetrainerin
unserer Familie und Freundin.
Dieses Buch ist definitiv für dich.

Das Wasser schlägt über dem Körper zusammen, verschluckt ihn, während das Schaukeln des Bootes langsam abebbt. Die Person in dem Boot wartet, bis die Oberfläche des Sees wieder glatt ist. Ihr Atmen ist erschreckend laut. Sie nimmt die Ruder auf und entfernt sich mit entschlossenen Schlägen von der Stelle. Ihre Arme schmerzen, und sie denkt: *Ich fasse es nicht, dass ich das tun musste. Wie grauenvoll, dass ich so etwas getan habe.* Als sie das Bootshaus erreicht, gleitet das Boot sanft hinein. Stumm geht sie zurück nach Lake Hall und achtet darauf, wo sie hintritt. Sie ist sehr müde. *Das Wasser war extrem kalt. Was für ein schlimmes Ende für einen Menschen*, denkt sie, *so unglücklich, aber notwendig*. Als sie ins Haus schlüpft, bemerkt sie die Brise nicht, die durch die Spitzen der Trauerweidenzweige streicht und sie im Dunkeln zum Tanz auf dem Wasser auffordert.

Wie gebannt starre ich mein Spiegelbild an. Es ist eine grotesk geschminkte Version meiner selbst, verfälscht wie alles andere. Was ist mein wahres Ich? Diese angemalte Kreatur oder die Frau hinter der Maske?

Ich weiß nicht mehr, wem oder was ich glauben soll.

Hinter mir geht die Tür auf, und meine Tochter erscheint. Ihr rundes Gesicht mit den kornblumenblauen Augen taucht hinter meinem im Spiegel auf, unbefleckt.

Ich will nicht, dass sie mich jetzt sieht. Sie soll nicht wie ich werden.

»Geh raus«, sage ich.

EINS

1987

Als Jocelyn aufwacht, ist sie durcheinander und ihr Mund wie ausgetrocknet. Draußen ist es hell, und es fühlt sich an, als hätte sie sehr lange geschlafen. Sie betrachtet die Zeiger auf dem Wecker und kommt mit einiger Mühe zu dem Schluss, dass es vier Minuten vor halb neun ist. Gewöhnlich weckt ihre Nanny sie um sieben.

Sie gähnt und blinzelt. Rundliche, tanzende Giraffen tollen in Paaren über die Tapete, und Stofftiere reihen sich am Fußende ihres Bettes. An der Tür des Kleiderschrankes hängt ein leerer Bügel, wo Nanny Hannah ihn gestern gelassen hat. Der war für Jocelyns besonderes Kleid gewesen, das ihre Mutter ihr gekauft hatte, damit sie darin die Gäste empfing. Das Kleid ist ruiniert, und jetzt ist es weg. Jocelyn hat ein schlechtes Gewissen deshalb und ist traurig, aber auch verwirrt. Sie weiß, dass das, was passiert ist, schlimm war, kann sich jedoch nur bruchstückhaft an den Abend erinnern und verdrängt die Erinnerung gleich wieder, weil sie sich so schämt.

Eigentlich ist Jocelyns Zimmer einer ihrer Lieblingsorte; aber heute Morgen fühlt es sich anders an, zu still. Die Kleiderschranktür steht einen Spalt offen, und sie stellt sich vor, dass drinnen eine Kreatur mit Klauen und langen Gliedmaßen lauert, die jeden Moment herauskommen und sie schnappen wird.

»Hannah!«, ruft sie. Da ist ein Lichtstreifen unter der Tür, die ihr Zimmer von dem der Nanny trennt, allerdings kein Anzeichen sich bewegender Schatten, die ihr sonst verraten, wenn Hannah auf ist. »Hannah!«, versucht sie es wieder, dehnt die Vokale länger. Keine Antwort.

Sie klettert aus dem Bett und läuft die wenigen Schritte hinüber zu Hannahs Tür, wobei sie im Vorbeigehen die Kleiderschranktür zuwirft. Der Bügel fällt herunter, und das Klappern erschreckt sie. Jocelyn soll anklopfen und warten, dass Hannah sie hereinbittet, bevor sie das Zimmer der Nanny betritt, aber sie stößt die Tür einfach auf.

Jocelyn rechnet damit, Hannah im Bett zu sehen oder auf dem Stuhl in der Ecke, bekleidet mit ihrem roten Bademantel und den Plüschpantoffeln; aber Hannah ist nicht da. Jocelyn rechnet damit, ein Glas Wasser und ein dickes Taschenbuch mit Eselsohren auf dem Nachttisch zu sehen. Sie rechnet damit, Hannahs Haarbürste und Make-up sowie die beiden Porzellankatzen zu sehen. Aber es ist nicht die geringste Spur von Hannah oder ihren Sachen in dem Zimmer zu entdecken. Das Bett ist ordentlich gemacht, der wollene Überwurf glatt gestrichen, die Ecken akkurat aufeinandergelegt; die Kissen sind aufgeschüttelt, die Vorhänge zurückgezogen, und alles ist kahl.

»Hannah!«, schreit Jocelyn. Es ist nicht der Schreck angesichts des leeren Zimmers, der ihren Schrei so durchdringend macht, sondern ein plötzliches, furchtbares Gefühl von Verlust.

Marion Harris, die Haushälterin in Lake Hall, zieht jede Schublade in Hannahs Zimmer auf, öffnet jede Schranktür. Auslegpapier hat sich am hinteren Ende der Schubladen zusammengekräuselt, und leere Metallbügel klimpern im Kleiderschrank. Sie hebt den Bettüberwurf an einer Ecke hoch und überprüft den Nachttisch. Das Mädchen hat recht, hier ist nichts mehr von Hannah zu sehen. Marion geht den Korridor hinunter zur Abstellkammer. »Sie hat ihre Koffer mitgenommen. Ich glaub es nicht.« Die Lampenschnur schaukelt wild hin und her.

»Hab ich doch gesagt«, flüstert Jocelyn. Ihr Kinn bebt. Sie hatte sich an die Hoffnung geklammert, dass Marion ihr erklären könnte, was los war, oder alles wiedergutmachen.

Marion schnaubt. »Das sieht ihr gar nicht ähnlich. Sie hätte doch etwas gesagt oder eine Nachricht hinterlassen. Nie würde sie uns einfach so im Stich lassen.«

Kirchenglocken beginnen zu läuten. Marion blickt kurz durchs Fenster zu der Turmspitze, die knapp über den dicht stehenden Eichen aufragt, welche das Anwesen Lake Hall umgeben.

»Bleib hier und spiel!«, sagt sie. »Ich bringe dir etwas zum Frühstück, und dann spreche ich mit deinen Eltern.«

Jocelyn bleibt bis mittags in ihrem Zimmer. Sie malt ein Bild für Hannah, wählt sorgfältig die Farben aus und achtet darauf, dass sie nicht über den Rand malt. Als Marion sie nach unten ruft, platzt sie vor Neugier, doch Marion sagt: »Ich weiß auch nicht mehr als du. Du musst deine Eltern fragen.« Ihre Lippen sind zu schmalen Linien zusammengekniffen.

Jocelyns Eltern sind im Blauen Salon mit zwei Freunden, die über Nacht geblieben sind. Zeitungen und farbige Beilagen liegen überall ausgebreitet auf den Sofas und dem Couchtisch. Im Kamin brennt ein Feuer, und die Luft ist schwer von Holz- und Zigarettenrauch.

Jocelyn versucht, ihren Daddy auf sich aufmerksam zu machen, aber er sitzt tief eingesunken in seinem Sessel, hat die langen Beine überkreuzt und versteckt sich hinter seiner rosa Zeitung. Mutter liegt auf einem der Sofas, den Kopf auf einem Stapel Kissen, die Augen halb geschlossen. Sie drückt eine

Zigarette in dem großen Marmoraschenbecher aus, den sie auf dem Bauch balanciert. Jocelyn holt tief Luft und nimmt ihren ganzen Mut zusammen, um etwas zu sagen. Die Aufmerksamkeit ihrer Mutter möchte sie möglichst nicht erregen.

Die Freundin ihrer Eltern dreht sich vom Fenster um und bemerkt Jocelyn an der Tür. »Ja, hallo«, sagt sie. Jocelyn glaubt, dass sie Milla heißt. Milla hat das braune Haar so zurückgekämmt, dass es ganz bauschig aussieht.

»Hallo«, antwortet Jocelyn. Sie versucht zu lächeln, wird aber stattdessen rot. Sie weiß, dass sie gestern Abend ungezogen war, nur nicht, ob Milla es auch weiß.

Virginia Holt schlägt die Augen ganz auf, als sie die Stimme ihrer Tochter hört. »Was willst du?«

Jocelyn zuckt zusammen und sieht zu ihrem Vater. Er ist noch hinter seiner Zeitung.

»Hallo!«, sagt ihre Mutter scharf. »Ich rede mit dir, er nicht.«

Jocelyn schluckt. »Weißt du, wo Hannah ist?«

»Ja, weg.« Zwei Silben, und Jocelyn hat das Gefühl, keinen Boden mehr unter den Füßen zu haben. Hannah bedeutet ihr alles. Hannah mag sie. Hannah hört zu und hat Zeit, Jocelyn Dinge zu erklären. Hannah ist besser als Mutter. Hannah liebt Jocelyn.

»Nein!«

»Stampf nicht mit dem Fuß auf, junges Fräulein! Was fällt dir ein?«

»Hannah ist nicht weg! Wo ist sie hin?«

»Alexander!«

Lord Holt lässt die Zeitung sinken. Er sieht sehr müde aus. »Mummy hat recht, Liebes. Es tut mir leid. Wir finden so schnell wie möglich eine neue Nanny für dich. Mummy wird nach dem Wochenende einige Anrufe machen.«

Jocelyn schreit, und sofort springt ihre Mutter auf, sodass der Aschenbecher auf den Teppich fällt und die Asche sich über den Boden ausbreitet. Virginia packt Jocelyns Arme und beugt sich zu ihr, bis ihr Gesicht nur noch Zentimeter von Jocelyns entfernt ist. Ihre Augen sind schrecklich blutunterlaufen, und das Haar fällt ihr ins Gesicht. Jocelyn will zurückweichen, aber ihre Mutter hält sie fest.

»Hör auf der Stelle auf! Hannah ist weg, und ich kann dir auch sagen, warum, nämlich wegen dir. Du bist ein böses Mädchen, Jocelyn, ein sehr böses Mädchen. Kein Wunder, dass Hannah es nicht mehr ausgehalten hat, auf dich aufzupassen!«

»Ich werde artig sein, versprochen. Ich werde das artigste Mädchen sein, wenn du Hannah zurückholst.«

»Dafür ist es zu spät.«

JO

Die Hotellounge hat hohe Decken und in Pastelltönen gehaltene Wände. In der Ecke hinten bröckelt der Stuck, eigentlich müsste er ausgebessert werden. Draußen regnet es so sehr, dass die Fensterscheiben wie verflüssigt aussehen. Zum Nachmittagstee ist die Lounge beinahe voll besetzt, und die Luft summt von den leisen Gesprächen rundherum. Geschirr und Bestecke klimpern. Leise Klaviermusik und gelegentliches Lachen sorgen für eine angenehm heitere Stimmung. Der Raum ist warm, aber zu groß, um gemütlich zu sein. Ich stelle mir vor, dass sich das Funkeln der Kronleuchter hübsch in meinen Augen spiegelt, obwohl sich meine Gemütsverfassung eher mit dem berühmten Munch-Gemälde »Der Schrei« beschreiben ließe.

Dennoch strenge ich mich sehr an, denn es ist Rubys Geburtstag.

»Lachs und Gurke, Jocelyn?«, fragt Mutter.

Es ist sinnlos, sie abermals zu erinnern, dass ich es vorziehe, »Jo« genannt zu werden. Ich muss es ihr schon an die hundert Mal gesagt haben, seit Ruby und ich hergekommen sind, und sie weigert sich immer noch, es zu akzeptieren. Ich wünschte, sie hätte es heute nicht mit dem Rouge übertrieben. Ihre Wangen sind so rot wie die eines Bilderbuchschweinchens, und ihr stahlgraues Haar ist zu einer weichen Tolle gekämmt und unter einem Samthaarreif fixiert.

Mutter reserviert stets den Ecktisch hier, wenn sie in die Stadt kommt. Er bietet die beste Aussicht auf den Raum. Sie erzählt mir, dass es mit dem Essen bergab gegangen ist, seit sie mit mir als Kind hier war, was, wie sie sagt, eine Schande ist. Inzwischen habe ich den Eindruck, sie kommt nur noch aus dem einen Grund her, weil sie es genießt, das Personal zusammenzustauchen. Ich habe es als Kind gehasst, mit ihr hier zu sein, und dreißig Jahre später geht es mir nicht anders.

»Danke.« Ich nehme eins der schlaffen weißen Dreiecke und lege es ordentlich in die Mitte meines Tellers.

»Ruby, Schatz?« Mutter gibt sich unerwartet charmant. Und das Ziel dieser Offensive ist meine zehnjährige Tochter Ruby. Sie sind sich vor einem Monat erstmals begegnet, und ich dachte, sie würden wie Hund und Katze sein.

Meine Mutter ist ein siebzigjähriges Relikt der englischen Aristokratie: kalt, altmodisch, versnobt, egoistisch, gierig und mit fließendem Oberklassenenglisch.

Ruby ist eine Zehnjährige, die in Kalifornien geboren und aufgewachsen ist: blitzgescheit, freundlich, verrückt nach Internetspielen, ehemaliges Mitglied einer Mädchenfußballmannschaft und wohl für immer ein Wildfang.

Was die Kompatibilität der beiden betrifft, lag ich vollkommen falsch. Seit ihr Dad gestorben ist, bin ich der Mittelpunkt von Rubys Welt, doch nun droht mir auf einmal ernst zu nehmende Konkurrenz von meiner Mutter. Direkt vor meiner Nase sehe ich ein Band zwischen den beiden entstehen. Es kommt mir vor, als würde sich meine Mutter ungebeten in die Lücke drängen, die Chris in Rubys und meinem Leben hinterlassen hat, und mir ist alles andere als wohl dabei.

»Danke, Granny.« Ruby schenkt meiner Mutter ein strahlendes Lächeln, als sie ein Sandwich von der vierstöckigen Etagere nimmt. Es ist die größte im Raum. Auf der Karte wird sie als »Dekadenter Nachmittagstee« geführt. Meine Mutter hat sie genüsslich bestellt, auch wenn der Preis pro Person einem die Tränen in die Augen treibt. Ich glaube, sie macht es, um mich zu beschämen, weil ich Ruby keinen Geburtstagskuchen gebacken habe. Ich hatte einen gekauft, allerdings einen günstigen aus dem Supermarkt. Mehr war nicht drin.

Rubys Augen leuchten vor Entzücken, und sie knabbert affektiert am Rand ihres Sandwiches. Mir gefällt das nicht. Ruby ist eher ein Mädchen, das Dinge möglichst schnell runterschlingt, um gleich wieder nach draußen zu rennen. Oder war sie. Ich bin erstaunt darüber, wie sie sich in das englische Leben stürzt, seit wir hier angekommen sind. Es ist, als würde sie all die neuen Erfahrungen nutzen, um die Leere zu füllen, die der Tod ihres Vaters in unserem Leben hinterlassen hat. Und ich frage mich, wie lange der Reiz des Neuen anhalten wird; doch fürs Erste füttert sie ihren Instagram-Account mit Fotos von Lake Hall und der Landschaft drum herum, mit Kuriositäten und Dingen, die sie im Haus findet, sowie den Menschen, die dort arbeiten. Seit wir hier sind, hat sie schon mehrere Großaufnahmen von Kuchen gepostet. Sie benennt ihre Bilder, als handelte es sich um Raritäten in einem Museum oder Requisiten in einem britischen Vergnügungspark. »Wie süüüß!«, antworten ihre kalifornischen Freunde.

Ich sollte mich über solch harmlose Sachen wohl nicht aufregen. Vielmehr sollte ich froh sein, dass sie sich so wacker hält, besonders heute: Dies ist nicht bloß Rubys erster Geburtstag ohne ihren Vater, es ist auch ein besonderer Geburtstag.

»Wie fühlt es sich an, zehn zu sein?«, fragt Mutter.

»Genauso wie neun.« Ruby spricht mit vollem Mund, und unwillkürlich wappne ich mich, sie zu verteidigen, falls meine Mutter sie anfährt. Was sie nicht tut. Nein, sie lächelt! »In der Strickjacke siehst du sehr hübsch aus«, sagt sie zu Ruby.

Vor dem Nachmittagstee haben wir eine halbe Ewigkeit in einem Kaufhaus verbracht, wo Mutter zwei große Tüten voller Kleidung gekauft und darauf bestanden hat, dass Ruby ihre Lieblingskapuzenjacke auszieht und zum Geburtstagstee im Swallow Hotel ihre neue rote Strickjacke trägt.

»Die ist klasse«, sagt Ruby. »So retro.«

»Wie bitte?«, fragt Mutter, und ich überlege, ob sie ein wenig schwerhörig ist.

Sie ist erstaunlich gut gealtert, seit ich sie das letzte Mal gesehen habe. Die einzige sichtbare Beeinträchtigung, die die Jahre mit sich gebracht haben, ist ihre Arthritis. Die Fingerknöchel an beiden Händen sind merklich geschwollen. Davon abgesehen habe ich keine Anzeichen von physischer Schwäche oder Verfall an meiner Mutter bemerkt. Ich gebe zu, dass es mir ein kleines Triumphgefühl verschafft; wenn man sein Leben lang von jemandem tyrannisiert wurde, sich getrieben fühlte, einen Ozean zwischen sich und seine Kindheit und Jugend bringen zu müssen, kann man vielleicht nicht anders. Ich würde lügen, wenn ich behauptete, dass ich über kleinliche Regungen wie *Schadenfreude* erhaben bin.

Ruby wiederholt ihre Bemerkung nicht, weil sie damit beschäftigt ist zu ergründen, wie man das Teesieb zum Einschenken des Assamtees benutzt, den sie und meine Mutter sich bestellt haben. Sie teilen sich eine Kanne.

»Jetzt bist du beinahe eine richtige junge Dame«, sagt Mutter. Ihre Finger sind so gekrümmt, dass sie es kaum schafft, sich ein Pistazien-Macaron vom obersten Teller der Etagere zu nehmen.

»La-di-dah«, trällert Ruby. Sie spreizt beim Teetrinken affektiert den kleinen Finger ab, um die aristokratische Marotte zu veralbern.

Wieder erwarte ich, dass meine Mutter sie scharf zurechtweist, wie sie es bei mir getan hätte, doch sie lacht und entblößt dabei das Zahnfleisch und lange Zähne. Ein Macaronkrümel klemmt zwischen ihren Schneidezähnen. »La-di-dah!«, wiederholt sie. »Was für ein lustiges kleines Ding du bist.« Es ist das höchste Lob, das sich ein Kind von ihr erhoffen kann.

»Entschuldigt mich«, sage ich.

Auf der Damentoilette des Hotels, umgeben von erdrückender Chintztapete und im kalten Luftzug, hole ich mein Handy hervor. Die letzten SMS, die Chris und ich uns geschrieben haben, sind zweieinhalb Monate alt. Es war ein schöner kalifornischer Morgen. Er war bei der Arbeit, ich stand in unserer lichtdurchfluteten Küche und beobachtete einen Kolibri am Futterhäuschen in unserem Garten. Das Schwirren der smaragdgrünen Flügel war bezaubernd.

Ich hab ein Geschenk für dich, schrieb er.
Danke! Wie aufregend!!! Was ist es?
Wart's ab ... bin gegen 7 zurück xx

Es war eine kleine japanische Keramikvase mit einem wunderschönen Craquelé. Die Vase überlebte den Aufprall, der Chris das Leben kostete. Er war auf dem Heimweg, als ein Lieferwagen bei Rot über die Ampel fuhr. Er krachte in die Fahrerseite von Chris' Wagen, als Chris gerade die Kreuzung überquerte. Der Lastwagenfahrer war betrunken. Am nächsten Tag brachte mir eine Polizistin die Vase zusammen mit Chris' Messenger-Bag. »Die war im Fußraum auf der Beifahrerseite«, sagte sie. Die Vase war in Geschenkpapier eingewickelt.

Ich scrolle durch die SMS, die Chris und ich mehrmals täglich ausgetauscht haben. Es ist ein Zwang, dem ich nicht widerstehen kann, egal wie sehr es jedes Mal wehtut. Für jemand anderen, der sich diese Nachrichten ansieht, mögen sie banal erscheinen, aber ich kann mir beim Lesen Momente unseres Lebens ins Gedächtnis rufen. Dann stelle ich mir vor, Chris wäre noch am Leben. Als ich sie zu Ende durchgelesen habe, tue ich, was ich immer tue. Ich schicke eine Nachricht an seine Nummer: *Ich liebe dich so sehr*, und innerhalb von Sekunden kommt zurück: *Nachricht konnte nicht versendet werden.*

Manchmal ist meine Trauer um ihn so intensiv, dass es sich anfühlt, als würde ich aus einer offenen Wunde bluten. Wenn das geschieht, überkommt mich eine entsetzliche Angst. Wie kann ich die Mutter sein, die Ruby braucht, wenn ich so gebrochen bin? Worauf zwangsläufig die nächste Frage folgt: Wenn ich es nicht kann, biete ich damit meiner Mutter Raum, sich an meinen Platz zu drängen? Der Gedanke ist unerträglich.

»Soll ich Ihre Sachen für Sie aufhängen?«

Anthea, die Haushälterin meiner Mutter, fragt mich das schon, seit Ruby und ich vor wenigen Wochen in Lake Hall eingetroffen sind. Sie hat ein Problem damit, dass ich immer noch aus dem Koffer lebe. Meine Kleidung ist ein chaotischer Haufen, halb im Koffer, halb auf dem Läufer. Sie muss mich für faul und unordentlich halten. Normalerweise hätte ich direkt nach der Ankunft ausgepackt, aber seit Chris tot ist, lähmt mich eine befremdliche Trägheit.

Das ist Trauer, mailte mir eine Freundin, als ich es ihr beschrieb. *Sei nicht zu streng mit dir. Du darfst so empfinden.*

Sie hat recht, aber ich weiß, dass es auch Leugnen ist. Auszupacken würde heißen, die Realität meiner Situation zu akzeptieren und mir einzugestehen, dass Ruby und ich auf unabsehbare Zeit in Lake Hall festsitzen, und ich ertrage es nicht. Nicht jetzt. Noch nicht.

»Nein danke«, sage ich zu Anthea. »Das mache ich später.«

»Soll ich Rubys aufhängen?«

»Nein, das mache ich auch.«

Anthea hat ein perfektes Pokerface, dennoch spüre ich ihren Tadel und ihr Mitleid, und beides verletzt meinen Stolz, weil ich damals von zu Hause weggegangen bin, so schnell ich konnte. Ich verließ Lake Hall und meine Eltern, distanzierte mich von ihnen, so gut ich konnte. Ich änderte meinen Namen von Jocelyn in Jo und weigerte mich, auch nur einen Penny von ihnen anzunehmen. Deshalb schmerzt es so sehr, jetzt hier zu sein, abhängig von Mutters Großzügigkeit.

Ich gehe nach unten, um Anthea nicht im Weg zu sein. Tatsächlich hatte ich vergessen, wie es ist, eine Haushälterin zu haben, und obwohl ich es als Kind einfach hingenommen habe, finde ich es jetzt zutiefst verstörend.

In der Küche steht eine leere Sherryflasche an der Seite, die darauf wartet, in die Recyclingtonne geworfen zu werden. Mutter und ich haben gestern Abend recht viel Sherry getrunken, bis wir beide beschwipst waren. Ich mag das Zeug nicht mal, hatte mir aber Mühe gegeben, weil unerwartet der hiesige Pfarrer aufkreuzte und einige Gemeinplätze über das Trauern abließ, als wäre es *die* Erkenntnis schlechthin.

Mutter und ich sind beide Witwe. Mein Vater starb zwei Monate vor meinem Mann an einem Herzinfarkt. Aus heiterem Himmel. Er war erst neunundsechzig. Und ich bin nicht zu seiner Beerdigung gekommen. Ich hatte darüber nachgedacht, aber zu der Zeit hatte ich ihn schon über zehn Jahre nicht mehr gesehen. Sein Tod hat mich getroffen, weil ich ihn sehr geliebt habe. Dennoch bin ich nicht zurückgekommen, um ihn zu beerdigen, weil ich die Vorstellung nicht ertrug, eine Statistin auf seiner Beerdigung zu sein, während meine Mutter die Hauptdarstellerin war und allen Kummer, alles Mitgefühl für sich in Anspruch nahm.

Als gestern Abend der Pfarrer schwafelte, füllte Mutter unsere Gläser zu oft nach, und ich trank, um die Langeweile zu vertreiben. Bis er ging, war die Tageshitze einer angenehmen Brise vom See gewichen, die durch die offenen Fenster hereinwehte, und der Sherry hatte meine Zunge gelöst.

»Ist es dir eigentlich gar nicht unangenehm, Hausangestellte zu haben, Mutter?«, fragte ich. Die Labradorhündin meines Vaters, Boudicca, die auf dem Läufer lag, hob den Kopf und starrte mich an. Das macht sie immer, wenn sie eine schroffe Stimme hört.

»Wir Holts haben stets Leute aus dem Dorf beschäftigt. Das wird von uns erwartet. Ehrlich, Schatz, du klingst wie eine Kommunistin.«

Dieser Anwurf nagt an mir, genau wie beabsichtigt. Was ich aus der Unterhaltung mit meiner Mutter mitnehme, ist, dass die Blase, in der sie bezüglich ihrer Klasse lebt, zumindest in ihrem Kopf intakt bleibt. Ich bin fassungslos, enttäuscht, aber vor allem fühle ich mich erdrückt.

Ich werde diesen Ort niemals ändern können, und ich fürchte, wenn wir lange genug bleiben, wird er meine Tochter und mich verändern.

So gut wie nichts in Lake Hall hat sich seit meinem Fortgang verändert. Das erkenne ich, als ich Ruby auf ihren Erkundungstouren begleite. Sie kann sich beinahe frei bewegen. Nur die steile hintere Treppe zum Kindertrakt verbiete ich ihr. Ansonsten rennt sie überall herum, und seltene chinesische Vasen wie auch elegante Hepplewhite-Stühle erbeben in ihrem Luftwirbel.

Mir ist seltsam unheimlich, wenn ich sie beobachte, wie sie mit den Fingern über die vernarbten Wände und die großflächige dunkle Holzvertäfelung streicht, oder wenn sie die antiken Gegenstände untersucht, die wie in einem schlecht geführten Museum im ganzen Haus verteilt sind. Lake Hall kommt mir heute tot und veraltet vor, vor allem ohne meinen Vater. Die Wände strahlen eine kalte, unangenehme Energie aus, so durchdringend wie Feuchtigkeit. Manchmal stellen sich mir unvermittelt die Nackenhaare auf. Ich will nicht, dass Ruby sich mit jedem Detail hier vertraut macht, weil es nicht die Kulisse ist, in der ich sie aufwachsen sehen will. Einen ganzen Ozean hatte ich hinter mir gelassen, um sie hiervon wegzubekommen.

Die einzigen Dinge im Haus, die sich wie alte Freunde anfühlen, sind die Bilder. Als Kind hatte ich nicht besonders auf die Holt-Sammlung von Gemälden und Zeichnungen geachtet, dann aber entschied ich mich an der Uni für Kunstgeschichte und war sofort hingerissen. Und ich begann zu begreifen und zu schätzen, was meine Familie da bewahrte. Ich lernte eifrig und hoffte, eine Kunstkennerin zu werden, wie es Generationen von Holts vor mir gewesen waren. Es ist eins der wenigen Merkmale meiner Familie, derer ich mich nicht schäme.

Bei meinen Wanderungen mit Ruby durch Lake Hall blitzen bisweilen glücklichere Erinnerungen inmitten der finsteren auf. Sie sind wie eine Verschnaufpause. Ich erinnere mich, wie Hannah meine Welt gewesen ist und mir Lake Hall wie unser privates, vollkommenes kleines Reich vorkam. Diese hübschen Anflüge von Nostalgie währen jedoch nie lange. Sie werden unweigerlich überschattet, wenn ich mich erinnere, dass es mein Verhalten war, was Hannah forttrieb, und wie sehr die Beziehung zu meiner Mutter hinterher in einen Abwärtstaumel geriet, von dem wir uns bis heute nicht erholt haben.

Schon bevor Hannah ging, hatte ich den Kontakt zu Mutter gemieden. Waren meine Eltern in Lake Hall – gewöhnlich nur an den Wochenenden –, fühlte sich hier alles anders an. Ich sehnte mich danach, Zeit mit meinem Vater zu verbringen, war aber so bemüht, meiner Mutter aus dem Weg zu gehen, dass ich die offiziellen Räume, in denen sie sich aufhielten, weiträumig mied. Mit klopfendem Herzen schlich ich durch die Korridore und ging die Treppen vom Kinderzimmer zur Küche und in den Garten hinunter: sichere Orte, an denen Hannah und ich ungestört waren.

Ruby weiß sehr wenig über mein Leben damals, und ich hoffe, sie muss auch nie mehr erfahren.

Als Rubys anfängliche Begeisterung für England verklingt und mit jedem Tag spürbarer wird, dass Chris fehlt, wird sie introvertierter und fängt an, mehr Zeit online zu verbringen.

Auch ich habe zu kämpfen. Ich fürchte, dass ich Chris aufs Neue verliere, weil die Erinnerungen an ihn beständig blasser werden. Und nicht nur die an Dinge, die wir gemeinsam getan haben, sondern ich habe Angst, dass ich mich immer weniger an sein Gesicht erinnere.

Was mir unmöglich scheint. Chris und ich lernten uns in London kennen und verliebten uns Hals über Kopf, als ich gerade zweiundzwanzig war und er vierundzwanzig. Wir zogen beinahe sofort zusammen, und mein Leben mit seinem zu verbinden war die beste Entscheidung, die ich jemals getroffen habe. Wir wurden Seelenverwandte und beste Freunde, waren unzertrennlich. Doch heute gibt es Momente, in denen ich panisch werde, weil ich mir seine Züge nicht mehr genau vorstellen kann. Dann scrolle ich hektisch durch die Fotos auf meinem Handy, um sie mir zu vergegenwärtigen.

Mein Gedächtnis ist nicht perfekt, das weiß ich, aber einige Dinge sollten unauslöschlich sein. Ich möchte für immer ein klares Bild von Chris in mir abrufen können, sollte nicht auf meine Fantasie angewiesen sein, um vergessene Stellen auszumalen.

Mein Lieblingsfoto von Chris, Ruby und mir habe ich ausgedruckt und gerahmt, einmal für ihr Zimmer, einmal für meines. Das hilft ein bisschen.

Ich versuche, Ruby von ihrem iPad abzulenken. Eines Abends, als sie nicht mal auf die simpelsten Fragen reagiert, bitte ich sie, das Tablet hinzulegen und mich anzusehen.

»Was ist los, mein Liebling?«

»Ich will einfach spielen.«

»Möchtest du nicht reden?«

Ein kleines Kopfschütteln.

»Bist du traurig?«

»Ein bisschen, aber das hier hilft.«

»Bist du sicher?«

Sie nickt, und ich bringe es nicht übers Herz, ihr das iPad wegzunehmen. Dennoch will ich nicht leugnen, dass ihre Verschlossenheit neu ist und ich schreckliche Angst habe, meine Tochter könnte mir entgleiten.

Nach unserem Gespräch schicke ich ihr ein Pinguin-Emoji, obwohl ich direkt neben ihr sitze. Es ist ein Witz, der sich zwischen Chris, Ruby und mir eingebürgert hatte: Wer etwas gut gemacht hat, bekommt zur Belohnung einen Pinguin. Rubys iPad plingt, als er auf ihrem Display erscheint, und sie lächelt. Wenige Sekunden später schickt sie mir einen zurück.

Manchmal stößt sie mich weg, aber in anderen Momenten braucht sie mich immer noch sehr. Seit Chris gestorben ist, schlafen wir fast jede Nacht in einem Bett. Meistens geht sie zunächst in ihres, kriecht dann aber später zu mir unter die Decke. Morgens wache ich grundsätzlich vor ihr auf, und der Anblick ihres wunderschönen, unschuldigen Gesichts neben mir auf dem Kissen geht mir ans Herz. Ich liebe sie so sehr, ertrage es nicht, ihren Kummer zu sehen – sie hier zu sehen.

Ich achte darauf, was sie auf ihrem iPad und ihrem Handy macht, und komme zu dem Schluss, dass die ausgeklügelten Online-Welten, in denen sie sich herumtreibt, unbedenklich sind. Die Spielegruppen, denen sie sich anschließt, sind zumindest ein bisschen wie Gesellschaft und bieten Kontakt zu Kindern ihres Alters. Mutter bemerkt, wie viel sie am Bildschirm hängt, und rügt uns beide deshalb. Sie glaubt, dass es »Rubys Verstand verdirbt«.

Da Ruby und ich sie ignorieren, probiert sie aktiver, Ruby von ihren Displays wegzulocken. Sie bietet an, ihr zu zeigen, wie man die Rosen im ummauerten Garten schneidet. Ruby lehnt mit einem schroffen »Nein« ab. Ihr Benehmen wird unwilliger, je mehr sie sich langweilt. Und ich korrigiere sie nicht. Soll meine Mutter ruhig mal erfahren, wie es ist, so behandelt zu werden.

Sie bietet an, Ruby Bridge beizubringen. Es fängt gut an, doch Ruby verliert rasch das Interesse. »Sie ist zu klein«, sage ich, und Mutter erwidert: »Nun, ich versuche es wenigstens.«

Beim Mittagessen fragt Ruby: »Können wir auf dem See segeln, Granny?«

»Das ist eine gute Idee!« Ich freue mich, dass es etwas gibt, was sie interessiert.

»Nein, leider nicht«, antwortet Mutter. »Das Boot ist nicht mehr seetüchtig. Es ist ganz vergammelt und sehr gefährlich. Es wäre, als wollte man in einem Sieb rausfahren. Erinnerst du dich an diesen hübschen Kinderreim, Jocelyn?«

»They went to sea in a sieve, they did/In a sieve they went to sea …«, sage ich brav auf. Ich habe die Zeilen augenblicklich wieder im Ohr, erinnere mich an jedes Heben und Senken in Hannahs Stimme, als sie mir die Verse laut vorlas.

»Als kleines Mädchen hast du diesen Reim sehr gemocht«, sagt Mutter.

»Woher willst du das wissen? Du hast mir nie irgendwas vorgelesen!«

Ich hatte nicht vor, laut zu werden. Ruby starrt mich an, und Mutter blinzelt, bevor sie sagt: »Nein, habe ich wohl nicht. Jemand muss es mir erzählt haben.«

»Können wir das Boot nicht reparieren?«, fragt Ruby.

»Das würde ich sofort machen, wenn es geht. Können wir Geoff bitten, das Bootshaus zu öffnen?« Es ist schon so lange verriegelt, wie ich denken kann; auf jeden Fall seit ich im Internat war.

»Spar dir die Mühe. Keiner fährt raus auf den See«, sagt Mutter. »Und an dieser Regel wird nicht gerüttelt.«

Ruby ist sichtlich enttäuscht. Ihr Stuhl schabt kreischend über den Boden, und sie rennt aus dem Zimmer.

»Nicht die Treppe rauflaufen!«, rufe ich ihr nach. Ich blicke auf mein Essen hinunter, doch mir ist der Appetit vergangen. Dass meine Mutter die Idee so barsch abgeschmettert hat, macht mich wütend. Mutter schürzt die Lippen und schneidet sich Cheddar von einem großen Stück mit vertrockneten Kanten ab. Derweil überlege ich, ob ich es mir leisten könnte, ein Boot instand setzen zu lassen oder ein gebrauchtes zu kaufen.

Meine finanzielle Situation ist bitter seit Chris' Tod, denn wir hatten alles, was wir besaßen, in seine Firma investiert, und es wird dauern, bis ich mit etwas Geld rechnen kann. Unser hübsches kleines Haus in Kalifornien war gemietet, und wir hatten keine Lebensversicherung. Außerdem war unser Konto überzogen. Womit meine Probleme noch nicht endeten, denn mein Aufenthaltsstatus war auch unsicher, sodass ich nicht mehr in den USA bleiben durfte, nachdem Chris gestorben war.

Durch seinen Tod haben Ruby und ich nicht bloß ihn verloren, sondern schlicht alles, was sie je gekannt hat.

Ich lege mein Besteck hin. »Ich sehe mal nach ihr.«

»Zu viel Aufmerksamkeit ist nicht gut für Kinder.«

Automatisch balle ich die Fäuste. »Sag du mir nicht, wie ich meine Tochter erziehen soll.«

»In meinem Haus tue und sage ich, was ich will.«

Bei unserer Ankunft in England fand ich, dass es zu spät im Schuljahr war, um Ruby anzumelden. Es waren nur noch ein paar Wochen, und ich wollte ihr Zeit und Raum geben, um zu trauern und sich einzuleben. Damit der Schock nicht zu groß wird, wenn die Schule im September wieder anfängt, habe ich vereinbart, dass sie in der letzten Woche vor den Sommerferien für einen Tag hingeht. Ich hoffe, dass sie jemanden kennenlernt, den sie mag und mit dem wir Spielverabredungen für die Ferien treffen können. Ruby braucht Freunde und Spaß. Vor allem braucht sie jemanden in ihrem Alter, um Mutters und meine Gegenwart etwas abzumildern.

Die Lehrerin wartet am Schultor auf Ruby. Eine warme Brise weht ihr das Haar ums Gesicht und bläht ihre weite Bluse auf. Ich bin entsetzt, dass ich im Geiste Mutters Stimme höre: *Unförmig*. Ich finde, sie sieht reizend aus.

»Du musst Ruby sein. Ich bin Mrs. Armstrong. Willkommen an der Downsley Primary School. Wir freuen uns alle schon, dass du im nächsten Schuljahr zu uns kommst.«

Ruby bringt ein zaghaftes Lächeln zustande, und ich bin stolz auf sie, weil ich weiß, wie nervös sie ist.

Zurück in Lake Hall fühlt sich alles ganz befremdlich an ohne sie, als hätte ich einen Teil meiner selbst verloren – oder meine Rüstung. Seit Chris' Tod sind wir quasi miteinander verklettet, und mir ist, als hätte ich keine Zeit gehabt, irgendwas allein zu erleben oder meine eigenen Gefühle zu verarbeiten.

Ich weiß genau, was ich tun will, auch wenn mich der Gedanke ängstigt. Aber es drängt mich auf dieselbe ungesunde

Weise dorthin, wie man bei einem Autounfall nicht wegsehen kann. Manchen Impulsen kann man nicht widerstehen.

Ich steige die Haupttreppe zum ersten Stock hinauf, wo der fadenscheinige rote Teppich sich auf ganzer Länge durch einen breiten, von einem Buntglasfenster erhellten Flur zieht.

Zum Dachgeschoss gelangt man über die hintere Treppe, den einstigen Dienstbotenaufgang, die vom Erdgeschoss bis ganz nach oben verläuft. Sie befindet sich am anderen Ende des Flurs. Die schmalen Stufen sind aus Stein, den Jahrhunderte blank gewetzt haben. Der Handlauf besteht aus einem Tau, das längst durchhängt und nicht sehr sicher an der Wand befestigt ist. Vorsichtig gehe ich hinauf, wobei ich mich an dem Tau festhalte. Diese Treppe habe ich nie gemocht.

Oben schalte ich das Licht an, und drei von vier Birnen an der Decke beleuchten schwach einen niedrigen Korridor. Die Lampenschirme sind fleckig und verbeult. Die Türen zum Kindertrakt, wo Hannah und ich unsere Zimmer hatten, sind auf halbem Weg den Korridor hinunter. Der Türgriff fühlt sich vertraut an, als ich ihn herunterdrücke. Mein altes Bett und der Kleiderschrank sind von Laken verhüllt, aber die tanzenden Giraffen auf der Tapete sind leuchtender, als man nach all den Jahren vermutet hätte, und es ist komisch, doch sie sehen nicht ganz so aus, wie ich sie in Erinnerung habe.

Nach Hannahs Fortgang war ich aus diesem Zimmer ausgezogen. Ich wollte nicht allein hier oben sein, und ohnehin bestand Mutter darauf, dass ich eins der Zimmer unten nahm. Es war eine der seltenen Gelegenheiten, bei denen wir uns einig waren.

Ich öffne die Tür zu Hannahs Zimmer. Auch hier sind die Möbel mit Laken und mottenzerfressenen Decken verhüllt, und die Vorhänge sind geschlossen. Die Bodendielen knarzen, als ich den Raum durchquere, und Staubflocken purzeln von der Gardinenstange, sobald ich die Vorhänge bewege. Ich muss husten. Als das Tageslicht hereinfällt, wird offensichtlich, dass es hier nichts gibt außer derselben schrecklichen Leere, die ich an jenem Morgen vorfand.

Und aufs Neue empfinde ich Verlust. Ich hätte nicht herkommen dürfen. Es holt zu viel zurück, und nichts davon ist schön. Ich hatte gehofft, es würde die herrlichen, warmen Gefühle wecken, die ich als Kind für Hannah hegte, und die positiven Erinnerungen: all die wunderbaren gemeinsamen Momente, in denen wir Dinge zusammen unternahmen, diese besondere Sicherheit, die sie mir vermittelte, das Gefühl, geliebt zu sein, und meine absolute Bewunderung für sie. Stattdessen fühle ich nur dieselbe zersetzende Kränkung und Verwirrung, die mich an dem Morgen überkam, an dem ich ihr Zimmer leer vorfand.

Ich will hier raus. Als ich zum Fenster gehe, um die Vorhänge wieder zu schließen, bemerke ich etwas: Von diesem Zimmer aus kann man in das Arbeitszimmer meines Vaters blicken. Das habe ich nicht gewusst. Vermutlich war ich damals noch nicht groß genug, um es zu erkennen, denn die Fensterbank ist hoch, sodass ich nicht im richtigen Winkel hätte hinaussehen können. Nun frage ich mich, ob er wusste, dass man ihn in seinem Heiligtum beobachten konnte. Bei dem Gedanken ist mir nicht wohl.

Ich komme zu spät, um Ruby von der Schule abzuholen, weil ich die E-Mail der Lehrerin nicht richtig gelesen habe. Folglich habe ich keine Chance mehr, andere Eltern kennenzulernen. Ruby wartet mit der Lehrerin auf einer Bank auf dem Schulhof; sie hält den Kopf gesenkt und tritt gegen den Asphalt. Mir versetzt es einen Stich, aber ich versuche, munter zu klingen. »Wie war's?«

»Ruby war super«, antwortet die Lehrerin. »Was für eine schöne Handschrift sie hat!«

Im Auto sagt Ruby: »Die haben gesagt, dass ich mich doof anhöre wegen meinem Akzent, und dass ich eingebildet bin, weil ich in Lake Hall wohne. Sie hassen mich!«

Ich könnte die Kinder umbringen, die so grausam zu Ruby gewesen sind. Doch ich sollte sie beruhigen und ihr sagen, dass alles gut würde. Stattdessen fange ich beschämend laut zu schluchzen an, und Ruby bekommt Angst. Sie sagt mir, dass es eigentlich nicht so schlimm war, weil die Lehrerin nett war, und sie haben einen Klassenhamster und ein tolles System, sich um ihn zu kümmern, bei dem ihn alle abwechselnd mal mit nach Hause nehmen. Außerdem glaube sie, es würde schon noch alles gut. Ich reiße mich zusammen, entschuldige mich, sage ihr, wie super sie ist und dass alles prima würde. Dabei fühle ich mich wie die schlechteste Mutter der Welt.

»Sag Granny lieber nicht, dass du die Schule nicht mochtest«, bitte ich sie, als wir vor Lake Hall parken.

Ich fürchte, dass meine Mutter versuchen könnte, Rubys Beschulung zu übernehmen und sie auf die hiesige Privatschule zu schicken, auf die ich gegangen bin und die ich gehasst habe. Die Schule rühmt sich, Kinder perfekt aufs Internat vorzubereiten. Es ist gut möglich, dass meine Mutter Ruby genauso zu formen versucht wie mich. Dass sie meine Tochter für ein Leben voller Snobismus und Privilegien zu drillen, allen Elan in ihr zu ersticken versucht, bis sie gelernt hat, sämtliche gesunden Emotionen zu unterdrücken.

Das werde ich nicht zulassen.

Um ihr zu helfen, Freunde zu finden, gehe ich an meine schwindenden Geldreserven und melde Ruby zu einem Tenniskurs an. Während sie dort ist, bitte ich Geoff um Hilfe.

»Was meint Ihre Mutter dazu?«, fragt er, als ich ihm sage, dass ich ins Bootshaus möchte. Er ist mit den Geranien im Gewächshaus beschäftigt, von denen ein intensiv samtiger Duft aufsteigt.

»Sie möchte, dass Ruby glücklich ist, und ich denke, es wäre eine schöne Überraschung.«

»Ich habe Ruby schon länger nicht mehr lachen sehen.«

»Eben.«

Seine Miene verrät mir, dass er weiß, wie sparsam ich mit der Wahrheit bin, doch er willigt ein, mir zu helfen.

»Wird allerdings nicht einfach, den Schlüssel zu dem Vorhängeschloss zu finden«, sagt er.

Er hat recht. Am Ende muss er das Schloss aufbrechen. Wir machen es, solange meine Mutter zum Bridgespielen ist.

Im Bootshaus ist es dunkel und alles voller Spinnweben, aber der Boden fühlt sich stabil an. Wir finden ein kleines Ruderboot aus Holz, das jedoch vergammelt und halb im Wasser versunken ist. Der Name am Bug ist recht grob von Hand gemalt: *Virginia*. Plötzlich erinnere ich mich, wie mein Vater ihn eines heißen Nachmittags aufmalte.

»Hat schon bessere Tage gesehen«, konstatiert Geoff.

»Können wir irgendwas tun?«

»Nein. Aber wenn Sie mit Ruby raus aufs Wasser wollen, leihe ich Ihnen das Kajak meines Bruders. Ich habe es schon seit Jahren bei mir in der Garage.«

Meine Stimmung hellt sich auf. Chris, Ruby und ich haben einmal in Kalifornien eine Kajaktour unternommen. Es war einer der schönsten Urlaube, die wir hatten.

Die nächsten paar Tage arbeiten Geoff und ich hinter Mutters Rücken zusammen. Schließlich ist alles bereit, und ich kann nicht aufhören zu grinsen, als ich Ruby vom Tennis abhole. Zu Hause bitte ich sie, mit mir hinters Haus zu kommen.

»Was wollen wir denn machen?«, fragt sie.

»Das ist eine Überraschung.«

Ich nehme sie an der Hand und führe sie zum Bootshaus.

»Hilf mir mal«, sage ich, und sie zieht mit ihrem gesamten Körpergewicht an der einen der beiden Türen, ganz aufgeregt vor Freude.

Geoff und ich haben das alte Ruderboot weggeschafft und es durch das aufblasbare Kajak ersetzt. Paddel, zwei Schwimmwesten und alles, was wir sonst noch brauchen, liegen auf dem Steg daneben.

»Wow!«, sagt Ruby. »Können wir jetzt gleich paddeln?«

Wir machen uns startklar und stoßen das Boot ab. Die Wasseroberfläche ist spiegelglatt, wir gleiten sanft hinaus auf den See.

»Ich will zu der Insel!«, ruft Ruby von vorn. Sie hat eine wunderbare Paddeltechnik, die Chris ihr beigebracht hat, und ich bin froh, hinten zu sitzen und mich an ihr zu orientieren. Zum ersten Mal, seit Chris gestorben ist, tun wir etwas gemeinsam, das uns beiden wirklich Freude macht, ohne an das zu denken, was wir verloren haben, oder daran, wo wir am Ende landen mögen. Unsere Paddel durchschneiden das Wasser mit Leichtigkeit, und wir bewegen uns zügig auf die kleine, runde, von einem einzelnen Baum gekrönte Insel zu.

»Darf ich da rauf?«, ruft Ruby, als die Kajakspitze gegen das Inselufer stupst. Während sie hinausklettert, halte ich das Kajak ruhig am Ufer. Baumwurzeln ragen ins Wasser, zwischen denen sich Treibgut verfangen hat. »Vorsichtig«, warne ich, doch Ruby ist zu hastig und rutscht mit einem Fuß ab. Ich schwinge mich nach vorn und packe ihre Schwimmweste, bevor sie das Gleichgewicht verliert. Das Kajak wippt, kippt aber nicht um.

»Ich stecke fest«, sagt sie. Ihr Fuß hat sich in den Wurzeln direkt unter der Oberfläche verfangen.

»Warte!«, sage ich. »Halte dich an der Kante fest.«

Sie klammert sich an das Boot, während ich aus dem Kajak und auf den weichen Uferrand der Insel steige.

»Zieh den Fuß langsam nach oben.«

Sie versucht es, steckt jedoch richtig fest. Ihr Kinn bebt.

»Ist ja gut, keine Panik. Halte einfach ganz still.«

Das Wasser ist zu trübe, als dass ich Rubys Fuß sehen könnte, deshalb tauche ich mit der Hand ins Wasser ein und taste mich an ihrem Bein nach unten zu der Stelle, an der sich ihr Fuß verhakt hat. Die Baumwurzeln dort unten sind verworren wie Spaghetti, aber ich kann einige kleine Stöcke und irgendein Ding lösen, das sich oberhalb ihres Knöchels verkeilt hat.

»So!«, sage ich, als sie ihr Bein nach oben zieht, und helfe ihr ans Ufer. »Gut gemacht. Das war sehr tapfer von dir!«

Sie umarmt mich so fest, wie es die dicken Schwimmwesten erlauben, und wir hocken uns nebeneinander ans Ufer, direkt gegenüber von Lake Hall.

»Ich glaube, diese Aussicht hat sich seit Jahrhunderten nicht verändert«, sage ich.

»Was ist das?« Ruby steht auf, um etwas zu inspizieren, das von den flachen Wellen sanft ans Ufer geschwemmt wird. Es hat ungefähr die Größe und Form des Dings, von dem ich ihren Fuß befreit habe. Sie hebt es hoch und dreht sich zu mir, um es mir zu zeigen. Ich erstarre.

»Das ist ja komisch«, sagt sie. Sie erkennt nicht, was es ist – noch nicht. Ich schon.

»Ruby, leg das hin, sofort!«

Ihr entgeht die Angst in meiner Stimme nicht, und sie lässt es fallen, als würde es ihr die Hände verbrennen.

Das Ding ist ein menschlicher Schädel. Er landet mit einem dumpfen Laut zu ihren Füßen. Die tiefen Höhlen, wo die

Augen und die Nase waren, blicken mich finster an, und obwohl der Schädel schmutzverkrustet ist, kann ich auf der Oberseite deutlich Bruchlinien erkennen. Sie ähneln uralten Wegen, die sich in einer kargen Landschaft abzeichnen.

Ruby sieht ihn an.

»Das ist ein Schädel!«, sagt sie. »Oh wow, ist das cool! Hätte ich doch mein Telefon hier, dann könnte ich ihn fotografieren!«

Sie geht in die Hocke, um ihn sich näher anzusehen.

»Er ist oben geknackt«, stellt sie fest.

»Fass ihn nicht an!«

»Tue ich ja gar nicht! Aber siehst du, dass er gebrochen ist?«

Nicht einfach gebrochen, denke ich. *Wer das auch sein mag, die Person ist ziemlich sicher keines natürlichen Todes gestorben.*

»Glaubst du, der ist so richtig ganz alt?«, fragt Ruby.

»Weiß ich nicht, Rubes. Wahrscheinlich ja. Aber geh weg davon.«

»Warum?«

»Weil wir es der Polizei melden müssen.«

»Echt?«

Ich nicke. »Es ist der sterbliche Überrest eines Menschen, da muss man das. Komm jetzt, geh da weg. Paddeln wir wieder zurück. Wir lassen ihn, wo er ist.«

»Können wir ihn nicht mitnehmen?«

»Nein!« Ich halte es kaum aus, das Ding anzusehen. Der gebrochene Schädel ist ein schauriger, greifbarer Beweis für etwas Dunkles, das sich von der Vergangenheit in die Gegenwart zieht. Ich empfinde eine kalte, durchdringende Furcht und will so weit weg von dem Schädel wie möglich.

Auf dem Rückweg sitzt Ruby hinter mir im Kajak und vergisst zu paddeln, weil sie sich immer wieder über die Schulter umsieht, auch als wir schon zu weit weg sind, um den Schädel noch erkennen zu können. Ich treibe sie an, weil ich Abstand zwischen uns und der Insel brauche. Im Bootshaus springt sie aus dem Kajak, wirft ihre Schwimmweste auf den Boden und flitzt über den Rasen.

»Hey!«, rufe ich ihr nach. »Willst du mir nicht helfen, alles zu verstauen?«

Sie bleibt stehen und dreht sich um. Ihr Gesicht leuchtet vor Aufregung.

»Ich muss Granny erzählen, was wir gefunden haben!«

1976

HILFE GESUCHT.
Vier Stunden täglich in lebhaftem Familienhaushalt.
Putzen, Bügeln und sonstige Hausarbeiten.

Die Annonce stach nicht sonderlich aus den anderen am Anschlagbrett im Zeitungsladen heraus. Der einzige Unterschied war, dass Linda die Person sah, die sie dort aufhängte. Es war ein Mann, von dem sie schätzte, dass er in den Dreißigern war. Ziemlich alt, *dachte sie,* aber nicht zu alt. *Er trug einen wunderschönen Anzug, edle, blitzblanke Schuhe, und sein dichtes Haar war um die Ohren herum sehr kurz geschnitten, sodass sein schönes Profil zur Geltung kam.*

Linda blieb hinter dem brummenden Kühlschrank, bis er gegangen war, und tat, als würde sie überlegen, ob sie die neueste Ausgabe der Jackie *kaufen sollte, wobei sie sich die gar nicht leisten konnte. Sie beobachtete, wie der Mann die Anzeige aus der Innentasche seines Jacketts nahm – ein aufregend intimer Ort – und sie auseinanderfaltete. Er ließ sich Zeit, einen geeigneten Platz dafür zu finden, steckte sie sorgfältig an allen vier Ecken fest und gab acht, dass sie nicht geknickt war. Linda verliebte sich ein klein wenig in ihn.*

Sie schaute zu, wie er seine Aktentasche aufnahm, sich eine Schachtel Zigaretten aussuchte und bezahlte (Benson & Hedges, ohne Filter, was ihrer Meinung nach die Wahl eines Gentlemans war) und den Laden verließ. Hinter ihm bimmelte die Türglocke. Erst jetzt trat sie an das Anschlagbrett, um die Annonce zu lesen. Die Stelle war genau das, was sie suchte. Als der Ladenbesitzer nicht hinsah, nahm sie die Anzeige ab und steckte sie in die Tasche.

Eine Woche später trat Linda die Stelle an. Ein Vorschuss auf den Lohn hatte es ihr ermöglicht, ein winziges Zimmer in einem Backsteinreihenhaus in Chapeltown in Leeds zu mieten. Sie teilte es sich mit einem anderen Mädchen, um Geld zu sparen. Ihre Mitbewohnerin war gleichfalls eine Ausreißerin. Sie hieß Jean.

Jean arbeitete bei Woolworths und brachte gestohlenes Make-up und Zeitschriften mit nach Hause. Sie verstanden sich auf Anhieb.

Linda konnte zu Fuß zur Arbeit gehen, aus ihrem Viertel, wo das einzige Grün der Löwenzahn in den Gehwegspalten war, durch eine bessere Gegend mit gepflegten Hecken und Sträuchern an den Grundstücksgrenzen in sein Viertel, wo prächtige Bäume mit duftenden Blüten oder leuchtend grünem Laub die breiten Alleen säumten.

Sein Haus war hübsch und groß. Es passte zu ihm, fand sie. Genau so sollte er wohnen. Ein Silver-Cross-Kinderwagen stand in der Ecke der Veranda, und ein schwarzer Ford Granada parkte auf einem überdachten Stellplatz. Linda malte sich aus, wie es wäre, den Kinderwagen zu schieben oder den Wagen zu fahren.

Jedes Mal wenn sie zur Arbeit kam, dachte sie daran, woher sie ursprünglich stammte: aus dem kleinen Cottage im Moor, wo ihre schmutzigen Geschwister herumtobten; wo ihre Mutter früher grün und blau geprügelt war, wenn ihr Dad seinen

Lohn im Pub ausgegeben hatte; wo ihr Vater seine Brieftauben mehr liebte als seine eigene Familie, die Vögel aus den Käfigen nahm, als handelte es sich um kostbare Gegenstände, ihnen den Kopf mit einem dreckigen Finger streichelte und Kusslaute von sich gab, die sie zu bezaubern schienen.

Linda hatte seiner Lieblingstaube den Hals umgedreht, bevor sie von zu Hause wegging, und das tote Tier auf den Schuppenboden geschleudert. »Mal sehen, wie gern er dich jetzt mag«, hatte sie zu dem schlaffen Kadaver gesagt.

Die Arbeit war nicht schwer, sofern es einen nicht störte, sich die Hände schmutzig zu machen. Und das störte Linda nicht. Etwas anderes hatte sie nie kennengelernt, ausgenommen die öden, nutzlosen Stunden, die sie in überfüllten Klassenzimmern verbracht hatte. Im Haus des Mannes schrubbte sie Bäder und Böden, wischte Staub und polierte Oberflächen, Treppengeländer und Nippes exakt so, wie seine Frau es ihr sagte. Sie war ein kluges Mädchen und lernte schnell. An manchen Tagen erhöhte die Frau ihre Stundenzahl.

Er war so gut wie nie da, was Linda enttäuschte. Sie betrachtete die Fotos von ihm im Haus, berührte die Gegenstände auf seinem Schreibtisch, doch das nächste Mal, dass sie ihn persönlich sah, war in den Sommerferien. Er trug Shorts und ein T-Shirt. Sein Haar war von der Sonne ausgeblichen. Er fuhr den Wagen aus dem Carport in die Einfahrt und wusch ihn, während er sich im Radio das Kricketspiel anhörte. Linda beschloss, sich mit den Spielregeln vertraut zu machen.

Auf seine Frau war sie nie eifersüchtig, weil sie sie für rückgratlos hielt, zu alt für ihn und inkompetent. Die Frau kaufte sich Kleidung, die ihr nicht stand. Eines Tages versuchte sie, eine Schwarzwälder Kirschtorte zu machen, und weinte, als die Böden verrutschten und alles zu einem rotgestreiften Sahne-

matsch wurde. An den Kindern – ein Zwillingspärchen – lag ihr nicht allzu viel, doch er schien sie die seltenen Male, die er zu Hause war, zu vergöttern.

An einem Nachmittag in jenem Sommer lag er auf dem Teppich und spielte mit ihnen, kitzelte sie und machte dazu solche komischen Laute, wie sie sonst nur Comicfische von sich gaben. Und er lachte, wenn die Kleinen lachten. Sie drehten sich mit ihren kleinen Körpern zu ihm, die Finger in die Zehen gekrallt, und er blies ihnen auf den Bauch, bis die Nanny der Babys, die jeder Nanny Hughes nannte, sich räusperte und sagte, es sei Zeit für den Mittagsschlaf. Linda versuchte, nicht zu auffällig hinzusehen, aber der Vater mit den Babys war solch ein entzückender Anblick. Es löste ein Kribbeln in ihr aus. Sie erzählte Jean alles von ihm.

»Ist er nicht ein bisschen alt für dich?«, fragte Jean. Sie und Jean hatten angefangen, ihre Kleider und ihre Geheimnisse zu teilen und samstags abends zusammen auszugehen. Jean war mit einem Jungen verbandelt, der im Kassenhäuschen des Kinos arbeitete und nicht rauchen konnte, ohne zu husten.

»Er ist genau richtig«, antwortete Linda.

»Ich würde sein Geld nehmen«, sagte Jean. »Und du darfst seinen schrecklich alten Körper haben.« Ihre Vermieterin sagte, Jean hätte »eine dreckige Lache« und sollte »lernen, leiser zu sein«.

Bei der Arbeit beobachtete Linda Nanny Hughes aufmerksam, und der Neid, den sie empfand, machte sie reizbar. Nanny Hughes trug eine Uniform, und dazu gehörten manchmal auch ein Hut und weiße Handschuhe, weil sie eine Norland-Nanny war. Drei Jahre lang war sie am angesehenen Norland College ausgebildet worden und hatte letzten Sommer ihren Abschluss gemacht. Nanny Hughes genoss es, jedem, der ihr freiwillig zuhörte, zu erzählen, dass eins der Mädchen, die kürzlich das

College beendet hatten, für ein Mitglied der königlichen Familie arbeitete und sie selbst hoffe, eine ähnliche Stellung zu bekommen, wenn sie erst ein wenig Erfahrung gesammelt hätte. Sie erhob nie die Stimme und hatte einen Preis für ihre exzellente Haltung gewonnen.

Linda schaute zu und hörte aufmerksam hin, merkte sich alles, besonders aber die Art, wie Nanny Hughes mit den Babys sprach, wie die Kleinen sie bewundernd anblickten und wie sie sich an ihre Nanny klammerten, wenn die Frau die Arme nach ihnen ausstreckte. Wenn Linda seitlich vom Haus die Eimer mit dem schmutzigen Putzwasser auskippte, blieb sie manchmal kurz, um zuzusehen, wie Nanny Hughes den großen Kinderwagen die Einfahrt hinaufschob, die Schultern nach hinten gezogen und selbstbewussten Schrittes. Macht reizte Linda, und ihr war klar, dass Nanny Hughes in dieser Familie reichlich davon besaß, weil der Mann seine Kinder liebte und die Kinder ihre Nanny liebten. Wenn Nanny Hughes nicht im Raum war, imitierte Linda sie. Bald liebten die Kleinen auch sie.

VIRGINIA

Der Vorteil, wenn man in der Kirche in der ersten Bank sitzt, ist der, dass niemand einen weinen sieht.

Aber was ist mit dem Vikar?, fragen manche jetzt vielleicht. *Schaut er denn nicht bei der Predigt auf seine Schäfchen, wie seine Vorgänger es seit Jahrhunderten getan hatten, und achtet besonders darauf, wie seine Worte in der Familienbank der Holts aufgenommen werden? Schließlich repariert sich das Dach einer Votivkapelle nicht von selbst.*

Natürlich haben sie recht. Der Vikar sieht hin und wieder zu mir, aber zufällig weiß ich auch, dass unser derzeitiger Stellvertreter Gottes auf Erden extrem kurzsichtig ist und zu feige, um Kontaktlinsen auszuprobieren, aber auch zu eitel, um eine Brille zu tragen. Ich könnte statt einer Nase eine Karotte im Gesicht haben, und er würde immer noch meine Hände ergreifen und mir sagen, ich wäre der Inbegriff der Eleganz. Eine während seiner Predigt vergossene Träne würde er nicht bemerken, und ich werde niemandes Aufmerksamkeit darauf lenken, indem ich sie wegwische.

Ich sollte bei einem Bridgespiel sein, war jedoch nicht in der Stimmung und kam stattdessen her. Einmal im Monat gibt es eine Abendmesse, und ich suche hier Zuflucht, weil ich eine Weile aus meinem Haus musste. Seit Alexander gestorben ist, bin ich allein in meiner Kirchenbank. Der leere Platz neben mir war der meines verstorbenen Ehemannes und sämtlicher Lord Holts vor ihm. Mein Alexander ging nicht regelmäßig in die Kirche, weil es ihn langweilte. Er zog Spaziergänge mit den Hunden vor. Dennoch bleibt es sein Platz, und es wäre anmaßend, würde sich jemand aus dem Dorf dort hinsetzen.

Hinterhältig wie eine Schlange gleitet die Träne über meine Wange. Meine Schultern, mein Rücken und mein Hintern tun weh, doch ich zwinge mich, Haltung zu wahren. Eine Frau in meiner Situation muss sich anstrengen, will sie sich die Autorität erhalten, die sie als die eine Hälfte eines Paares besaß. Ich trage Handschuhe und habe die Hände ordentlich auf dem Schoß gefaltet. Die Predigt blende ich aus und starre meine verschränkten Finger an. Meine Handschuhe sind aus feinstem scharlachrotem Kalbsleder. Sie waren ein Geschenk von Alexander, und es ist die Hölle, sie über die arthritischen Gelenke zu bekommen, aber sie sind viel zu schön, um sie nicht zu tragen. Ich wünschte, ich könnte nun einen von ihnen ausziehen und nach seiner Hand greifen, wie ich es früher tat. Doch ich kann mir nur ausmalen, wie es sich anfühlen würde, wieder die Konturen und die Textur seiner Handfläche und seiner Finger zu spüren.

Das Witwendasein ist einsam, und die einzige Repräsentantin dieser Familie zu sein ist eine Bürde. Meine Tochter denkt, ich fühle nichts; da irrt sie.

Die Bänke hinter mir sind nur spärlich besetzt, wenn auch zahlreicher, als ich angenommen hätte. Viele Leute in dieser Gegend sind sehr traditionsbewusst, und zur Tradition gehört der Besuch in dieser kleinen Kirche, die vor Jahrhunderten von den Holts erbaut wurde. Die Holts und andere hiesige Familien sind sich von jeher sehr nahe und kennen einander gut. Zeitweise sind wir voneinander abhängig, wie es Arbeitgeber und Arbeiter eben sind. Was die Einstellung zu uns betrifft, gibt es in dieser Gemeinde und unter den Dorfbewohnern sowohl Kriecher als auch Leute, die uns hassen.

Für manche ist die Holt-Familie ein fester Bestandteil der Landschaft, so beständig und wichtig wie der alte Hain am Fuße von Downsley Hill. Für sie wäre ein Verlust der Familie gleichbedeutend mit dem Verlust eines wesentlichen Elements dieses Landstrichs, wenn nicht gar des Landes an sich. Andere hingegen sehen uns als Ausbeuter und unwürdig unseres Titels, unseres Status und unseres Vermögens. Für sie sollten wir dringend mal einen Dämpfer bekommen – oder zwei oder drei. Die Schlimmsten von ihnen reihten sich früher an den Feldwegen auf und hielten Plakate hoch, wenn wir eine Fuchsjagd veranstalteten. »Faschisten!«, riefen sie, oder: »Jägerabschaum!« oder Übleres.

»Lasst uns beten«, sagt der Vikar. Hinter mir knien sich alle hin. Ich höre leises Stöhnen, wie es alte Gelenke schon mal selbst den Frömmsten entlocken können, und neige den Kopf. Wenn ich mich hinknie, komme ich ohne Hilfe nicht wieder hoch. Meine Kniebank bleibt ungenutzt. Eine Frau aus dem Dorf hat einen kleinen Läufer geknüpft, der darübergebreitet ist: das Holt-Wappen. Es ist ziemlich unbeholfen gefertigt, aber natürlich weiß ich die Mühe zu schätzen.

Bevor ich die Augen schließe, stiehlt sich noch eine Träne hervor. Sollte es jemand hinter mir bemerken, wird derjenige wahrscheinlich annehmen, dass ich um Alexander trauere, was falsch wäre, denn es ist meine Tochter, die mich zum Weinen bringt.

Als ich zustimmte, Jocelyn und Ruby bei mir aufzunehmen, stellte ich mir vor, dass Jocelyn und ich uns zum ersten Mal in unserem Leben verstehen könnten oder uns zumindest gegenseitig ein wenig Trost und Beistand spenden. Wie sich herausgestellt hat, war das reines Wunschdenken. Jocelyn lässt keine Gelegenheit aus, mir sehr deutlich zu signalisieren, dass sie nur deshalb wieder in Lake Hall ist, weil sie sonst nirgends hinkann. Bei einem Sturm ist jeder Hafen recht, heißt es doch. Mich macht es traurig, auch wenn ich nicht so dumm bin, es sie merken zu lassen. Damit würde ich riskieren, von ihr verachtet zu werden.

Das Schlussgebet zieht sich ewig hin, denn der Vikar erwähnt jede einzelne unglückliche Seele und beschreibt deren physische Leiden quälend detailliert. *Was ist mit dem unsichtbaren Leid?*, denke ich. *Wie viele Menschen leiden jetzt in dieser Kirche?* Ich weiß, dass ich es tue.

Ein Kind zu haben, das man liebt, das die eigene Liebe indes nicht erwidert, ist ein äußerst intensiver und gnadenloser Schmerz. Jocelyn hat mich nie geliebt, nicht einmal als sehr kleines Mädchen, nicht einmal als Säugling. In jener Situation kann es nur die Schuld der Mutter sein, obgleich ich nie verstanden habe, was ich falsch gemacht habe.

Aber – und es ist ein wichtiges Aber – da ist ein Lichtstreif am Horizont: Ruby.

Ruby ist ein wahrer Schatz, ein durch und durch liebenswertes Mädchen, voller launiger Einfälle, Selbstvertrauen und Potenzial. Sie funkelt. Als Jocelyn sich erbarmte, uns mitzuteilen, dass sie eine Tochter bekommen hatte, hasste ich Rubys Namen. Ich fand, dass er gewöhnlich klang; doch seit ich sie kenne, habe ich meine Meinung geändert. Jetzt glaube ich, dass es genau der richtige Name für ein Mädchen wie sie ist. Ich hege so viele Hoffnungen und Träume für Ruby, würde Jocelyn mir nur erlauben, ihr näher zu sein.

Ich stimme in das »Amen« am Ende des Vaterunsers ein und öffne die Augen. Vorsichtig hebe ich den Kopf wieder und dehne die steifen Nackenmuskeln. Meine Tränen dürften so weit getrocknet sein, dass ich mich unbesorgt den schärfsten Beobachtern unter den Gemeindemitgliedern stellen kann.

Boudicca, Alexanders Labrador, schläft auf der Decke hinten im Land Rover. Alexander hatte sie die wenigen Male, die er zur Kirche fuhr, mitgenommen, also tue ich es auch. Die Hündin vermisst ihn genauso wie ich.

Die Wagenfenster sind offen, und ich lasse sie auf der Heimfahrt geöffnet. Die laue Abendluft ist wohltuend. Wie immer knirscht die Gangschaltung des Land Rovers, als ich zwischen den Torpfosten hindurchfahre und Lake Hall am Ende der Auffahrt erblicke. Das hellgrüne Laub der Buchen bildet einen üppigen Baldachin über mir und ist trotz des späten Abends hübsch sonnengesprenkelt. Im Sommer finde ich diesen Anblick erhebend, im Winter hingegen gemahnen die kahlen Äste an das Skelett eines Riesen.

Boudicca regt sich auf der Rückbank, als ich mich bemühe, die Schlaglöcher auf der Zufahrt zu umfahren, damit wir nicht allzu sehr durchgeschüttelt werden. Ich vermute, uns beiden geht dasselbe durch den Kopf: Wir fragen uns, was Anthea zum Abendessen hingestellt hat.

Womit wir beide nicht gerechnet haben, ist der Streifenwagen vor dem Haus.

DETECTIVE ANDY WILTON

Andy sieht seine Männer das Boot ins Wasser schieben.

»Ihr Gärtner meinte, dass der See da draußen in der Mitte sehr tief ist«, sagt er.

Die Tochter des Hauses steht neben ihm. Sie hat sich als Jo vorgestellt, das musste er zugeben, dennoch konnte er nicht umhin, spöttisch zu grinsen, als er ihren vollen Namen in den Notizen seines Kollegen las: Jocelyn Lucia Venetia Holt.

»Anscheinend«, antwortet sie. »Ich durfte als Kind nie in dem See schwimmen, deshalb weiß ich es nicht genau.«

Sie spricht echtes Oberklassenenglisch, allerdings ein klein wenig weicher als üblich. Transatlantisch, konstatiert er, als sie erklärt, dass sie über zehn Jahre in den USA gelebt hat.

Vornehme Leute machen ihn unsicher, was seinen eigenen Akzent angeht. Er wuchs zwanzig Meilen von hier auf, in einer völlig anderen Welt: einer Eisenbahnersiedlung in Swindon, wo drei Generationen seiner Familie in der Maschinenfabrik gearbeitet hatten.

Er ist durch und durch Arbeiterkind und stolz darauf, weshalb sich ihm sofort die Nackenhaare sträuben, wenn er denkt, jemand sieht auf ihn herab.

»Ach du Schande«, hatte er gesagt, als er heute einen ersten Blick auf Lake Hall warf. »Das Teil hat mehr Schornsteine als unsere ganze Straße früher.«

»Übertreib nicht«, hatte Maxine erwidert. »Es ist nicht Downton Abbey.«

Lake Hall wirkt tatsächlich eher wie ein mittelalterliches Herrenhaus, nicht wie Buckingham Palace. Maxine hatte recht, es ist nicht Downton Abbey, trotzdem mächtig eindrucksvoll.

Jo hat die Arme um den Oberkörper geschlungen. *Sie sieht gut aus,* denkt er, *aber ein bisschen zu dünn.*

»Warum durften Sie hier nicht schwimmen?«, fragt Andy.

»Meine Mutter behauptete beharrlich, dass es gefährlich wäre. Ich erinnere mich, dass ich als Kind ein- oder zweimal in einem Ruderboot mit hinaus auf den See durfte, aber das ist auch schon alles. Soweit ich mich entsinne, war später nie wieder jemand auf dem See. Das Bootshaus war immer verschlossen. Sie müssen mit meiner Mutter, der Haushälterin oder dem Gärtner sprechen, falls Sie wissen wollen, wie es in letzter Zeit gehandhabt wurde.«

Sie haben Personal, denkt er. *Natürlich.* Er sieht zu Maxine, und sie verdreht die Augen.

Jo fröstelt, dabei ist es warm, und die Sonne steht noch hoch genug, dass sie von den oberen Fenstern von Lake Hall reflektiert wird. »Es muss ein alter Schädel sein, nicht wahr?«, fragt sie, obwohl sie wissen sollte, dass er das noch nicht beantworten kann.

»Wer ist das?«, fragt er. Eine alte Frau kommt forschen Schrittes über den Rasen auf sie zu. Sie erinnert Andy an seine alte Schuldirektorin, wenn sie zielstrebig den Schulhof überquerte, um streitende Kinder zu maßregeln.

»Meine Mutter«, sagt Jo. »Viel Glück.«

Lady Holt beginnt bereits, ihn zu verhören, ehe er sich auch nur vorstellen kann. »Was in aller Welt geht hier vor? Warum sind Ihre Männer auf dem See? Wer hat Ihnen die Erlaubnis erteilt?«

Ihr Auftreten beeindruckt ihn nicht, und er wird sich von ihr nicht anschnauzen lassen. Ruhig sieht er sie an und reicht ihr die Hand anstelle einer Antwort. Sie blickt nach unten, bevor sie lediglich ihre schlaffen Fingerspitzen nutzt, um sie zu schütteln.

»Detective Constable Andy Wilton«, sagt er, »und dies ist meine Kollegin, Detective Constable Maxine Flint.« Maxine streckt ebenfalls ihre Hand vor, doch Lady Holt ignoriert es.

»Ihre Tochter hat eine Entdeckung gemacht«, erklärt er. Interessant ist, dass Jo ein wenig zur Seite weicht. Er hätte gedacht, sie könne es gar nicht erwarten, ihrer Mutter von den Neuigkeiten zu berichten.

»Was für eine Entdeckung?« Für einen Moment schwächelt ihre Stimme, was nicht minder interessant ist.

»Sie hat einen menschlichen Schädel bei der Insel gefunden.«

Lady Holt blinzelt sehr schnell und schlägt sich eine Hand vor den Mund. Die Edelsteine an ihren Ringen sind riesig. »Da draußen?«, fragt sie.

»In Ufernähe bei der Insel.«

»Ich verstehe. Nun, dann machen Sie weiter. Jocelyn wird Ihnen sagen, wo Sie mich finden, falls Sie mich brauchen.«

Sie macht sich sehr gerade, als wolle sie um jeden Preis gefasst wirken, auch wenn Andy nicht glaubt, dass sie es ist. Ganz und gar nicht. Ohne ein Wort zu ihrer Tochter geht sie zurück zum Haus.

»Eher nicht Friede, Freude, Eierkuchen?«, murmelt Maxine so leise, dass die Tochter es nicht hört.

»Nein, wohl nicht«, sagt er. Er würde lügen, wenn er behauptete, dass es ihm nicht eine gewisse Befriedigung verschafft, auf dem prachtvollen Anwesen für einige Unruhe zu sorgen.

JO

Es ist beinahe dunkel, als die Polizeitaucher ihr Schlauchboot an Land ziehen, die Suche für die Nacht unterbrechen und nach Hause fahren. Als ich ihnen nachwinke, verlassen bereits die ersten Fledermäuse ihren Schlafplatz über dem Stall und huschen in die Finsternis des Eichenbaldachins.

Die Taucher haben den Schädel geborgen. In der Beweismitteltüte, die er sofort mit Schlamm beschmierte, schien er grotesk vergilbt und irgendwie uralt. Sie fanden auch andere Knochen und wollen morgen bei Tageslicht mit der Suche fortfahren.

Die ruhige Oberfläche des Sees spiegelt das letzte Licht und zeichnet die Schilfsilhouetten schärfer. Man würde nicht erahnen, dass hier heute Nachmittag etwas geschehen ist, doch mir krampft sich der Magen zusammen. Etwas Seltsames regt sich in mir, schleichend und hartnäckig zugleich, als aus dem Nichts ein scheußlicher Gedanke auftaucht:

Was ist, wenn es der Schädel meiner Nanny Hannah ist?

Mein Herz scheint in der Brust zurückzuweichen, und der Gedanke bringt mich aus dem Gleichgewicht, als würde die Welt um mich herum ein paar Grad zur Seite kippen.

Vorhin, als ich mit den Detectives am See stand, während die Taucher arbeiteten, war ich ruhig gewesen. Detective Andy Wilton hält nichts von Small Talk. Er ist von recht schlanker Statur, hat einen Bartschatten und sieht ungefähr so alt aus wie ich. Bevor er sich vorstellte, bemerkte ich, dass er das Haus und die Gartenanlage musterte. Und er gab sich keinerlei Mühe, seine Verachtung zu verbergen.

Bitte beurteilen Sie mich nicht nach dem, was Sie hier sehen, hätte ich nur zu gern gesagt. *Dieses Haus steht nicht für das, was ich bin. Ich bin nicht meine Mutter.*

In kurzen, knappen Sätzen informierte er mich, dass die Knochen zur forensischen Untersuchung geschickt würden. Und ich habe klar und deutlich herausgehört, dass sie mir, was auch immer sie fänden, nur mitteilen würden, wenn es die Sache verlangte.

Nun ja, ich denke, dass ich alles über die Knochen wissen will und auch wieder nicht, denn was ist, wenn ich recht habe und es sich um Hannah handelt? *Und was ist, wenn sie ermordet wurde?* Dieser Schädelknochen wies eine scheußliche Fraktur auf.

Ich sehe mich zum Haus um. Das sind verrückte, vorschnelle Gedanken, und ich muss mich zusammennehmen und Ruby bei Anthea abholen, wohin ich sie geschickt hatte, solange hier die Suche stattfand, weil sie es nicht mit ansehen sollte. Sie war ausgetickt, als ich sie wegschickte, weil sie unbedingt bleiben und das ganze Spektakel miterleben wollte, aber das konnte ich auf keinen Fall zulassen.

Auf dem Weg zum Haus sehe ich, dass helles Licht im Blauen Salon, der Küche und dem Wohnzimmer meiner Mutter brennt. Mutter ist da drinnen. Wir haben noch nicht über den Schädel gesprochen. Während ich hinüberschaue, kommt sie ans Fenster und sieht heraus, eine Hand mit der blassen Innenfläche an die Scheibe gepresst. Ich hebe meine Hand, um ihr zu winken, doch sie reagiert nicht. Ich glaube nicht, dass sie mich im Zwielicht sehen kann. Die Haut in meinem Nacken kribbelt, und ich erschaudere unweigerlich.

Rubys morbide Faszination für den Schädel nimmt zu, bis sie davon überzuquellen droht, und es hilft nicht, dass ich meine eigenen Gedanken für mich behalte. Sie stellt unzählige Fragen, von denen ich manche nicht mal ansatzweise beantworten kann: *Wer ist gestorben? Wie alt war er oder sie? Warum hat sich der Schädel nicht aufgelöst? Ist der oder die ertrunken, wurde er oder sie ermordet oder ist an Altersschwäche gestorben? Meinst du, der oder die war nett oder schrecklich?*

Dann endlich eine Frage, die ich beantworten kann: »Darf Stan zum Spielen kommen?«

»Ja! Wer ist Stan?«

»Ich kenne ihn vom Tennis.«

»Hast du die Telefonnummer seiner Mum?«

Sie sieht mich an, als wäre ich ein Dinosaurier. »Stan hat Snapchat. Wir schreiben uns dauernd.«

Begeistert, dass Ruby einen Freund gefunden hat, kontaktiere ich Stans Mum und arrangiere eine Spielverabredung. Stan blickt sich mit riesigen Augen um, als seine Mum ihn herbringt.

»Willst du mal alles sehen?«, fragt Ruby. »Ich zeige dir, wo sie den Schädel gefunden haben!«

»Ruby!«, sage ich. »Das interessiert Stan sicher nicht.« Ich hatte vergessen, sie zu ermahnen, nicht darüber zu reden; ich will ihrem neuen Freund keine Angst einjagen. Zudem wäre es ein denkbar schlechter Start mit den anderen Müttern.

»Ist okay«, erwidert Stan. »Ich weiß das ja schon. Und ich habe keine Angst oder so.«

»Er mag Geistergeschichten«, ergänzt Ruby.

Stan nickt. »Ich weiß Bescheid über Verwesung. Und hast du gewusst, dass wir in Biologie in der Siebten einen Augapfel sezieren? Mein Bruder hat das schon gemacht.«

»Tja, dann ist es ja okay, schätze ich. Aber ihr müsst auf

Abstand zum See bleiben, wenn ihr rausgeht. Nur bis zur Rasenkante, klar? Und seid im Haus vorsichtig. Lauft nicht die Hintertreppe rauf und runter oder geht irgendwohin, wo ihr nichts zu suchen habt. Und stört Anthea nicht.«

Ich schaue ihnen nach, als sie losziehen, und lächle, weil sie so verschwörerisch die Köpfe zusammenstecken. Deshalb muss Ruby mehr Zeit mit Kindern in ihrem Alter verbringen. Sie wirkt so leichtfüßig wie schon ewig nicht mehr.

Anthea sitzt am Küchentisch und putzt Silber. Das Radio läuft leise, aber sie stellt es noch leiser.

»Bitte, stellen Sie es nicht meinetwegen leiser.«

»Ist in Ordnung.«

»Kann ich Ihnen helfen?«

»Nicht nötig, danke.«

Während der Wasserkocher läuft, beobachte ich sie, wie sie einen Kerzenhalter poliert. Sie geht sehr sorgfältig und gründlich vor, und man erkennt, dass sie es schon oft gemacht hat.

»Möchten Sie einen Tee?«, frage ich.

»Nein, vielen Dank.«

»Wie lange arbeiten Sie schon hier?« Gewiss möchte sie sich nicht mit mir anfreunden, aber es wäre nett, wenn wir zumindest miteinander plaudern könnten.

»Fünfzehn Jahre. Ich habe die Stellung übernommen, als meine Mutter in den Ruhestand ging.«

»Marion ist Ihre Mutter?« Ich fasse es nicht, dass ich das nicht früher mitbekommen habe, aber jetzt, da sie es sagt, sehe ich die Ähnlichkeit.

»Früher hat sie mir Geschichten über Sie und Ihre Nanny erzählt.«

»Hannah und ich haben viel Zeit mit Marion verbracht.«

»Ja, das habe ich gehört.«

»Sie hat mir gezeigt, wie ich Pfannkuchen nach ihrem Geheimrezept mache. Wie geht es ihr?«

»Nicht schlecht, aber auch nicht richtig gut.« Ich habe den Eindruck, dass ich nicht nachhaken sollte.

»Grüßen Sie sie bitte herzlich von mir.« Sie nickt. Und ich versuche mein Glück mit einem anderen Thema. »Ruby hat ihrem neuen Freund von dem Schädel erzählt«, sage ich. »Hoffentlich schreckt es ihn nicht ab.«

Sie unterbricht das Silberputzen. »Die Leute werden darüber reden. Man kann nicht die Polizei herrufen, ohne dass es alle merken. Die Stille Post wird jetzt schon im Gange sein, wie ich Downsley kenne.«

Ich frage mich, wie viel sie bereits herumerzählt hat.

Es wird laut ans Fenster geklopft. Wir haben heute nicht mit weiteren Tauchern gerechnet, sonst hätte ich die Kinder nicht nach draußen gelassen, aber ein Mann, der halb in einem Taucheranzug steckt, steht draußen und hat Ruby und Stan bei sich.

»Die zwei habe ich unten am See erwischt. Ist kein guter Ort für die Kinder«, sagt er. Ruby und Stan wirken kein bisschen reumütig.

»Wir wollten doch nur mal gucken«, sagt Ruby.

Mutter weigert sich, über den Schädel zu reden. Sie ist ungewöhnlich still, seit die Polizei hergekommen ist, sogar gegenüber Ruby.

»Da gibt es nichts zu bereden«, sagt sie, als ich das Thema anspreche.

»Bist du denn gar nicht neugierig?«

Sie knipst einen Rosenstiel ab und steckt ihn in eine niedrige Vase. Einen Moment lang betrachtet sie das Bild und wählt dann eine andere Blüte.

»Du bist wie ein Hund, der sich in etwas verbissen hat«, sagt sie. »Lass los.«

»Mutter! Ich habe einen Schädel gesehen! Der war eingeschlagen. Die Person, die zu dem Schädel gehört, ist keines natürlichen Todes gestorben. Warum interessiert dich das nicht?«

»Ich weiß nicht, was du von mir erwartest! Hier leben seit fast tausend Jahren Leute, was dir ebenso bekannt ist wie mir. Der Schädel gehört wahrscheinlich zu irgendeinem armen Stallburschen, der vor Hunderten von Jahren vom Pferd gestürzt und mit dem Kopf auf einem Stein aufgeschlagen ist, oder es war der bedauerliche Unfall eines Betrunkenen. Wir erfahren vielleicht nie, wer es war, also warum muss ich deshalb jetzt aufgewühlt sein?«

»Und wenn er nicht so alt ist?«

Sie beachtet mich nicht.

»Was meinst du, könnte es Hannah sein?«

Hierauf schürzt sie die Lippen.

»Hast du jemals wieder von Hannah gehört, nachdem sie verschwunden war?«

Sie schüttelt kurz den Kopf.

»Könnte sie es sein?«

»Selbstverständlich ist es nicht Hannah!«

»Woher weißt du das?«

Wieder ignoriert sie mich, so wie sie es von jeher getan hat, wenn ich versuchte, über Hannah zu reden. Hannahs Name war ein Tabu. Mutter knipst noch eine Rosenblüte ab und lässt sich Zeit mit der Suche nach dem richtigen Platz in der Vase. Die Blumen riechen eklig süß.

»So«, sagt sie, als sie fertig ist, und dreht die Vase einmal herum, um das Arrangement aus allen Blickwinkeln zu bewundern. »Sieht das nicht hübsch aus?«

Ich hoffe, dass alle Blüten morgen welk sind.

VIRGINIA

Alles scheint irgendwie Risse zu bekommen. Von drinnen beobachte ich, wie die Taucher noch mehr Knochen aus dem Schlick, den verworrenen Wurzeln und dem Treibgut im See holen. Sie wickeln die Überreste so behutsam ein, als würden sie mit edlem Porzellan hantieren, und bringen sie weg vom Anwesen. Es dauert einige Tage und fühlt sich so aufdringlich an wie Jocelyns endlose Fragen zu dem Schädel.

Am letzten Tag kommt der Detective zum Haus. Ich bitte ihn nicht herein. Die Veranda schützt ihn ausreichend vor dem Regen.

»Ja?«, frage ich.

»Wir sind jetzt fertig.«

»Ja, das sehe ich.«

»Ich werde Sie auf dem Laufenden halten, soweit es nötig ist.«

»Das ist ein alter Schädel, wie Sie sehr wohl wissen. Ein sehr alter. Daher weiß ich nicht, warum Sie überall hier dieses abscheuliche gelbe Absperrband angebracht und überhaupt solch ein Theater veranstaltet haben.«

»Wir müssen uns an ein bestimmtes Prozedere halten, wenn menschliche Überreste gefunden werden.«

»Nun, so ein Prozedere kann sehr stumpfsinnig sein, finden Sie nicht?«

Er ist einer dieser Menschen, die sich beim Nachdenken mit der Zungenspitze über die Schneidezähne fahren, sodass sich die Lippen vorwölben. Überaus unattraktiv.

»Ich würde sagen, es ist notwendig, Mrs. Holt.«

»Lady Holt.«

»Wir melden uns.«

»Danke«, sage ich.

Ich versuche, mir meine Angst nicht anmerken zu lassen.

1975 habe ich Jocelyns Vater kennengelernt. Ich war von seinem Bruder eingeladen worden, mich ihm und einigen Freunden zu einem Skiurlaub anzuschließen. Alexander kam eines Tages zum Mittagessen dazu, doch ich bemerkte ihn erst, als wir alle gegessen hatten und uns wieder die Skier anschnallten. Jemand schlug eine Abfahrt um die Wette vor, und es wurden Einsätze genannt.

»Machst du mit?«, fragte Alexander. Wenn er später diese Geschichte erzählte, behauptete er stets, er hätte gleich geahnt, was für eine gute Skifahrerin ich war, aber ich könnte schwören, dass er darauf zählte, ich würde mit den Wimpern klimpern und den Jungs vom Pistenrand aus applaudieren. Doch ich ging mit ihnen in Startposition. Der Himmel war vom blauesten Blau, und die schneebedeckten Gipfel schienen am Horizont zu schweben.

Alexander und ich waren Kopf an Kopf am Ende der Piste und gute fünfzig Meter vor den anderen, als eine französische Matrone aus dem Nichts aufkreuzte und uns zum Bremsen zwang. Ich wich ihr aus und verfehlte sie knapp, Alexander nicht. Schnee, französische Flüche und ihre riesige Pelzmütze wirbelten um die beiden herum durch die Luft.

»Keiner hat mich je in einem Rennen geschlagen«, sagte er hinterher. »Vor allem kein Mädchen. Revanche?«

Ich strich ein wenig Schnee von seiner Mütze. »Ich hätte lieber einen Drink.«

Er war der schönste Mann, den ich je gesehen hatte.

»Granny«, sagt Ruby.

»Ah, meine Augenweide! Was machst du denn so, Liebes?«

»Kennst du gute Geistergeschichten?«

»Nein, aber ich kenne ein richtig gutes Buch, das so schaurig ist wie eine gute Geistergeschichte, wenn du dich gern gruselst. Es heißt *Die Nacht des Jägers*.«

»Kannst du mir das mal zeigen?«

Ich durchsuche meine Regale nach dem Buch und gebe es ihr. Sie überfliegt es kurz, und ihre Miene verrät mir, dass sie beeindruckt ist. »Stan sagt, dass ich mal zum Lagerfeuer zu ihm kommen soll und wir uns dann Gruselgeschichten erzählen.«

»Was für eine schöne Idee, Schatz. Meine Schwester und ich haben das früher auch gemacht.«

Sie ist wie ich, denke ich, und es beschert mir ein wohlig warmes Gefühl.

Ruby macht mich ausfindig, egal wo im Haus oder im Garten ich gerade bin. Ihre Fragen sind so bohrend wie Jocelyns, aber zumeist sehr viel leichter zu beantworten.

»Wie alt ist dein Haus, Granny?«

»Hier steht schon seit dem elften Jahrhundert ein Haus, und es könnte sogar noch länger sein. Weißt du, wie alt es also ist? Ungefähr tausend Jahre. Damals wurde der Leitspruch unserer Familie über der Tür angebracht. Hast du ihn gesehen?«

Wie sehr hätte Alexander ihren Gesichtsausdruck genossen! Sie ist verzückt. So viel wie ihm an diesem Anwesen lag, wäre ihm das Herz übergegangen. Es ist tragisch, dass er sie nie kennengelernt hat.

»Tausend Jahre!«, sagt sie.

»Das erste Haus, das hier gebaut wurde, war kleiner als das heutige. Im Laufe der Jahre wurden Teile angebaut. Einmal hat ein Feuer einige Zimmer zerstört, und dein Urururgroßvater musste sie wiederaufbauen.«

»Anthea hat mir erzählt, dass hier mal ein König übernachtet hat.«

»So heißt es, aber ich bin nicht sicher, ob das stimmt.«

»In welchem Zimmer er wohl geschlafen hat.«

»Dem schönsten, meinst du nicht? Ein König? Und übrigens, Schatz, du sprichst von meinem Haus, aber das ist es eigentlich nicht. Ich bewahre es bloß für die Familie. Eines Tages wird es deins sein, und du wirst es auch so machen.«

»Meinst du?«

»Das hoffe ich.«

»Dann räume ich mit den Geistern auf!«

Mein Herz setzt für einen Schlag aus. »Wie meinst du das?«

»Stan hat gesagt, die Leiche im See ist wahrscheinlich wegen etwas Schlimmem gestorben und wird im Haus spuken, jetzt, wo sie aufgetaucht ist. Wahrscheinlich ist sie ein Poltergeist, weil sie wütend ist.«

»Dummes Gerede.« Hoffentlich hört sie das Beben in meiner Stimme nicht.

»Wenn ich einen Poltergeist sehe, mache ich den mit Karate platt oder ...« Sie überlegt kurz. »Granny, kennst du den Vikar?«

»Ja, den kenne ich.«

»Stan sagt, der Vikar kann Geister austreiben. Wir können ihn fragen.«

Bei dem Gedanken an Reverend Whittards Gesicht, wenn ich ihn bitten würde, einen Geist auszutreiben, muss ich lachen; doch Ruby runzelt die Stirn.

»Das ist nicht witzig, Granny.« Sie nimmt meine Hand. Dieser Tage ist sie der einzige Mensch, der mich noch berührt. Und sie blickt mir sehr ernst in die Augen. »Geister können einem wehtun, vor allem Poltergeister.«

Etwas an der Art, wie sie mich ansieht, bringt mich dazu, meine Hand wegzuziehen. Es erinnert mich daran, wie Jocelyn mich angestarrt und beobachtet hatte, nachdem Hannah fort war. Ich konnte es nicht aushalten. Es war, als wolle sie in mich hineinschauen und die Wahrheit ergründen. Hatte ich mir einst ausgemalt, zwischen Jocelyn und mir würde es besser, wenn Hannah erst weg war, wurde ich eines Besseren belehrt. In jener Nacht verlor Jocelyn jedwedes Vertrauen, und die Kluft zwischen uns wurde unüberbrückbar.

»Bist du ein Engel und bittest Anthea, mir eine Tasse Kaffee zu bringen, bitte?«, frage ich. Ich muss dringend allein sein.

Sobald sie aus dem Zimmer ist, lehne ich mich erschöpft zurück und spüre, wie sämtliche Kraft aus meinem Körper weicht.

Alexander war der Einzige, dem ich mich anvertrauen konnte. Jetzt habe ich niemanden mehr.

Säße er hier bei mir, würde ich sagen: »Du weißt, dass es nur eine Person gibt, von der dieser Schädel sein kann.«

1977

Linda ist glücklich. Sie mag ihren Job, und Jean und sie lernen sich besser kennen, lachen zusammen. Der einzige Tag, an dem Linda nicht gern arbeitet, ist der Montag, denn da hat Nanny Hughes frei. Ein Montag ist besonders schlimm. Bei Lindas Ankunft morgens ist das kleine Mädchen schon unruhig. Linda macht ihre Arbeit, kann jedoch nicht aufhören, immer wieder hinzusehen, während die Mutter sich vergeblich bemüht, die Kleine zu beruhigen. »Ich glaube, sie zahnt«, sagt die Mutter, die Lindas Blick bemerkt. Linda denkt, dass sie sich irrt. Keines der Babys benimmt sich so, wenn es zahnt. Sie sind schon mal quakig und verdrießlich, aber dieses Baby sieht fiebrig aus und lässt sich nicht zur Ruhe bringen. Linda wagt jedoch nicht, etwas zu sagen. Das kommt ihr nicht zu.

Die Mutter wird immer frustrierter, je länger es geht, und das Baby will weder sein Fläschchen trinken noch schlafen. Linda nimmt ihren Mut zusammen. »Möchten Sie, dass ich Nanny Hughes anrufe?«

»Nein!«, sagt die Mutter, die einen Windelwechsel vermasselt. »Ich bin sehr gut imstande, mich selbst um meine Kinder zu kümmern!« Der kleine Junge schreit in seiner Wiege, und das Kinderzimmer ist in einem Chaos, wie es Nanny Hughes niemals zulassen würde. »Haben Sie nichts zu tun?«

»Doch, Mrs. Burgess«, antwortet Linda. Als sie den Blick senkt, bemerkt sie einen roten Fleck am Oberschenkel des kleinen Mädchens.

Die Mutter folgt ihrem Blick. »Das ist bloß ein Hitzefleck. Ich lege sie ins Bett, und dann möchte ich selbst ein Nickerchen machen. Also schließen Sie die Tür bitte leise, wenn Sie gehen.« Sie legt das Mädchen zu seinem Bruder in die Wiege. »Jetzt schlaft, alle beide«, sagt sie zu den Babys, als wären sie Schulkinder. »Mummy braucht auch ihre Ruhe.«

Die Babys schreien eine halbe Ewigkeit, aber die Mutter reagiert nicht. Linda überlegt, den Ehemann oder den Arzt anzurufen, aber sie weiß ihre Nummern nicht. Also nimmt sie den Hörer des roten Telefons in der Diele auf und wählt Nanny Hughes' Nummer. Sie lässt es unendlich klingeln, doch es nimmt niemand ab. Linda kehrt zurück nach oben. Sie will nicht aufbrechen, solange es den Kleinen so schlecht geht.

Der Junge hat sich inzwischen in den Schlaf geschrien, also nimmt sie das kleine Mädchen hoch, und das heiße Köpfchen sackt schwer auf Lindas Schulter. In Lindas Armen wird die Kleine schnell ruhiger, und es gibt Linda ein gutes Gefühl. Sie würde sich gern den Ausschlag an ihrem Bein ansehen, wagt es aber nicht, weil die Mutter ihr einen Babyschlafsack angezogen hat und die Kleine aufwachen könnte, wenn Linda ihn ihr wieder auszieht. Sie legt das Mädchen zurück in die Wiege, öffnet vorsichtig die drei obersten Knöpfe des Schlafanzugs und macht das Fenster einen Spalt weit auf, um das Baby zu kühlen.

Dann schließt sie die Tür leise hinter sich wie befohlen. Auf dem Heimweg ist sie in Sorge um das kleine Mädchen, aber sie glaubt, alles getan zu haben, was sie konnte, ohne ihren Job zu riskieren.

Ihr Dad packt sie im Nacken, als sie die Tür zu ihrem Zimmer aufschließt. Er reißt sie zurück und stößt sie dann grob hinein, sodass sie stürzt. Hastig krabbelt sie von ihm weg und hebt eine Bratpfanne auf, die heruntergeflogen war. Sie kann die Fahne ihres Dads riechen.

»Wie hast du mich gefunden?«

»Das war nicht schwer.« Ich wette, war es doch, *denkt sie. Er muss sie wirklich sehr gesucht haben, aber warum? Was war sie jemals anderes für ihn als ein weiteres Kind, das durchgefüttert werden musste?*

»Du kommst nach Hause und kümmerst dich um die Kleinen. Da gehörst du hin.«

»Nein.«

Er schmettert ihr die Faust ins Gesicht, und der Schmerz raubt ihr den Atem. Abermals holt er aus, doch Mr. Pebworth von nebenan zerrt ihn zurück und versperrt ihm die Tür. »Ich komme wieder!«, brüllt er auf der Treppe. »Ich komme immer wieder, bis ich dich habe.«

»Verpiss dich!«, will sie zurückschreien, muss jedoch husten, weil ihr Mund voller Blut ist. Als sie es ausspucken will, fällt ein Zahn auf den Linoleumboden.

Am nächsten Tag geht Linda trotzdem zur Arbeit. Den fehlenden Zahn sieht man nicht, solange sie nicht lächelt. Sollte sie jemand auf die Verletzungen im Gesicht ansprechen, hat sie eine Ausrede parat, genau wie ihre Mutter früher. Jean hatte nicht zu viele Fragen gestellt und ihr behutsam das Blut vom Gesicht gewaschen. »Wir kriegen dich wieder hin«, hatte sie gesagt und sehr verständnisvoll gewirkt.

Als Linda bei der Arbeit eintrifft, schließt sie sich selbst auf, wie üblich. Das kranke Baby hat sie vollkommen vergessen. Es fällt ihr wieder ein, sowie sie in die Küche kommt. Dort sitzt er am Tisch, nur in einer Pyjamahose, und Linda weiß nicht, wo sie hinsehen soll. Er bemerkt ihre Verletzungen nicht, sieht sie mit leeren Augen an und sagt: »Die kleine Hannah ist tot.«

Dann schluchzt er so sehr, dass es beängstigend ist.

In den darauffolgenden Tagen erscheint Linda wie gewohnt zur Arbeit, weil ihr niemand sagt, dass sie wegbleiben soll. Auch Nanny Hughes kommt weiterhin. »Jemand muss für Oliver da sein«, erklärt sie. Linda ist nicht sicher, ob sie den Ehemann oder den kleinen Jungen meint. Sie heißen beide Oliver. Die Babys wurden nach dem Mann und seiner verstorbenen Schwester benannt.

»Sie haben schon solch eine Tragödie erlebt«, sagt Nanny Hughes, während sie den kleinen Jungen wiegt, und Tränen steigen ihr in die Augen. Sie zeigt Linda ein Foto von dem Ehemann mit seiner Schwester, die viel jünger aussieht als er. »Eine Tochter und eine Schwester so kurz hintereinander zu verlieren …«, sagt Nanny Hughes. Linda sieht, wie ihr Tränen über die Wangen laufen.

Sie hält das Haus sauber und ordentlich, doch nun fühlt sich alles anders an. Die Mutter schließt sich den ganzen Tag in ihrem Schlafzimmer ein, und der Mann ist nicht mehr derselbe wie vorher. Er geht nicht zur Arbeit, sitzt an seinem Schreibtisch und zeichnet furchtbare, düstere Dinge auf seine Unterlage. Oder er hockt stundenlang auf einem Gartenstuhl und starrt den Rasensprenger an. Es ist, als würde man in einer Leichenhalle arbeiten.

Lindas Dad kommt wieder. Einmal sieht sie ihn in ihrem Viertel und drückt sich in einen Hauseingang, damit er sie nicht entdeckt. Das zweite Mal steht er vor ihrem Haus, als sie von der Arbeit kommt, und brüllt üble Beleidigungen zu ihrem Fenster hinauf. Sie duckt sich weg und läuft stundenlang herum.

Als sie sich endlich nach Hause traut, ist er zwar weg, aber sie hat Angst.

Was ist, wenn er herausfindet, wo sie arbeitet, und dort auftaucht? Sie könnte ohne Zeugnis entlassen werden. Oder, schlimmer noch, was ist, wenn er jemanden verletzt? Jean oder die Familie könnte in Gefahr sein. Linda weiß, wozu er fähig ist.

Sie muss umziehen, denkt sie, und sie muss sich etwas überlegen, wie sie es anstellt, ohne dass er sie erneut findet.

DETECTIVE ANDY WILTON

Andy kauft sich etwas zum Mittagessen. Eine neue Freundin bedeutet ein neues Tageslimit für Kalorien, denn sie mag seinen »winzig kleinen Kugelbauch« nicht. Das sind ihre Worte, nicht seine, und er findet sie ein wenig beleidigend. Andererseits hatte er seit der Schule keine Freundin mehr, also darf er wohl nicht wählerisch sein. Um sein Gewicht zu reduzieren, entscheidet er sich für Falafel und Hummus in einer Plastikschale mit einem kleinen Häufchen geriebener Karotten und irgendwelchen gesunden Gemüsestiften als Beilage. Bei dem Anblick bekommt er schlechte Laune.

Am Schreibtisch stochert er in seinem Essen und denkt über die Leiche im See nach. Das Labor hatte eine vorläufige Einschätzung gemailt, die ihm einige Informationen lieferte. Bei der Leiche handelt es sich um eine weibliche Person, sie hat Zahnfüllungen aus Amalgam, wie es sie seit den Mittsechzigern in Großbritannien gab, war wahrscheinlich über sechsundzwanzig, als sie starb, und etwas über einen Meter sechzig groß.

Weitere Tests, auf deren Ergebnisse er länger warten muss, laufen noch, doch er ist froh, etwas zu haben, womit er arbeiten kann. Ihm kommt das Verhalten von Lady Holt in den Sinn, als sie am See miteinander sprachen. Es ist sehr gut möglich, dass ihr bekannt ist, zu wem der Schädel gehört, was die Dinge sehr viel interessanter macht.

Lake Hall fasziniert ihn. Es ist wie eine Zeitreise in ein früheres Jahrhundert. Natürlich ist ihm der Ausdruck »wie die andere Hälfte lebt« geläufig, doch er hatte deren Welt noch nie zuvor betreten.

»Es ist widerwärtig, wie viel Geld einige Leute haben«, sagt er zu Maxine.

»Sprichst du von unserem Gutshausfall, Monsieur Poirot?«, fragt sie.

»Sehr witzig.« Seine Kollegen haben sich angewöhnt, ihn Poirot zu nennen, seit er die Ermittlungen im Lake-Hall-Fall übernommen hat, und keiner von ihnen scheint ein Problem damit zu haben, diesen Witz totzureiten. »Aber es ist widerwärtig.« Er möchte seine Empörung teilen. »Wie sie einen behandeln! Als wären sie besser als man selbst.«

»Nimm es nicht persönlich. Vermutlich können sie nicht anders.«

»Ich nehme es nicht persönlich. Ich meine ja nur.«

Er gibt das Essen auf und wirft es weg. Auf dem Weg zur Kantine, wo er sich etwas holen möchte, was er tatsächlich mag, macht er einen Abstecher zum Büro von Richard Price, einem Detective Sergeant, der schon länger hier ist, als sich irgendwer erinnert. Richard ist berühmt für sein enzyklopädisches Gedächtnis, was alte Fälle betrifft.

»Lake Hall«, sagt Andy, »gleich außerhalb von Downsley im Pewsey Vale. Gehört Lord und Lady Holt. Erinnerst du dich an irgendwelche alten oder ungeklärten Fälle im Zusammenhang mit dem Anwesen, der Familie oder dem Dorf?«

»Ich erinnere mich, dass wir mal dort waren, um die Osterglocken zu sehen. Einmal im Jahr öffnen sie ihren Garten zur Besichtigung.«

»Das hilft mir nicht.«

»Ich glaube, Rob hatte damals an einer Sache dort gearbeitet. Eine hässliche Geschichte bei einer Jagdgesellschaft.«

»Rob?«

»Rob Mostin. Er ist im Ruhestand, aber die Akte müsste im Archiv sein. Ich würde sagen, es war in den frühen Achtzigern.«

Der Archivar hat sie nicht da. »Ich kann sie beim Lager anfordern.«

Die Verzögerung ärgert Andy. Er sollte sich wohl anderweitig beschäftigen, bis er mehr Laborergebnisse hat, doch als eine Internetsuche zu Robs Informationen fruchtlos bleibt, beschließt er, in die Stadtbücherei zu gehen. Es ist ein Schuss ins Blaue, aber Lady Holt war merklich erschüttert ob des Schädelfundes, und Andy will wissen, warum.

Die Bücherei im Stadtzentrum von Swindon wurde vor zehn Jahren neu gebaut. Andy trauert dem schlichten Gebäude aus den Sechzigern nach, das sie abgerissen haben, weil es angeblich nicht mehr zweckdienlich war. Das sah er damals anders. Als Kind hatte er die alte Bücherei oft genutzt und gemocht.

»Oh-oh, hier kommt Ärger«, sagt Lizzie, als sie ihn sieht. »Hallo, Detective Constable.« Lizzie kennt Andy schon, seit er seinen ersten Büchereiausweis bekam. Sie blickt streng über ihre Halbbrille, bevor sie grinsend hinter ihrem Tresen aufsteht, um ihn zu umarmen und auf die Wange zu küssen, wo sie einen Lippenstiftabdruck hinterlässt. »Darf ich dich überhaupt küssen, wenn du im Dienst bist? Oder haben sie dich schon rausgeworfen?«

Er zeigt ihr seine Dienstmarke. Das wird er nie leid.

Lizzie setzt ihn an ein Mikrofichegerät, wo er alte Ausgaben des *Swindon Evening Advertiser* durchsieht, angefangen mit 1980.

Was er sucht, weiß er nicht genau. Es ist eher eine Ahnung, doch er nimmt an, dass jeder Fall, der auch nur einen vagen Bezug zu den Holts hatte, eine Pressemeldung wert gewesen sein dürfte. Zunächst findet er nur ein oder zwei Artikel über das jährliche Sommerfest, das in Lake Hall abgehalten wurde, und sieht sich die körnigen Schwarz-Weiß-Fotos dazu an. Lord und Lady Holt stehen da und tun scheißmajestätisch. Andy schüttelt den Kopf.

Er scrollt weitere Ausgaben des *Evening Advertiser* durch und stößt auf ein anderes Foto von einem Fest einige Jahre später. Die Tochter, die ungefähr drei oder vier Jahre alt sein muss, taucht zum ersten Mal auf. Sie steht neben ihren Eltern, hält jedoch die Hand einer anderen Frau und drängt sich dicht an deren Bein. Wie zuvor entsprechen Lord und Lady Holt ganz und gar dem Klischee. Sie hat eine Lady-Diana-Frisur und trägt ein geblümtes Kleid, und er ist in Cordhose und kariertem Hemd mit Weste. *Ein gut aussehendes Paar,* denkt Andy. *Aber mit der Tochter stimmt etwas nicht. Sie sieht bedrückt und mürrisch aus.*

Die Frau, deren Hand das Mädchen hält, ist mit einer weiten, in die Hose gesteckten Bluse weniger förmlich gekleidet. *Die Nanny?*, fragt Andy sich. Garantiert hatten sie eine. Sie ist hübsch, hat große Augen und dunkles, schulterlanges Haar. Und vor allem sieht sie, im Gegensatz zu den Holts, normal aus.

Andy sucht weiter und wird belohnt, als er bei der Ausgabe vom 2. Februar 1984 ankommt.

»Bingo!«, sagt er, nachdem er den Artikel gelesen hat.

Eine spießige Frau in der Nähe macht »Pst!«, und Andy zeigt ihr den Stinkefinger. Er ist nicht in Uniform, und mit alten Gewohnheiten bricht es sich schwer. Wie sagte noch kürzlich eine Schauspielerin im Fernsehen? *Ich habe ein Problem mit Gehorsam*. Exakt so empfindet Andy häufiger, als er sollte.

JO

Ich habe ein Vorstellungsgespräch für eine Stelle in der örtlichen Gärtnerei, auf die ich mich beworben hatte, bevor der Schädel gefunden wurde. Bei dem Drama hatte ich es völlig vergessen, aber dann bekam ich eine E-Mail mit einer Einladung. Es ist körperliche Arbeit. Zu meinen Aufgaben gehören wässern, beschneiden, welke Blüten auszupfen und allgemeine Hilfe. Ich möchte den Job wirklich gern. Er wäre ideal, um langsam wieder Tritt zu fassen.

Ruby und Mutter gehen Erdbeeren pflücken, während ich mein Gespräch habe. Eigentlich wollte ich allein hinfahren, aber Mutter bestand darauf, dass sie mitkommen. »Wir sind dir auch nicht im Weg, Liebes, und wir machen uns einen schönen Nachmittag dort. Sorg dich nicht um uns.« Ich hätte es verbieten können, weil es sich ein bisschen wie ein böses Omen anfühlte, aber Ruby war begeistert, und ich wollte sie nicht enttäuschen.

»Sie scheinen ein wenig überqualifiziert«, sagt der Geschäftsführer der Gärtnerei. Er sieht sich meinen Lebenslauf auf dem iPad an und tippt mit seinen schmutzigen Fingernägeln aufs Display. Auf seinem Schreibtisch stapeln sich erdverschmierte Unterlagen. Er hat einen rötlichen, wettergegerbten Teint und ein breites Gesicht. Dass er seinen einen Mundwinkel leicht nach oben zieht, soll anscheinend so etwas wie ein Lächeln sein.

»Ich bin sehr fleißig.«

»Wie viel Erfahrung haben Sie mit Gartenarbeit?«

»Ich bin eine eifrige Hobbygärtnerin. Es macht mir nichts aus, mir die Hände schmutzig zu machen, und ich lerne schnell.«

»Und Sie wohnen drüben in Lake Hall?«

Er weiß es, weil mein Name und meine Adresse in der Bewerbung stehen. »Ich bin eine gute Arbeiterin. Das würde ich Ihnen gern beweisen, wenn Sie mir eine Chance geben.«

»Und Sie sind Lady Holts Tochter, nicht? Die Ähnlichkeit ist nicht zu übersehen.«

»Bin ich.« Mir wird klar, dass sich meine Chancen damit erledigt haben dürften.

»Na gut«, sagt er. »Die Sache ist die, dass wir nur den Mindestlohn bezahlen können. Es ist ein Job für jemanden, der frisch von der Schule ist. Solche Leute.«

Keine Holt, heißt es im Subtext. *Nicht Sie.*

»Ich habe gehört, dass man einen Schädel im See gefunden hat«, fügt er noch hinzu, als ich gehe.

»Da haben Sie richtig gehört.« Ich sehe ihm an, dass er mehr erfahren möchte, aber ich werde einen Teufel tun, ihm irgendwas zu erzählen, denn es gefällt mir nicht, wie er mich ansieht.

»Haben Sie da einige mörderische Vorfahren versteckt, ja?« Er spricht in einem abfälligen, ans Spöttische grenzenden Ton.

Auf dem Erdbeerfeld sitzt meine Mutter auf einem Jagdstock am Ende einer Reihe, in der Ruby Erdbeeren pflückt. Die Früchte wachsen in Hochbeeten, und Ruby sieht überaus konzentriert aus, als sie in das Laub der Pflanzen greift.

»Erfolg gehabt, Liebes?«, fragt Mutter. Ihre breite Hutkrempe überschattet ihre Augen. Zu ihren Füßen steht ein voller Korb Erdbeeren. Ich schüttle den Kopf.

»Tja, ich habe Janet schon gesagt, dass du dir einen besseren Job suchen solltest. Etwas in London wäre weit angemessener, sogar in Swindon, wenn es unbedingt sein muss.«

Janet ist für den Blumenschmuck in der Kirche zuständig und die Schwägerin des Geschäftsführers hier. Die Botschaft meiner Mutter, dass sie sich diesen Job nicht für mich wünscht, dürfte wohl angekommen sein.

»Wann hast du Janet das gesagt?«

»Das weiß ich nicht mehr genau. Es könnte gestern gewesen sein.«

Meine Frustrationstoleranz hat den Nullpunkt erreicht. Ich will ihr den Erdbeerkorb über den Kopf kippen, ihr die Früchte ins Gesicht drücken und ins Haar reiben, aber ich beherrsche mich.

»Eine Frage – sollte ich in London arbeiten, wer kümmert sich dann um Ruby? Das Pendeln würde fünfundsiebzig Minuten pro Strecke dauern.«

Natürlich hat Mutter darüber nicht nachgedacht. Die Feinheiten des Elternseins sind ja nie ihre Sorge gewesen; für solche Dinge hatte man Personal. Die Nanny ist fort, und man findet keinen geeigneten Ersatz? Dann schickt man das verzweifelte Kind eben ins Internat. Dass es gerade erst acht Jahre alt ist, spielt keine Rolle.

»Würdest du eine Stelle in London annehmen, könnte ich Anthea bitten, Ruby von der Schule abzuholen und ihr ein Abendessen zu machen«, schlägt Mutter vor. »Und morgens könnte ich sie in die Schule bringen, wenn du nur ein oder zwei Tage die Woche arbeitest.«

»Das würde nicht funktionieren, und das weißt du auch. Du hast dich noch nie um ein Kind gekümmert.«

»Ich habe dich großgezogen.«

»Hast du?«

»Warum bist du die ganze Zeit so wütend?«

Ich will antworten, doch Ruby kommt strahlend auf uns zugehüpft. Ihr Lächeln ist seit dem Besuch in der Schule zu einer Seltenheit geworden. Nun hält sie einen Korb voller dicker roter Früchte in den Armen und hat Erdbeersaft auf dem T-Shirt, im Gesicht und an den Fingern.

»Ich habe ihn voll!«, ruft sie.

»Gut gemacht, Schatz«, antworten Mutter und ich gleichzeitig.

Ruby und ich verstecken uns im Blauen Salon, weil Mutter ihre Freundinnen zum Bridgespielen hier hat. Bei ihrer Ankunft habe ich sie in der Einfahrt reden hören.

»Denk dran, kein Wort über die Polizeisache gegenüber Ginny«, sagte eine.

»Ja, ich habe schon gehört, dass sie da sehr empfindlich ist«, antwortete die Freundin.

»Na, wärst du auch, oder?« Sie kicherten wie die Harpyien, dennoch empfand ich keinerlei Mitleid mit meiner Mutter. Sie erntet, was sie gesät hat.

Ruby und ich konnten sie überreden, Netflix zu abonnieren, und es ist ein voller Erfolg. Zu dritt haben wir *The Crown* gesehen, auch wenn meine Mutter mich nervt, weil sie dauernd behauptet, sie habe einige der dargestellten Personen persönlich gekannt. Ich sage nichts, weil Ruby ihre Geschichten förmlich aufsaugt.

Nun kuscheln Ruby und ich auf dem Sofa und sehen uns Wiederholungen von SpongeBob an. Ruby lacht, aber ich bin traurig, weil mich die Erinnerung daran überkommt, wie wir das immer mit Chris zusammen gemacht haben. Unser Umzug nach England scheint uns all die kleinen, entspannten häuslichen Momente geraubt zu haben, in denen niemand etwas von irgendwem verlangt und alle wissen, dass sie geliebt werden.

»Mom?«, fragt Ruby.

»Ja?«

»Warum sagst du zu deiner Mom ›Mutter‹?«

»Weiß ich nicht. Ich kann mich nicht erinnern, warum, aber das habe ich immer schon gemacht.«

»Es hört sich komisch an.«

»Kann sein. Doch es ist ein bisschen spät, das jetzt noch zu ändern.« Genau genommen mag ich die Distanz, die es zwischen meiner Mutter und mir schafft. »Mum« würde eine Vertrautheit suggerieren, die es nie gegeben hat.

Einmal sprach ich Hannah in Hörweite meiner Eltern mit »Mummy« an. Da erstarrten alle.

»Ich glaube nicht, dass du das sagen wolltest, oder, Jocelyn?«, fragte mein Vater.

Ich war schlagartig so beschämt, dass ich zu stottern anfing. Der Blick, mit dem meine Mutter Hannah bedachte, hätte einen Brand auslösen können. Hannah hatte den Kopf gesenkt. Ihr fiel nichts ein, womit sie mich retten konnte.

»Es war ein Versprecher«, stammelte ich. »Entschuldige, Mutter.«

»Sprichst du mit mir?«, fragte Mutter. »Oder mit ihr?«

»Dir. Ich meine dich.« Aber ich rannte nicht hin und umarmte sie, wie ich es getan hätte, wenn ich etwas bei Hannah hätte wiedergutmachen wollen.

»Nun gut«, sagte mein Vater. »Dann wäre das ja geklärt.« Er nickte Hannah zu, die mich wegbrachte, und als wir den Korridor entlanggingen, hörten wir meine Eltern leise und aufgebracht reden, bevor meine Mutter ausrief: »Meine eigene Tochter mag mich nicht mal!«

Hannah drückte meine Hand fester.

Die Tür zum Arbeitszimmer meines Vaters lässt sich lautlos öffnen. Es ist kein großer Raum. Zwei abgewetzte Sessel flankieren den Kamin, und hohe Bücherregale reihen sich an den Wänden. Ich sehe vertraute Bücher übers Fliegenfischen und eine Sammlung von Kipling-Erstausgaben, die mein Vater sehr geschätzt hatte.

Im untersten Regal ist eine Lücke, wo früher der Holt-Katalog stand, und ich spüre einen Anflug von Bedauern. Zu gern würde ich ihn nun führen und mich eingehend mit der Kunstsammlung der Familie befassen. Der Holt-Katalog war ein säuberlich geführtes Verzeichnis, zusammengetragen über Jahrhunderte, und eine wertvolle Quelle für Kunsthistoriker. Darin waren alle Werke erfasst, die in unsere Sammlung aufgenommen wurden, mitsamt Maßen, Herkunft und Preis. Ich bereue es, dass ich ihn in der Vergangenheit nicht gründlicher studiert habe.

Eine der einprägsamsten Unterhaltungen, die ich in den letzten zehn Jahren mit meinem Vater führte, – sie war wahrscheinlich deshalb unvergesslich, weil wir beide zu emotional waren, als dass sie so steif hätte verlaufen können wie sonst – war die, in der er mir mitteilte, dass der Katalog durch einen Wasserschaden zerstört worden sei. Wir waren beide erschüttert.

Ich setze mich an den Schreibtisch meines Vaters und ziehe eine der Schubladen auf. Ein Duft steigt mir entgegen, der mich so sehr an ihn erinnert, dass es sich wie ein Schlag in die Magengrube anfühlt. In der Schublade herrscht ein Durcheinander, doch alles darin ist mir vertraut, bis hin zum tintenfleckigen, gewellten Schrankpapierbogen unten. Ich nehme eine verbeulte Dose Kendal-Minztäfelchen heraus und erinnere mich, wie er mir an den Wochenenden kleine Brocken zugesteckt hat. »Aber nicht deiner Mutter oder Hannah verraten«, flüsterte er mir zu. Ich schob das weiße, zuckrige Stückchen in den Mund und sog den Geschmack gierig auf, bis es sich aufgelöst hatte.

Als Nächstes nehme ich sein Feuerzeug aus der Schublade, das sich erstaunlich warm anfühlt. Es ist wunderschön, aus reinem Gold und mit seinen eingravierten Initialen. Ich klappe den Deckel hoch und drehe an dem Rädchen. Eine hohe Flamme schießt heraus und erlischt wieder. Ich lege das Feuerzeug zurück. Hinten in der Schublade, eingewickelt in ein altes gelbes Staubtuch, liegt sein Zigarettenetui. Ich stocke, bevor ich es auswickle. Obwohl mein Vater nicht mehr hier ist, habe ich das Gefühl, in seine Privatsphäre einzudringen, denn dies war sein wertvollster Besitz.

»Es war ein Geschenk«, hatte er mir erzählt, als er es mir zum ersten Mal zeigte, indem er es mir auf der flachen Hand hinhielt und mich mit den Fingern über den Deckel streichen ließ, »an meinen Großvater, deinen Urgroßvater, für seine Verdienste im Ersten Weltkrieg, von einem sehr wichtigen Mann. Weißt du, wie besonders das ist? Vermutlich gibt es kein anderes wie dieses.«

»Ist es kostbar?«, fragte ich.

»Es ist sehr wertvoll, wobei der wahre Wert viel mehr ist als Geld, denn es hat einen besonderen Platz in dieser Familie, ist ein Teil unserer Geschichte. ›Kostbar‹ trifft es sehr gut.«

Das Etui ist noch genauso schön, wie ich es in Erinnerung habe, aus Gold mit Emaille-Intarsien, die so dunkel sind, dass man glaubt, in tiefes Wasser zu schauen. An der Unterseite ist das Fabergé-Logo. Ich öffne das Etui. Es riecht immer noch schwach nach Zigaretten. Dann wickle ich es sorgsam wieder ein und lege es zurück an die Stelle, wo ich es gefunden habe.

Mein Leben lang hatte ich das Gefühl, mein Vater und ich hätten einander immerzu die Hände entgegengestreckt, uns aber nie berühren können.

Mutter war uns im Weg.

Sie kam ausnahmslos an erster Stelle, und er war ihr gegenüber absolut loyal. Ich erinnere mich an seine Hand unten an ihrem Rücken, wenn sie zum Dinner in einen Raum kamen, wie er ihr die Zigaretten anzündete, wie er ihr in die Augen sah und an seine perfekten Umgangsformen, wenn er ihr – wie so oft – dankte, dass sie den Haushalt »so sagenhaft gut« führte.

Manchmal fragte ich mich, ob ich, wenn Mutter nicht da wäre, statt ihrer seine Prinzessin wäre.

DETECTIVE ANDY WILTON

Maxine sieht blinzelnd auf die Kopie des Zeitungsausschnittes, den Andy ihr gegeben hat, und liest laut vor:

»Die Polizei sucht eine Zeugin für einen Vorfall, der sich bei einer Jagdgesellschaft auf dem Anwesen Lake Hall, Downsley, Wiltshire, ereignet hat. Der fünfzehnjährige Barry Toogood aus Downsley wurde von einer Kugel am Kopf getroffen und wird gegenwärtig im Princess Margaret Hospital in Swindon behandelt. Sein Zustand soll kritisch sein. Bei der gesuchten Zeugin handelt es sich um eine Frau Ende zwanzig oder Anfang dreißig mit langem braunem Haar und braunen Augen. Sie trug Jagdkleidung. Ihr Name ist nicht bekannt, aber es wird angenommen, dass sie zur Jagdgesellschaft gehörte. Die Polizei bittet jeden, der die Frau oder einen blauen VW Golf gesehen hat, der am Sonntag, dem 29. Januar, morgens in der Gegend parkte, sich zu melden.«

»Sie haben sie oder den Wagen nie gefunden«, sagt Andy. »Die Holt-Familie behauptete, sie könne nichts dazu sagen, ob sie auf der Jagd dabei war oder nicht. Einer der Treiber sagte, er hätte sie mit einem Mann von der Jagdgesellschaft streiten sehen, wusste aber nicht, wer das war. Er sagte, dass sich die beiden anscheinend von der Hauptgruppe abgesetzt hatten und in der Nähe der Stelle waren, an der Barry getroffen wurde.«

»Meinst du, die Holts haben die Zeugin umgebracht und im See versenkt, um keine Schwierigkeiten zu bekommen? Das ist ein bisschen weit hergeholt, findest du nicht?«

»Entweder sie oder einer ihrer Gäste, und ich finde es nicht weit hergeholt. So lösen Leute wie die ihre Probleme. Haben sie schon immer. Sie glauben, dass sie über dem Gesetz stehen.«

Auf dem Land fühlt Andy sich unwohl. Dort gibt es keinen Schutz vor den Elementen, und macht man einen falschen Schritt, sinkt man zentimetertief in Schlamm ein. Er zieht klare, urbane Strukturen vor. Droht dort Ärger, hört man dessen feste Schritte auf Asphalt kommen.

Das Cottage, zu dem sie gefahren sind, liegt mitten im Dorf. Es ist ein altes Arbeiterhaus in einer Sechserreihe aus rotem Backstein und mit Reetdach.

Hier wollen sie einen älteren Mann namens Fred Toogood besuchen. Fred ist der Onkel von Barry Toogood, dem Jungen, der angeschossen wurde. Fred hatte am Tag des Unfalls als Treiber gearbeitet.

Er ist faltig und gebeugt und sinkt stöhnend in seinen Sessel zurück, nachdem er Andy und Maxine nach hinten durch zum Wohnzimmer geführt hat. Andy schätzt, dass er die meiste Zeit in dem Sessel verbringt. Dort liegt die Fernbedienung für den Fernseher, ein Glas Orangensaft steht in Reichweite, und an der Rückenlehne befindet sich ein speckig glänzender Fleck, wo Fred den Kopf anlehnt.

Von innen sind die Häuser winzig, und Andy sieht, dass sie nach hinten kleine, durch niedrige Mauern getrennte Gärten haben. Im Nachbargarten hüpft ein Kind auf einem Trampolin, und das rhythmische Quietschen zehrt an Andys Nerven.

Sie fragen Fred nach dem Jagdunfall.

»An dem Tag hatte ich einen guten Hund dabei, meinen

besten, eine Hündin namens Jessy, und ich erinnere mich, dass es bitterkalt war. Raureif so dick wie ein Finger, und der hielt sich den ganzen Tag. Die Jagdgesellschaft habe ich nur mittags gesehen, und das aus der Ferne, denn wir aßen woanders als die. Die übrige Zeit haben wir vom Waldrand aus getrieben, so wie wir sollten. Mittags dürften die eine Menge getrunken haben. Taten sie immer. Deshalb musste man nachmittags sehr vorsichtig sein.«

»Erinnern Sie sich an diese Frau? Die, von der es hieß, dass sie eine Zeugin sein könnte?«

Er schüttelte den Kopf. »Wenn überhaupt, dann weiß Lady Virginia, wer sie war. Sie wusste immer über alles genau Bescheid. Das hat Marion früher an ihr bewundert. Tut mir leid, dass ich nicht mehr sagen kann.«

»Und Marion war?«

»Die Haushälterin in Lake Hall. Sie wohnt noch hier im Dorf. Ihre Tochter hat die Stellung von ihr übernommen. Ihr Leben lang hat Marion da gearbeitet. Aber jetzt heißt es, dass sie nicht mehr ganz richtig im Kopf ist.«

»Wie geht es Barry?«, fragt Andy. Es war schwierig gewesen herauszufinden, was aus dem Jungen geworden war.

»Der war schon vor dem Unfall nicht der Hellste, und jetzt ist er zu nichts mehr zu gebrauchen. Ein Jammer. Er war ein hübscher Junge und eine Seele von Mensch. Das Letzte, was ich gehört habe, war, dass er mit seiner Mum nach Wales gezogen ist.«

»Das tut mir leid«, sagt Andy.

Draußen fängt der Junge auf dem Trampolin an, beim Springen Figuren zu machen, die Arme und Beine anzuwinkeln wie eine Vogelscheuche. Der steingraue Himmel macht ihn zu einer Silhouette. Hinter den Gärten ist ein gepflügtes Feld, dessen kammartige Furchen sich bis zum Horizont ziehen.

»Wie waren die Holts als Arbeitgeber?«, fragt Andy.

»Fair, würde ich sagen«, antwortet Fred. »Ich hatte nie Schwierigkeiten mit denen. Allerdings würden andere vielleicht was anderes sagen, aber da müssen Sie die fragen, falls Sie einen finden, der noch lebt.« Er lacht so sehr, dass er beinahe erstickt.

Sie notieren die Namen einiger Leute, die laut Fred damals bei den Holts angestellt gewesen waren. Andy sieht sich die Liste im Wagen an. »Einer von denen muss die Geheimnisse der Familie kennen.«

VIRGINIA

Das Schweigen der Polizei ist nicht auszuhalten. Ständig frage ich mich, was sie tun.

Jeden Morgen beim Aufwachen ist mein erster Gedanke: *Ist es heute so weit?* Ich bemühe mich, möglichst nahe bei Jocelyn zu bleiben, wenn sie zu Hause ist, denn ich will wissen, was sie tut. Sie soll nichts erfahren, ohne dass ich davon weiß.

Bei jedem Telefonklingeln zucke ich zusammen. Ich bin rastlos, und das Warten ist eine Qual, weshalb ich Vorwände erfinde, das Haus zu verlassen. Sowohl im Ausschuss für den Blumenschmuck der Kirche als auch im Gemeinderat war man überrascht, dass ich diese Woche zu den Sitzungen kam. Ein geeigneter Zufluchtsort war allerdings beides nicht.

»Was passiert jetzt wegen eurer Leiche im See?«, fragt Marjorie Eastlake, als wir die Teemaschine füllen. Was für eine Dreistigkeit! Doch sie entstammt einer langen Linie neugieriger Tratschtanten.

»Die Polizei untersucht die Sache.«

»Also nichts Neues?«

»Noch nicht. Tut mir leid, dass ich dich enttäuschen muss.«

Ihr Gesichtsausdruck trägt nicht gerade dazu bei, den verkniffenen Missmut, der sich längst in ihre Züge eingegraben hat, zu mildern.

»Sicher ist dir ganz unheimlich bei der Vorstellung, dass da die ganze Zeit eine Leiche im See war.« Sie schüttelt sich übertrieben.

»Ganz und gar nicht.«

»Tja, du bist eben aus härterem Holz geschnitzt als ich.«

Ein anderes Ratsmitglied schleicht sich näher heran, zweifellos, um mehr zu hören. Haben sie wirklich nichts anderes, worüber sie nachdenken können? Ich stelle Tassen und Untertassen hin und spare mir eine Antwort auf Marjories Bemerkung. Hier komme ich nicht wieder her.

Zu Hause beobachte ich Jocelyn aufmerksam und wende ihre Fragen ab. Es ist offensichtlich, dass sie der Schädel genauso beschäftigt wie mich. Und sie ist wahrlich gut darin, solche Dinge unnötig zu dramatisieren; aber ich muss aufpassen, dass es nicht mehr wird, dass sie keine Vermutungen anstellt, die schädlich sein könnten, wenn man zulässt, dass sie sich festigen.

Allmählich denke ich, ich hätte mich nicht in ihre Bewerbung bei der Gärtnerei einmischen sollen. Vielleicht wäre es besser, sie aus dem Haus zu haben. Die Wahrscheinlichkeit, dass Erinnerungen zurückkehren, ist geringer, wenn nichts da ist, was sie auslöst.

Ich biete an, mich um Ruby zu kümmern, während Jocelyn Arbeit sucht. Natürlich gibt sie sich erstaunt und misstrauisch, weil ich ihr Hilfe anbiete, als würde ich ein Komplott schmieden. Doch wir wissen beide, dass sie in ihrer Situation nicht wählerisch sein kann.

Jocelyn und Anthea sind weg, und es ist zu regnerisch und ungemütlich, um rauszugehen, deshalb haben Ruby und ich uns überlegt, wie wir uns drinnen vergnügen können. Ruby will eine Modenschau machen und plündert voller Begeisterung meine Kleiderschränke.

Seit Alexander tot ist, ist mein Schlafzimmer ein so lebloser Ort geworden, ein Witwenzimmer, zu still und zu ordentlich. Ich entsinne mich nicht, wann ich mein Bett zuletzt voller Kleider gesehen habe oder meine Schuhe aus dem Seidenpapier in den offenen Kartons lugen. Ruby holt sogar meine Seidenschals heraus und hängt sie über das Bettgestell und an die Spiegel, als handele es sich um Wimpel.

Sie inspiziert meine Kleider eingehend. Ich zeige ihr die unterschiedlichen Stoffe und erkläre ihr die Schnitte. Fasziniert hört sie zu und betrachtet alles eingehend. Sie ist verzückt von den schönen, stoffbezogenen Knöpfen und den raffinierten Perlenstickereien. Es ist herrlich! Jocelyn war nie interessiert, egal wie sehr ich versuchte, ihr meine Begeisterung für Mode weiterzugeben oder ihr hübsche Kleidung zu kaufen.

Ruby sucht sich ein paar Sachen zum Anprobieren aus, und ich sitze inmitten des Chaos auf dem Bett, von wo ich ihr zuschaue, wie sie sich im Spiegel mustert. Natürlich sind ihr die Kleider viel zu groß, gleiten ihr von den Schultern und schleifen über den Teppich. Die Taillen sitzen ihr knapp über den Knien, und ihre Füße rutschen in meinen Schuhen ganz nach vorn, aber es macht einen solchen Spaß!

»Das hier mag ich am liebsten«, verkündet sie.

»Das ist auch eines meiner Lieblingskleider. Ich habe es mal zu einer sagenhaften Party bei Annabel getragen. Und weißt du, was ich dazu anhatte?«

»Was?«

»Kannst du ein Geheimnis für dich behalten?«

Sie nickt.

»Komm her.«

Ruby stöckelt in meinen Schuhen herüber, und ich öffne meine Nachttischschublade. »Pass mal auf.« Ich ziehe die Schublade ganz heraus und setze sie auf meinem Knie ab. Nun drücke ich auf die Schwalbenschwanzverbindung zwischen Front und Seite. Ein Geheimfach springt auf, und Ruby schnappt nach Luft, als sie die Kette darin sieht.

»Diamanten«, sage ich.

»Echte?«

»Natürlich! Dein Großvater hat sie mir geschenkt.«

Ich lege Ruby die Kette an, die ihre Augenfarbe sehr hübsch zur Geltung bringt. »Möchtest du, dass ich dich schminke?«, frage ich. Ich werde mich bemühen, nicht gekränkt zu sein, wenn sie ablehnt – wie Jocelyn früher immer –, doch Ruby zögert nicht. Sie setzt sich kerzengerade vor meinen Spiegel.

»Wir nehmen nur ein wenig«, erkläre ich, »denn du bist so schön, da brauchen wir nicht viel.«

Mit dem Mascara in der Hand halte ich inne, als ich das Knirschen auf dem Kies draußen höre. Ich weiß, dass Jocelyn das hier hassen würde, sollte sie uns entdecken. Eilig laufe ich zum Fenster, bin jedoch zu spät, um zu sehen, wer unten geparkt hat.

»Ist es Mom?«, fragt Ruby. »Darf ich ihr das hier zeigen?«

»Nein! Ich meine, bleib bitte hier, und ich rede mit deiner Mummy. Du musst dich wieder umziehen und dir das Gesicht waschen, bevor du nach unten kommst. Ich glaube nicht, dass deine Mummy es gut findet, wenn du verkleidet bist.«

»Warum nicht?«

»Ist bloß so ein Gefühl. Bitte, Schatz, tu es für Granny.«

Ich bin halb die Treppe hinunter, als es an der Tür läutet. Hat Jocelyn ihre Schlüssel vergessen? Wenn sie den Wagen genommen hat, kann das nicht sein. Und wenn doch, warum kommt sie dann nicht einfach hinten herum? Ich öffne. Draußen stehen die Detectives.

»Hallo«, sagt die Frau. »Hätten Sie Zeit für ein Gespräch?«

Ablehnen kann ich wohl schlecht, also führe ich sie durch

die Diele, wobei meine Füße bleiern werden. Ruby erscheint oben an der Treppe. Sie hat sich nicht umgezogen. Stattdessen hat sie ihr Make-up mit eimerweise Mascara und dickem rotem Lippenstift fertiggestellt. Sie sieht aus wie eine Miniaturkurtisane.

»Hallo«, sagt sie zu den Detectives.

Der Mann ignoriert sie, aber die Frau sagt: »Was für ein hübsches Kleid.«

Ich würde Ruby dazu anhalten, sich sofort das Gesicht zu waschen und sich umzuziehen, doch vor Nervosität ist mein Mund wie ausgetrocknet, und ich fürchte, wenn ich ihn aufmache, hören sie alle meine Angst.

DETECTIVE ANDY WILTON

Lady Holt öffnet ihnen, und Andy staunt, dass sie sich dazu herablässt. Er hätte gedacht, dass sie jemanden hat, der das für sie tut.

»Bitte, kommen Sie rein«, sagt sie.

Oben an der Treppe steht ein Mädchen und sieht zu ihnen herunter. Sie wirkt wie aus einem David-Lynch-Film.

Lady Holt führt sie einen langen Korridor entlang, und Andy blickt sich schamlos um. Die Decke ist gewölbt und mit aufwendigem Stuck verziert. Die Wände sind halbhoch mit dunklem Holz vertäfelt und vollgehängt mit Porträts von Leuten, deren Augen tot aussehen, sowie anderen Gemälden. So viel Kunst auf einmal hat Andy außerhalb eines Museums noch nie gesehen.

Schließlich werden sie in einen Raum geführt, den Lady Holt als ihr privates Wohnzimmer bezeichnet. Die Fenster müssen an die zweieinhalb Meter hoch sein, und die Möbel sehen abgenutzt aus. Der beige Teppich ist so alt, dass er stellenweise rosa geworden ist, und die schwach scheinenden Lampenschirme haben Wasserflecken.

Andy hätte nichts gegen einen Kaffee einzuwenden, aber ihnen wird nichts angeboten. Er spricht den Jagdunfall an.

»Wie in aller Welt kommen Sie jetzt darauf?«, fragt Virginia Holt. »Das ist Ewigkeiten her. Ich erinnere mich kaum noch.«

»An dem Tag wurde ein junger Mann schwer verletzt.«

»Das stimmt. Es war eine sehr unglückliche Sache und sehr traurig, aber manche Sportarten bergen Risiken.«

»Eine potenzielle Zeugin war verschwunden. Das fanden die Leute damals eigenartig.«

»›Angeblich‹ verschwunden. Meinen Sie es nicht eher so? Und es gab nie einen Beweis, dass sie irgendetwas bezeugt hatte oder überhaupt mit uns auf der Jagd war. Das war eine reine Mutmaßung Ihrer damaligen Kollegen.«

Blödsinn, dachte er. *Den Zeugenaussagen in der Akte nach gab mindestens eine Person an, sie in der Nähe des angeschossenen Jungen gesehen zu haben. Sie hat etwas gesehen.*

»Mich würde interessieren, wie es sein konnte, dass Sie einen Gast zu einem Jagdausflug und einem Essen einladen, den Sie nicht kannten. Angeblich.«

Sie zieht eine Augenbraue hoch. »In der Zeit damals haben wir große Gesellschaften gegeben. Gewisse enge Freunde waren eingeladen, eine Begleitung mitzubringen. Und ich maße mir kein Urteil an, wenn jemand eine Person mitbringt, die er erst am Abend zuvor kennengelernt und deren Namen er erst beim Frühstück erfahren hat. Unsere Freunde amüsierten sich gern, Detective. Haben Sie nie etwas Vergleichbares getan? Ein heißblütiger junger Mann wie Sie hat doch bestimmt schon einige Abenteuer gehabt.«

Sie lächelt herablassend, und er wird wütend.

»Ich erinnere mich jedoch, die Frau, von der Sie sprechen, vor der Jagd beim Frühstück gesehen zu haben«, fährt Virginia Holt fort. »Vielleicht wurde sie mir vorgestellt, doch das kann ich nicht mehr mit Sicherheit sagen. Das auf der Jagd war ein Unfall. Ein sehr betrüblicher Unfall, nichtsdestotrotz ein Unfall. Wir hatten eine sehr erfahrene Mannschaft und planten unsere Jagden sehr sorgfältig, aber manchmal begehen Leute

Dummheiten. Der junge Mann, der verletzt wurde, befand sich an einer Stelle, an der er nicht hätte sein sollen. Es war überaus traurig, ja, aber mehr habe ich dazu nicht zu sagen. Sollten Sie also keine weiteren Fragen haben, würde ich gern weitermachen. Ehrlich, dieser Schädel ist sicher sehr alt. Man hat Pestgruben beim Dorf gefunden, wie Sie bestimmt wissen.«

Maxine blättert in ihrem Notizblock. »Wir sind unter anderem hier, um Sie zu informieren, dass es sich um den Schädel einer Frau handelt. Wir glauben, dass sie etwas über einen Meter sechzig groß war, wahrscheinlich über sechsundzwanzig, als sie starb, und Zahnfüllungen hatte, die in Großbritannien nicht vor den Sechzigern verwendet wurden. Womit sie durchaus in Ihre Zeit fällt, meinen Sie nicht?«

»Hilft das Ihrem Gedächtnis auf die Sprünge?«, fragt Andy. Er beobachtet sie genau. Ihr Gesicht gibt so gut wie nichts preis. Ihr Pokerface ist außergewöhnlich, aber er findet, dass ihre Antwort einen Tick zu spät kommt, um eine glaubwürdige Reaktion zu sein.

»Ist das *alles*, was Sie bisher herausgefunden haben?«, fragt sie. »Ich dachte, mit der Wissenschaft können Sie heute schon die tollsten Sachen machen.«

Netter Versuch, denkt Andy, *aber ich kaufe ihr diese aufgesetzte Überheblichkeit nicht ab. Sie wusste schon, von wem der Schädel war.* »Keine Sorge«, sagt er. »Es kommt noch mehr.«

Im Auto sagt Maxine: »Wie die andere Hälfte lebt.«

»Nicht zu fassen. Wenn sie glaubt, dass sie über dem Gesetz steht, hat sie sich geschnitten.«

»Du interpretierst ihr Verhalten falsch, weil du sie nicht magst. Sie glaubt nicht, dass sie über dem Gesetz steht. Und sie ist nicht arrogant, sondern verängstigt.«

»Sie ist beides.«

JO

Mutter macht mich wahnsinnig, umschwirrt Ruby und mich wie eine lästige Fliege, und ich habe keinen Schimmer, warum. Zum ersten Mal in meinem Leben versucht sie, mich in Entscheidungen bezüglich des Hauses einzubeziehen.

»Ich denke, dass ich das Dachgeschoss vielleicht ganz zuschließe«, sagt sie. »Es ist so teuer, dort immer mitzuheizen.«

»Wie du meinst.« Ich weigere mich mitzureden, weil ich nicht vorhabe, länger hier zu wohnen.

Mit solchem Kram nervt sie mich, will aber nach wie vor nicht über den Schädel reden. Das verstehe ich nicht, und je mehr sie mauert, desto besessener werde ich.

Eines Morgens bin ich so frustriert, dass ich sage: »Im Ernst, Mutter, du stellst dich so verdammt stur bei dem Thema, dass man meinen könnte, du hast etwas mit der Toten zu tun.«

Ihr Blick ist derart finster, dass ich erschrecke.

»Es ist ungeheuerlich, so etwas zu sagen«, entgegnet sie und geht raus.

»Du hast Granny traurig gemacht«, sagt Ruby.

»Sie reagiert übertrieben. Es war bloß ein Witz, den sie falsch aufgefasst hat.« Doch ich denke: *Das war mal eine Überreaktion!* Ich bekomme eine Gänsehaut. Und gerate ins Grübeln.

Mutter geht dazu über, mit Ruby und mir in der Küche zu frühstücken, anstatt sich ein Tablett ins Schlafzimmer bringen zu lassen. Antheas Augenbrauen verschwinden unter dem Pony, als Mutter eines Morgens erscheint und verkündet, sie würde es von nun an so halten. »Ich bringe seit fünfzehn Jahren jeden Morgen ein Tablett nach oben«, murmelt Anthea, als sie Mutters Geschirr in die Spülmaschine räumt. »Das Tablett raufbringen und das elektrische Feuer anschalten. Erst isst sie, und wenn es im Zimmer warm geworden ist, zieht sie sich an. Ich weiß, wo sie ist und was sie macht, und sie kommt hier nicht gleich morgens an und stört mich.«

Ich frage mich, ob sich Anthea auch von Ruby und mir gestört fühlt.

Mutter hat ein Paar zum Essen eingeladen. Sie bietet Ruby an, ihr zu zeigen, wie man einen Tisch richtig deckt. »Es ist sehr wichtig, das zu können«, insistiert sie. Ich sitze in der Fensternische und schiebe Servietten in silberne Ringe.

»Die Detectives waren wieder hier«, sagt Mutter.

»Ach ja? Wann?«

»Gestern.«

»Davon hast du gar nichts erzählt.«

»Es gab nichts Wichtiges.«

»Muss es aber gegeben haben, wenn sie den ganzen Weg hergekommen sind.«

»Nur etwas wegen eines alten Jagdunfalls.«

»Weiß ich davon?«

»Du warst noch sehr jung. Es hatte nichts mit dir zu tun.«

»Sollte ich denn nicht jetzt davon erfahren, wenn die Polizei danach fragt?«

»Ich wüsste nicht, was das bringen sollte. Jedenfalls glaube ich, dass sie beschlossen haben, mir zuzusetzen, weil dieser Detective mich nicht mag. Ruby, Schatz, das hast du wunderbar gemacht! Möchtest du jetzt mitkommen und mir helfen auszusuchen, was ich zum Essen anziehe?«

»Hatten sie irgendwas Neues zu dem Schädel?«

»Nein.«

»Darf ich mich zum Essen schminken?«, fragt Ruby.

»Nein!«, sage ich. »Du bist viel zu jung!«

Ruby will etwas erwidern, aber Mutter lässt sie nicht. »Komm mit, Schatz.«

Hand in Hand gehen sie aus dem Zimmer. Ich sehe in meine E-Mails. Es gibt zwei Bewerbungsabsagen.

Während der Suppe unterhalten sich Mutter und ihre Gäste abfällig über gemeinsame Bekannte. Ich bin dem Chirurgen Rory und seiner klapperdürren Frau Julia bisher nicht begegnet, weiß jedoch, dass sie ziemlich neu in Downsley sind und dies ihre erste Einladung nach Lake Hall ist. Rory hofiert meine Mutter, und Julia registriert, nicht sonderlich verstohlen, jedes Detail des Hauses.

Elizabeth, den dritten Gast, kenne ich. Mutter zufolge hat sie sich im Laufe der Jahre einen ziemlichen Namen als Künstlerin gemacht und wird von einer prestigeträchtigen Londoner Galerie vertreten. Das sind fantastische Neuigkeiten. Ich erinnere mich, dass Elizabeth unsere Haustiere früher zum Zeitvertreib gezeichnet hat, als ich noch ein Kind war.

Heute ist sie eine üppige Frau, die keinen BH unter ihrem weiten Sommerkleid trägt, Farbe an den Armen hat und deren zerzaustes Haar sich kaum in dem hohen Knoten hält. Haarklammern ragen überall heraus, als wären sie mit einer Nagelpistole hineingeschossen worden. Ihrem Aussehen und Auftreten nach ist sie eine untypische Freundin für Mutter, dennoch stehen sich die beiden nahe, solange ich denken kann.

»Virginia, möchten Sie, dass ich den Braten schneide?«,

fragt Rory, als wir sitzen. Anthea hat das Essen zubereitet, aber wir servieren, weil sie nach Hause gegangen ist, um ihre Familie zu versorgen.

»Das wäre wunderbar, mein Lieber. Früher hat Alexander das immer gemacht, und ich wüsste gar nicht, wie ich es anstellen soll.« Mutter drückt Rorys Arm. Ihre Ringe funkeln. Rorys Frau streicht mit einer Fingerspitze über ihre Augenbraue. Mutters Fähigkeit, andere Frauen zu dominieren, sucht ihresgleichen. Dabei müsste Julia sich keine Sorgen machen. Mutter würde niemals etwas mit einem Arzt anfangen. Und selbstverständlich kann sie einen Braten zerlegen. Hinten in der Küchenschublade liegt ein Stoffbündel mit Sabatier-Messern aus dem Gourmetkochkurs, den sie besucht hat, bevor sie meinen Vater heiratete.

»Rosenkohl, Ruby?«, fragt Mutter.

»Nein danke«, antwortet Ruby. »Der schmeckt wie die Eier des Teufels.« Ich bemühe mich, ein Prusten zu unterdrücken. Sie zitiert ihren Vater.

Rory runzelt die Stirn, und Julia sieht entsetzt aus. Elizabeth und Mutter kichern wie schnatternde Enten.

»Da hast du ja ein richtiges kleines Energiebündel, Virginia«, sagt Elizabeth.

»Ist sie nicht ein Schatz?«, säuselt Mutter. Ich war nie ihr Schatz. Mich hätte sie direkt hier bei Tisch zurechtgewiesen, wäre ich so vorlaut gewesen wie Ruby.

»Wie ich höre, suchst du nach einem Job, Jocelyn?«, fragt Elizabeth.

»Ja, aber möglichst erst im September, wenn Ruby sich eingelebt hat …« Beinahe hätte ich »in der Schule« gesagt, bremse mich jedoch, denn Ruby hat sich bisher nicht von dem schrecklichen Probetag erholt und muss nicht daran erinnert werden.

»Hast du von dieser Bürostelle gehört?«, fragt Mutter.

»Sie haben abgesagt. Die falschen Qualifikationen.«

»Ich finde, du solltest Detective werden«, sagt Ruby. »Dann kannst du das Rätsel mit dem Schädel lösen. Oder du wirst Hellseherin und kriegst so ein Oh-ja-Brett. Dann können wir den Geist von dem Schädel fragen, wer er ist.«

»Ich glaube, du meinst ein Ouija-Brett«, sage ich. »Und, nein danke, ich möchte keine Hellseherin werden.«

»Im Golfclub hat jemand von dem Schädel gesprochen«, sagt Rory. »Es klingt sehr mysteriös. Erzählen Sie uns davon, Virginia.«

»Da gibt es nichts zu erzählen. Die Polizei übertreibt heillos. Man sollte meinen, dass sie nichts Besseres zu tun hat. Ich bin absolut sicher, dass es sich um einen sehr alten Schädel handelt.« Mutter ist ein wenig rot geworden und klingt schnippisch. Für einen kurzen Moment schweigen alle verlegen.

»Nun, ich nehme an, dieses Anwesen hat einiges an Geschichte zu bieten«, sagt Julia. »Es ist wirklich ein äußerst bemerkenswertes Haus. Ein nationales Kulturgut! Was diese Wände gesehen haben müssen! Sie könnten ein Buch darüber schreiben. Oder gibt es vielleicht schon eins?« Sie lacht über ihren eigenen Witz.

Mutter bringt beinahe ein Lächeln zustande. Sie kann Schleimer nicht ausstehen. Als sie sich den Mund mit der Serviette abtupft, weiß ich, dass sie ihn dahinter verzieht.

Elizabeth lockert die Stimmung auf. »Was ist mit der Kunstbranche, Jo?«, fragt sie. Wenigstens sie respektiert meinen Wunsch, mit »Jo« angesprochen zu werden. »Hast du mal überlegt, dir einen Job in einer Galerie zu suchen? Sicher könntest du deine Kunstgeschichtskenntnisse in Nullkommanichts auffrischen.«

Zu meinem Erstaunen finde ich diese Idee wirklich ein wenig reizvoll. Ich hatte einen guten Job in einer Galerie aufgegeben, als Chris und ich in die USA zogen. In Kalifornien durfte ich nicht arbeiten, weshalb ich meinen Traum von einer echten Karriere in der Kunstwelt an den Nagel hängte, aber ich hatte ehrenamtlich Führungen in einer kleinen Kunsthalle übernommen, um am Ball zu bleiben, und Chris und Ruby an den Wochenenden in Ausstellungen geschleppt, wann immer ich konnte.

Allerdings hat Elizabeths Vorschlag einen Haken. »Das wäre fantastisch, doch ich müsste eine Galerie in der Nähe finden. Wenn ich nach London pendle, ist Ruby zu lange allein.«

»Ach, mach dich nicht *lächerlich*, Jocelyn!«, fällt Mutter mir ins Wort.

»Es ist nicht lächerlich, wenn man sein eigenes Kind selbst großziehen möchte.«

Rory und Julia starren uns abwechselnd an und verbergen ihre Begeisterung mehr schlecht als recht, einem ausgewachsenen Familienzwist beizuwohnen.

Wieder rettet Elizabeth uns. »Nun, meine Ausstellung wird nächste Woche eröffnet, und ich hoffe auf jede Menge rote Punkte. Also, wie wäre es, wenn wir auf mich anstoßen?«

Wir trinken auf einen großen Erfolg, und Elizabeth sagt: »Jo, meine Liebe, warum kommst du nicht zur Vernissage nach London? Es würde mich riesig freuen.«

»Würde ich gern, aber ich kann Ruby wirklich nicht allein lassen.«

»Unsinn! Ich passe auf Ruby auf«, sagt Mutter. »Wir können diese Computersache machen, von der du mir erzählt hast, Schatz.«

»Ich bringe Granny Minecraft bei«, erklärt Ruby.

»Oh, ich muss schon sagen, wie modern!«, bemerkt Julia.

»Komm bitte«, sagt Elizabeth. »Wir werden ein bisschen Spaß haben.«

Sie grinst mir zu, und ihre Augen blitzen. »Sehr gern«, gebe ich nach. Spaß klingt gut. Der ist schon lange knapp, und selbst wenn der Abend nicht ganz so aufregend wird, wie sie verspricht, komme ich wenigstens mal hier raus. Zudem wird Mutter in ein paar Stunden keinen großen Schaden anrichten können.

Die Arbeitssuche wird nicht leichter. Ich schicke meinen Lebenslauf kreuz und quer herum und habe einige Vorstellungsgespräche für Bürojobs. Bisher hat sich nichts Passendes ergeben, und ich werde nicht einmal mit künftigen Möglichkeiten vertröstet. Alles scheint zu stagnieren.

Die Telefonate mit Chris' Geschäftspartner werden anstrengend. Dem Klang nach ist ihm die Sache mit dem Geld peinlich, denn anscheinend kann er unseren Anteil nicht auszahlen, ohne dass die Firma den Bach runtergeht, und er hat Mühe, andere Finanzierungsquellen aufzutun. Ich spüre, wie er mit jedem Mal ausweichender reagiert, doch er beteuert, das würde ich mir einbilden.

Ruby und ich gehen nun täglich auf dem Anwesen spazieren, wie ich es als kleines Mädchen mit Hannah getan habe. Sie läuft mir voraus, springt über abgebrochene Äste und rennt Hänge hinunter. Meine Tochter klettert wie eine Bergziege, und ich muss ihr verbieten, es an den höheren Bäumen und Mauern zu erproben. Ruby hat mehr Ehrgeiz als Verstand, wenn es darum geht, was sie erklimmen will. Diese Waghalsigkeit hat sie von ihrem Vater.

Auf unseren Wanderungen sehen wir Lake Hall aus sämtlichen Blickwinkeln: die unebenen Mauern, die uralten, moosbewachsenen Dachziegel, von denen manche angeknackst, manche verrutscht sind, den bröckelnden Wasserspeier, der finster von einer Brüstungsmauer herabstiert, und die kleinen, tief liegenden Fenster im obersten Stockwerk sowie die deutlich größeren darunter, von denen man angeblich die beste Aussicht auf den See und die Landschaft hat.

Chris sagte einmal, ich solle mich mehr für Lake Hall interessieren, weil es eines Tages mir gehören würde. In unserer kleinen, sonnigen Küche verriet ich ihm beim sonntäglichen Frühstückskaffee, wohin er sich die Idee stecken dürfe, dass wir irgendwann der neue Lord und die neue Lady würden. Er entgegnete trocken, es wäre ein Segen, dass er mich mit oder ohne mein Erbe liebte. »Wie dem auch sei«, sagte ich, »wahrscheinlich muss ich es dann eh verkaufen, um die Erbschaftssteuer zu bezahlen.«

»Aber wäre es nicht nett, das genauer zu wissen?«, fragte er.

»Das werde ich erst erfahren, wenn meine Eltern beide tot sind. Und jetzt Schluss damit.«

Auf unseren Spaziergängen fragt Ruby mich oft nach dem Schädel. Das beschäftigt sie nicht weniger als mich. Ich denke mir Geschichten aus, um meinen Zweifeln aus dem Weg zu gehen, von wem er sein mag, oder meinen Verdacht zu nähren, es könnte Hannah sein.

»Es ist der Schädel eines sehr weisen alten Mannes, der hier gelebt und sich um die Geschöpfe des Sees gekümmert hat«, erzähle ich ihr. »Er liebte sie so sehr, dass er, als er starb, im See beigesetzt werden wollte, damit er all die kleinen Lebewesen dort bewachen konnte.«

»Das ist aber ein bisschen eklig, oder?«

»Warum?«

»Weil Stan sagt, dass sich Leichen im Wasser auflösen und die Tiere sie bis zu den Knochen auffressen.« Sie rümpft die Nase. »Wie eklig.«

Mir fällt nichts ein, wie ich es nett hindrehen kann. Ehrlichkeit ist vielleicht die beste Taktik. »Wenn man es so ausdrückt, ist es total eklig.«

»Ich habe immer noch keine Angst.«

Ich schon, denke ich, sage aber: »Das ist gut.«

»Können wir bald mal wieder mit dem Kajak rausfahren?«

»Noch nicht, Schatz. Die Polizei sagt Bescheid, wenn wir wieder dürfen.«

»Granny hat Angst gehabt, als die Polizei hier war«, sagt sie.

»Ja? Warum?« Aus heiterem Himmel gerät mein Herz ins Stolpern, als hätte sich eine Befürchtung bewahrheitet.

»Weil sie gedacht hatte, dass du es bist, und sie dachte, du schimpfst mit ihr, weil ich mich mit ihren Sachen verkleidet habe und sie mich geschminkt hat!«

Sie grinst und rennt voraus den Weg entlang, bevor ich antworten kann. Die spätnachmittägliche Sonne taucht sie in ein weiches Licht, doch mich treiben wieder die Fragen zu dem Schädel um. Wann wissen die Detectives, wie alt er ist? Könnte es wirklich Hannah sein? Und falls sie es ist, was ist passiert?

Die Vergangenheit ist so frustrierend flüchtig. Man versucht mit aller Kraft, dic Erinnerungen, die man an jemanden hat, festzuhalten, aber sie entgleiten einem trotzdem. Es ist seltsam, doch während die Erinnerungen an Chris verblassen, sind die an meine frühe Kindheit und die schöne Zeit mit Hannah bis heute kristallklar. Ich denke fast täglich daran, seit wir hergekommen sind, aber selbst diese Bilder sind unvollständig, und sosehr ich mich auch bemühe, kann ich keinerlei Hinweise entdecken, ob sich in der Nacht ihres Verschwindens irgendetwas Finsteres zugetragen hat.

»Guck mal hier«, sagt Ruby später. Sie dreht mir ihr iPad hin und zeigt mir einen Artikel. Mir wird schlecht, weil er über uns ist, und die Schlagzeile lautet:

MYSTERIÖSER LEICHENFUND IN PRIVATSEE

»Wo hast du den gefunden?«, frage ich.

»Stan hat ihn mir geschickt! Er hat ein Google-Alert für ›Lake Hall‹ eingestellt, damit wir mitbekommen, wenn irgendwas geschrieben wird. Ist das nicht cool? Wir sind jetzt berühmt!«

Ich überfliege den Artikel. Er beschreibt die Entdeckung des Schädels, sonst nichts. Neue Informationen liefert er keine, allerdings bedeutet es, dass die Nachricht sich über Lake Hall und Downsley hinaus verbreitet hat. Der Gedanke, dass Leute nun weit und breit von dem Fund lesen können, macht alles umso schrecklicher.

VIRGINIA

Die Lampionblumen im Topf vor meinem Wohnzimmerfenster blühen. Später im Herbst, wenn sich die Früchte dunkelorange gefärbt haben, werde ich die Blüten abschneiden, trocknen und Ruby zeigen, wie man sie mit Lack fixiert. Ich denke, das wird ihr Spaß machen.

Mir ist bewusst, dass ich nicht vollkommen bin, aber ich möchte alles, was an mir gut ist, an Ruby weitergeben, solange ich noch kann. Und ich möchte es tun, ehe Dinge geschehen, die ihr Bild von mir trüben werden. Sollte die Polizei ihre Arbeit machen, ist solch eine Entwicklung leicht vorstellbar, und es könnte schon sehr bald dazu kommen, dass Ruby enttäuscht, ja sogar entsetzt sein wird.

Ich wusste bereits, dass es sich um einen weiblichen Schädel handelt, bevor es mir die Detectives mitteilten. Ich kannte auch die Größe der Frau und kenne im Gegensatz zur Polizei ihr genaues Alter, als sie starb. Natürlich habe ich Jocelyn nichts gesagt, obwohl es jetzt nicht mehr lange ein Geheimnis bleiben wird. Was mich nicht abhält, sie von allem abzuschirmen, solange ich kann.

Teils fühle ich mich verantwortlich für das, was mit Hannah geschah. Ihre Position war im Zentrum der Familie, naturgemäß sehr intim, und es hätte mich wachsam machen müssen. Doch ich war es nicht, weil Alexander und ich uns das Beste für Jocelyn wünschten. Sie sollte sich als das meistgeliebte, das am höchsten geschätzte Kind der Welt fühlen.

Für mich war schlicht undenkbar, dass Hannah nicht dasselbe wollte, und ich glaubte, auch nichts wahrzunehmen, was auf etwas anderes hingedeutet hätte. Ich muss halb blind gewesen sein.

Während ich meine Rolle als putzmuntere junge Gastgeberin und Mutter spielte, bewegte Hannah ihre Figuren schnell und gekonnt in ein Schachmatt für mich. Und so gewiss, wie ich mir meiner Stellung war, war ich zu blöd zu bemerken, dass sie mehr tat, als nur ihre Bauern vorrücken zu lassen.

Die ganze Zeit bombardierte sie mich mit unbedeutenden, trivialen Fragen; schon die schiere Anzahl machte mich ganz kirre, und so harmlos sie schienen, begriff Hannah doch, dass deren Häufung mir die Illusion vermittelte, sie wäre gleichermaßen wohlmeinend wie vertrauenswürdig. Die schlaue Hannah.

»Jocelyn wünscht sich einen SodaStream zum Geburtstag. Möchten Sie, dass ich einen für sie besorge, wenn ich das nächste Mal in Swindon bin?«

»Jocelyn braucht neue Ballettschuhe. Sie möchte welche mit rosa Bändern, aber ich frage mich, ob Sie nicht weiße vorziehen würden?«

»Jocelyn und ich haben Lavendelsäckchen genäht. Sie möchte eins zwischen Lord Holts Hemden hängen, oder ist es Ihnen lieber, wenn ich sie in den Wäscheschrank lege?«

Oh, verflixt nochmal!, dachte ich damals. *Ich habe dich eingestellt, damit du mir möglichst viele dieser Entscheidungen abnimmst!* Zugleich muteten meine Klagen über die Nanny kleinlich und trivial an, wie mir sehr wohl bewusst war. Meine Freundinnen beneideten mich um Hannah, ihre Kompetenz und ihre Verlässlichkeit, und ich konnte nicht leugnen, dass

Jocelyn, die bei mir schon seit ihren ersten, von Koliken geplagten Wochen schwierig gewesen war, in Hannahs Obhut aufblühte. Sie liebte ihre Nanny, und das mehr, als ich mir lange Zeit eingestehen wollte.

Ich spielte Hannah direkt in die Hände, als ich mich eines Tages mit ihr hinsetzte, um einige Dinge klarzustellen. »Hannah«, sagte ich, »es wäre schön, wenn Sie etwas unabhängiger wären. Sie müssen mich nicht zu jeder Entscheidung, die Jocelyn betrifft, konsultieren. Ich vertraue darauf, dass Sie nur mit *wichtigen* Dingen zu mir kommen.«

»Ah, verstehe«, antwortete sie. Sie hatte eine entwaffnende Art, sich mir gegenüber schwer von Begriff zu geben. Ich entließ sie und wandte mich den nächsten Haushaltsaufgaben zu, ohne einen weiteren Gedanken an das Gespräch zu verschwenden.

Was für eine Närrin ich war!

Ich erkannte nicht, dass diese Augen nur unbedarft dreinblickten, wenn sie mich ansahen. Bei anderen ließ Hannah sie blitzen. Sie nutzte sie, um zu verführen und zu kontrollieren, und das tat sie bis zu dem Tag, an dem das Leben in ihnen für immer erlosch.

JO

Im Zug auf dem Weg zu Elizabeths Vernissage in London hält Ruby mich per SMS auf dem Laufenden über ihre Bemühungen, Mutter Minecraft beizubringen.

Oh-oh, Granny drückt dauernd die rechte Taste, wenn ich ihr sage, sie soll die linke drücken
Granny braucht ewig, um die *Buchstaben auf der Tastatur zu finden* 😫
Wenn ich Granny sage, sie soll im Spiel nach vorn gucken, guckt sie in echt nach vorn 🤣
Wir backen doch lieber Brownies 😍

Die Nachrichten bringen mich zum Lachen. Jenseits des Fensters verschwimmen Gold- und Grüntöne, als wir durch die Landschaft rauschen. Ich empfinde eine aufkeimende Vorfreude, als ich Wiltshire hinter mir lasse, und der Gedanke, schon bald in London einen Großstadtschock zu erleben, lässt meinen Puls rasen.

Von der U-Bahn aus gehe ich langsam durch das Gewimmel von Piccadilly und bleibe immer wieder vor den kleinen Schaufenstern von Burlington Arcade stehen: Macarontürme, Schmuck, der es mit dem meiner Mutter locker aufnehmen kann, Ledertaschen in allen Regenbogenfarben.

Als ich die Arkaden hinter mir lasse, finde ich mich nur wenige Meter von einigen der besten Kunstgalerien Londons entfernt wieder. Ich bin nervös, weil ich seit Chris' Tod wie eine Einsiedlerin gelebt habe, zwinge mich aber, schneller zu gehen, in der Hoffnung, so den Impuls einzudämmen, auf der Stelle kehrtzumachen und wegzulaufen.

Elizabeths Party ist aus der Galerie auf den Gehweg hinausgequollen, und sie hält mittendrin Hof. »Du bist gekommen!«, sagt sie. »Ich war mir nicht sicher. Leute! Hier ist eine Frau, die ihr unbedingt kennenlernen müsst!«

Ich nehme mir ein Sektglas von einem Tablett, atme einmal tief durch und setze mein bestes Lächeln auf.

Es läuft gut. Elizabeths Bilder sind farbintensive, verdichtete abstrakte Ölgemälde in klobigen schwarzen Rahmen, von denen einige ebenfalls bemalt sind. Die Werke sind verblüffend und üppig und spiegeln sichtlich ihre Persönlichkeit. Mindestens die Hälfte ist schon verkauft, als ich ankomme. Sie kümmert sich um mich wie die perfekte Gastgeberin, und ich habe tatsächlich Spaß, wie sie gesagt hatte.

»Komm mit uns zum Essen«, fordert sie mich auf, als die letzten Gäste gegangen sind. »Keine Sorge, ich bringe dich zum letzten Zug heute Abend.«

Wir gehen Arm in Arm zum Restaurant.

»Es ist schön, dich mal lächeln zu sehen«, sagt Elizabeth. »Weißt du, ich glaube, es täte dir gut, ein paar Tage die Woche hier zu arbeiten. Du könntest richtig vorankommen.«

Ich fange an, die Gründe aufzuzählen, warum es nicht geht, dass ich einen Job in London annehme, aber sie unterbricht mich. »Reden wir heute Abend nicht über langweilige Organisationsprobleme, bitte! Träum einfach mal! Setz dir ein Ziel, sei mutig. Das schadet nie. Also, es gibt da jemanden sehr Interessantes, den du beim Abendessen kennenlernen sollst. Er hat deinen Vater gekannt. Ich sorge dafür, dass du neben ihm sitzt.«

Der Mann ist Jacob Faversham, aber jeder spricht von ihm nur als Faversham. Er hat eine raspelnde Stimme, eine Brille mit breitem Rahmen und ein Seidentuch in der Brusttasche seines Jacketts.

Wir plaudern angeregt über Elizabeths Bilder und seine private Kunstsammlung. Er ist aus der Stadt, gebildet, gut aussehend und gut in Form für einen Mann aus der Generation meiner Eltern. Während der Wein fließt, wird er auch etwas vertraulicher. Wir sind bei der Crème brûlée, als er meinen Vater erwähnt.

»Viele von uns haben zu Alexander aufgesehen. Er besaß einen ungekünstelten Charme. Fehlt er Ihnen?«

»Ja.« Ich erzähle ihm nicht, dass ich auf Abstand zu meinem Vater gegangen war, da ich nicht einschätzen kann, wie viel er über uns weiß.

»Mir auch. Er war ein Gentleman der alten Schule. Solche gibt es nicht mehr. Und er war sehr stolz auf Sie, wissen Sie das?«

»War er das?« Ich merke, dass ich mich verkrampfe. Es ist nicht leicht, das zu hören.

»Er hatte gehofft, dass Sie zurückkommen und eines Tages Lake Hall übernehmen. Seine Hoffnung war, dass die Sammlung der Zeichnungen Sie zurücklocken würde, wenn er oder Ihre Mutter es schon nicht konnten.«

»Ich würde mir die Zeichnungen gern ansehen«, sage ich. »Die besten sind immer noch hinter Schloss und Riegel.«

»Das sollten Sie. Wie ich höre, sind sie außergewöhnlich. Sicher würden sie Ihnen sehr gefallen. Wenn Sie mich jetzt entschuldigen, ich muss eine Zigarette rauchen. Ich hoffe, ich ziehe mir damit nicht Ihre Missbilligung zu.«

»Tun Sie nicht.«

»Sie sehen übrigens aus wie er. Ich vermute, jeder sagt Ihnen, dass Sie Virginia wie aus dem Gesicht geschnitten sind, was in gewisser Weise stimmt, aber ich sehe ihn in Ihnen.«

Ich blicke Faversham nach. Er humpelt ein wenig. Und auf halbem Weg durch das Restaurant bleibt er stehen, als sei ihm etwas eingefallen, und kehrt zurück.

»Sie möchten nicht zufällig für mich arbeiten, oder? Wenn Sie Interesse hätten, wären Sie meiner Meinung nach perfekt.«

Er lässt mir keine Zeit zu antworten, und als er wieder an den Tisch zurückkommt, nach Rauch riechend, kommt er nicht darauf zurück. Doch am Ende des Abends drückt er mir seine Visitenkarte in die Hand.

»Das Angebot steht. Sie könnten es mal ausprobieren. Ich denke, wir würden gut zusammenarbeiten. Rufen Sie an.«

Nach dem Abend bin ich von einem Optimismus und einer Energie erfüllt, die den ganzen Weg zurück mit dem letzten Zug anhält. In Downsley steige ich mit einer Handvoll Leute aus dem Zug. Die meisten gehen direkt zum Parkplatz. Ich warte neben dem »Taxi«-Schild. Ich hatte vorher angerufen, um das hiesige Taxi zu buchen, doch es kommt nicht.

Eine Frau mittleren Alters bleibt allein auf dem Bahnsteig zurück. Sie hat einen Koffer neben sich abgestellt und starrt auf ihr Handy. Etwas an ihr kommt mir bekannt vor. Ich frage mich, ob sie aus dem Dorf ist oder auf einen Anschluss wartet – falls es denn so spät noch einen gibt.

Ein Wagen fährt auf den Taxiplatz, dessen Scheinwerfer das Bahnhofsgebäude ableuchten. »Tut mir leid, dass ich zu spät bin!«, ruft der Fahrer. »Lake Hall, richtig?«

»Ja, danke.« Ich drehe mich zu der Frau um, weil ich sie fragen will, ob sie sich vielleicht das einzige Taxi mit mir teilen will oder ich den Fahrer bitten soll, wieder herzukommen und sie zu holen, aber sie ist fort.

1977

Linda schreibt ihre Kündigung und gibt sie am nächsten Morgen dem Ehemann. Er ist ein Schatten seiner selbst, trotzdem hatte sie den Brief in einen hübschen Umschlag gesteckt und ihn vorher dreimal in Schönschrift abgeschrieben, wobei sie sich jedes Mal größte Mühe gab, dass ihre Schrift nicht zu kindlich aussah. Er sollte nicht denken, dass sie dumm war.

Er öffnet den Brief nicht mal, legt ihn auf seinen Schreibtisch, als wäre er für jemand anders. Sie sagt ihm, was drinsteht, und er sieht durch sie hindurch. »Gut« ist alles, was von ihm kommt. Es kränkt sie. Er hat seinen Glanz verloren, *denkt sie, als sie das Parkett in der Diele poliert. Ein gebrochener Mann. Nun wird es leichter, ihn zu verlassen, als sie es für möglich gehalten hätte. Sie fragt sich sogar, was sie je in ihm gesehen hat.*

An ihrem letzten Tag liegen zwei Blätter sehr exakt nebeneinander: Sterbeurkunden. Linda sieht sich die Einträge an. Die erste Urkunde ist für das kleine Mädchen:

NAME: HANNAH JULIA BURGESS
DATEN: 11. DEZEMBER 1976–3. SEPTEMBER 1977
TODESURSACHE: MENINGOKOKKENMENINGITIS

Linda denkt, die zweite Urkunde ist die seiner Schwester:

NAME: HANNAH MARIA BURGESS
DATEN: 7. NOVEMBER 1957–1. FEBRUAR 1973
TODESURSACHE: SELBST HERBEIGEFÜHRTES ERSTICKEN

Seine Schwester war nur ein halbes Jahr älter als ich, *denkt Linda. Sie fragt sich, ob sie ihn jemals an Hannah Maria erinnert hat, sagt sich aber, dass es nicht mehr von Bedeutung ist, weil er jetzt ein gebrochener Mann ist, also was kümmert es sie? Linda fällt etwas ein, das sie gehört hat: Wenn man eine neue Identität will, kann man sie sich leicht schaffen, indem man eine Person wählt, die ungefähr zur gleichen Zeit geboren ist wie man selbst. Und jetzt braucht sie genau das: eine neue Identität. Viel Glück ihrem Vater, wenn er nicht mal mehr weiß, wie sie heißt!*

Hannah Maria Burgess. Hannah Burgess. Auf dem Heimweg wiederholt sie den Namen immer wieder. Das ist genial, *denkt sie.* Viel stilvoller als Linda Taylor. *Linda – KEIN zweiter Vorname! – Taylor. Linda – KEINE Chance – Taylor. Am nächsten Tag leiht sie sich das Telefonbuch von ihrer Vermieterin und versenkt zehn Pence in dem Münzapparat in der Diele. Sie bittet um eine Kopie der Geburtsurkunde von Hannah Maria Burgess, geboren am 7. November 1957. »Ja«, sagt sie. »Ich habe das Original verloren.« Und sie gibt ihre gegenwärtige Adresse an. So einfach ist das.*

Einige Tage später ist die Ersatzurkunde in der Post. Linda packt sie und den Großteil ihrer übrigen Habe in eine Tasche und versteckt sie unter dem Bett. Sie lässt nur einige Sachen vorerst draußen, weil Jean nicht wissen soll, was sie vorhat. Sie mag Jean, doch es ist sicherer, sich allein wegzuschleichen.

Sie geht zum Laden, um sich ein paar Kleinigkeiten für ihre Reise und eine Fahrkarte für den ersten Bus Richtung Süden am nächsten Morgen zu kaufen. Er geht nach Bristol.

Als sie zurückkommt, sitzt Jean auf ihrem Bett und hält die Geburtsurkunde in der Hand. Lindas gepackte Tasche steht offen zu Jeans Füßen.

»Du verschwindest, ohne mir etwas zu sagen?«, fragt Jean. »Ich dachte, wir sind Freundinnen.«

»Ich wollte mich verabschieden.«

»Wer ist das?« Jean hält die Geburtsurkunde in die Höhe.

Linda weiß, wie schlau Jean ist, und jetzt, da sie den Namen auf der Urkunde gesehen hat, ist es wahrscheinlich besser, ihr alles zu verraten. Sie erzählt ihr von ihrem Plan.

»Du verdammtes Genie!«, sagt Jean. »Aber du gehst nicht ohne mich. Ich habe es satt hier. Hilf mir packen.«

Sie warten, bis es Nacht ist und sie sicher sind, dass die Vermieterin sie nicht hört. Dann schleichen sie sich zur Vordertür hinaus und werfen ihre Schlüssel durch den Briefschlitz.

Eilig und ohne ein Wort gehen sie die Straße entlang, erregt von ihrer eigenen Courage. Sie beginnen zu laufen, sobald sie um die Ecke sind. Es ist schwierig, gleichzeitig zu rennen, zu lachen und Gepäck zu tragen. Sie hasten ins Stadtzentrum, wo sie den Rest der Nacht eng zusammengedrängt auf einer Bank im Busbahnhof verbringen. Früh am nächsten Morgen steigen sie in den Bus nach Bristol.

JO

Ruby ist in meinem Bett, als ich aufwache, und ausnahmsweise ist sie bereits wach und liest ein Buch.

»Du hast im Schlaf geredet«, sagt sie.

»Wirklich? Was habe ich gesagt?«

»Hannah.«

»Ach ja?«

»Ich habe es gehört.«

»Was noch?«

»Ein paar andere Sachen, aber die habe ich nicht verstanden.«

»Was liest du?« Ich habe eben erst auf den Titel des Buches gesehen. Es handelt sich um ein altes Taschenbuch, *Die Nacht des Jägers*, und das Bild auf dem Einband ist Furcht einflößend: ein schmächtiger Mann, der im Begriff ist, sich ein Mädchen mit einer Puppe im Arm zu greifen, und über dem Ganzen das verängstigte Gesicht eines kleinen Jungen.

»Granny hat es mir gegeben. Es ist *richtig* gruselig.«

»Darf ich mal sehen?«

Ich blättere das Buch durch. Das Wort »Henker« springt mir entgegen, und insgesamt ist die Sprache sehr bildhaft und schaurig.

»Durftest du dir das selbst aussuchen, oder hat Granny es dir empfohlen?«

»Sie hat gesagt, ich *muss* das lesen. Es ist ihr Lieblingsbuch. Ich bin schon fast bei der Hälfte.«

»Tut mir leid, aber das ist nichts für dich.« Ich setze mich auf und bin jetzt hellwach.

»Aber ich finde es klasse!«

»Nein, für so etwas bist du zu jung. Granny hätte es dir nicht geben dürfen.«

Rubys Miene verfinstert sich. »Ich will aber!«

»Wir bekommen nicht immer alles, was wir wollen.«

»Granny sagt, dass du manchmal schrecklich bist, und sie hat recht!«

»Okay, das reicht.«

»Und Granny hat mich gestern Abend gerettet, deshalb musst du dich bei ihr bedanken.«

»Was meinst du? Wovor hat sie dich gerettet?«

Sie kneift den Mund zusammen, weil ihr bewusst wird, dass sie zu weit gegangen ist.

»Wovor hat sie dich gerettet, Ruby?«

»Ich hatte mich eingesperrt.«

»Wo?«

Sie beißt sich auf die Unterlippe. »In der Scheune.«

»Was hast du da gemacht?«

»Geoff hat gesagt, dass Sally, die Katze, ihre Jungen dahat. Ich hatte die Tür lieber zugemacht, aber dann ist draußen der Riegel nach unten gefallen.«

»Wo war Granny?«

»Sie hat mich gefunden und wieder rausgelassen.«

»Und wie lange warst du bis dahin schon in der Scheune? Warum hat sie dich überhaupt ganz allein draußen herumlaufen lassen?«

»Das ist nicht ihre Schuld! Ich bin allein rausgegangen.«

»Sie hätte trotzdem wissen müssen, wo du bist. Darum geht

es doch, wenn sie auf dich aufpasst. In der Scheune sind alle möglichen gefährlichen Sachen. Also ehrlich!«

Sie stürmt aus dem Zimmer, und ich bleibe allein zurück mit dem Buch und Kopfschmerzen vor Anspannung. Ich lege mich wieder hin und frage mich, woran das liegt, dass ich meiner Mutter nicht trauen kann.

Beim Frühstück erzähle ich Mutter, dass mir ein Job angeboten wurde. Ich will sie nicht vor Ruby auf den Vorfall mit der Scheune ansprechen.

»Das ist großartig!«

»Na ja, freuen wir uns nicht zu früh. Bisher weiß ich keine Einzelheiten – das Angebot wurde mir ja zwischen Tür und Angel gemacht –, und ich weiß nicht, wie ich das finde, nach London zu pendeln. Aber wenn ich Teilzeit vereinbaren könnte ...«

»Einem geschenkten Gaul schaut man nicht ins Maul.«

»Mache ich nicht. Dennoch habe ich Verpflichtungen.«

»Das bin ich«, sagt Ruby. »Ich bin deine Verpflichtung, oder? Nimm den Job an, Mom. Granny kann auf mich aufpassen.«

Mutter strahlt, als sie das hört, bremst sich jedoch gleich wieder, weil sie merkt, dass ich sie ansehe. »Würde ich sehr gern, und bevor du etwas sagst, ich weiß, dass du mich für ungeeignet hältst, aber Anthea kann helfen.«

»Darf Stan zum Spielen kommen, wenn du auf mich aufpasst?«

»Natürlich. Wir können den Tennisplatz für euch beide herrichten.«

Sie schweifen ab. »Wenn es mit dem Job ernst wird, suche ich mir eine andere Kinderbetreuung. Du hattest Ruby gestern Abend für sechs Stunden, Mutter, und da sind Dinge passiert, über die ich nicht froh bin.«

»Was in aller Welt meinst du?«

»Vielleicht, dass Ruby sich in der Scheune eingesperrt hat?« Ich bin so wütend, dass es aus mir herausplatzt.

»Ruby geht es gut! Du hattest doch keine Angst, oder, Schatz? Ich habe sie bei den kleinen Katzen gefunden. Es ist nichts passiert.«

»Ach nein? Und du hast nicht darüber nachgedacht, was hätte passieren können?« Ich merke, wie ich noch wütender werde, aber ich darf mich nicht auf einen Streit einlassen. Also atme ich tief durch. »Ich möchte jetzt nicht darüber reden. Wir besprechen das später.«

»Wenn ich nicht hier bin?«, fragt Ruby.

»Ja, genau! Jetzt muss ich Faversham anrufen und fragen, ob das Angebot ernst gemeint war oder ob er es mir nur aus der Situation heraus gemacht hat.«

»Hast du Faversham gesagt?«, fragt Mutter. Sie hält mit dem vollen Marmeladenlöffel in der Hand inne.

»Jacob Faversham. Er möchte, dass ich in seiner Galerie arbeite.«

Sie lässt die Marmelade vom Löffel auf den Tellerrand gleiten und versucht, harte Butter aus dem Kühlschrank auf ihrem Toast zu verstreichen, bevor sie antwortet: »Faversham hat eine reizende Galerie, aber bist du sicher, dass sie nicht ein bisschen zu verstaubt für dich ist? Möchtest du nicht lieber in einer von diesen lichtdurchfluteten neuen arbeiten, wo moderne Kunst hängt?«

»Es ist möglicherweise ein Job für mich. Erst vor einer Sekunde hast du dich mit mir gefreut. Was stimmt nicht mit Faversham und seiner Galerie?«

»Nichts, du hast recht. Ich war wohl nur überrascht, seinen Namen zu hören. Er war ein sehr enger Freund deines Vaters. Ich hatte nicht damit gerechnet, das ist alles. Tja, und ich denke, heute Morgen waren meine Augen größer als mein

Mund.« Sie schiebt ihren Teller weg. »Erzähl mir später, was Faversham gesagt hat, ja? Ich habe um zehn einen Termin in Marlborough, also fahre ich jetzt mal los und bestell vorher noch den Sonntagsbraten beim Metzger.«

Ich nicke. Auf einmal kommt mir alles, was in London war, unwirklich vor. *Ich lasse mich nicht von Mutter runterziehen*, ermahne ich mich. *Ich versuche es*. Allerdings beschließe ich, noch ein paar Stunden zu warten, bevor ich Faversham anrufe. Ich will nicht zu bedürftig wirken.

Im Internet forsche ich nach, was heutzutage ein gängiges Gehalt in einer Galerie ist. Immer noch nicht viel, erfahre ich, aber mit Verkaufsprovisionen lässt sich einiges hinzuverdienen. Dann klicke ich weiter zu Favershams Website. Das Design ist sehr edel.

Ich klicke mich gerade durch die eindrucksvolle Bestandsliste, als es an der Tür läutet.

»Ich gehe schon!«, rufe ich. Die Hündin begleitet mich, und ihre Krallen klackern auf dem Steinfußboden. Ich öffne die Tür, und die Sonne scheint mir direkt ins Gesicht, sodass ich zunächst nur eine Silhouette sehe und meine Augen abschirmen muss.

»Hi«, sage ich.

Sie lächelt. Es ist ein hübsches Lächeln. Zarte Haut kräuselt sich in den Winkeln ihrer freundlichen braunen Augen. Die Frau ist älter und adrett gekleidet in einem marineblauen, in der Taille gegürteten Kleid und einer limonengrünen Strickjacke und einem ausgetretenen Paar rote Mokassins. Ihr Haar ist braun, sorgfältig gefärbt und zu einem ordentlichen Bob geschnitten.

»Jocelyn?«, fragt sie. »Sind Sie das?«

Ich erkenne sie nicht und gehe ein Stück zur Seite, um die

Sonne nicht mehr im Gesicht zu haben. Sie reicht mir die Hand, also schüttle ich sie. Ihr fester Händedruck fühlt sich irgendwie bedeutsam an, als müsste ich darauf reagieren.

»Du meine Güte!«, sagt sie und hält sich eine Hand vor den Mund. Blinzelt sie Tränen weg? »Ich hatte nicht erwartet, dass Sie hier sein würden. Was für eine wunderbare Überraschung!«

»Verzeihung, ich ...«

»Erkennen Sie mich nicht?«

Ich schüttle den Kopf.

»Ich bin Hannah. Ich war Ihre Nanny.«

Wäre ich Hannah auf der Straße begegnet, hätte ich sie nicht erkannt, und das erschreckt mich. Wenn man fast dreißig Jahre lang regelmäßig an eine bestimmte Person denkt, kann man sich nicht vorstellen, sie nicht wiederzuerkennen. Nicht wenn man ihr so nahe war, wie wir es uns waren. Nicht wenn man sie mit beinahe jeder glücklichen Kindheitserinnerung verbindet.

Mir wird die Brust eng. Ist sie es? Sie könnte es sein, aber ist sie es? Ich mustere ihre Züge, suche nach etwas Vertrautem, etwas, das mir sagt: *Das ist Hannah. Sie ist es wirklich.*

»Wie wäre es, wenn ich Ihnen die hierlasse?« Sie zieht eine Karte aus ihrer Tasche und hält sie mir hin. »Würden Sie die bitte Ihrer Mutter geben?«

Auf der Karte steht:

NEUE ADRESSE
HANNAH BURGESS
ist umgezogen nach
HILLSIDE COTTAGE, DOWNSLEY, WILTSHIRE, SN9 4NZ

Ich lese es, kann es aber nur schwerlich erfassen, und dann fällt mir etwas ein.

»Habe ich Sie gestern Abend auf dem Bahnhof gesehen?«, frage ich.

»Nein, das kann ich nicht gewesen sein. Gestern Abend war ich zu Hause. Es tut mir so leid, dass ich Sie erschreckt habe. Ich bin nur wieder in der Gegend, wahrscheinlich für immer, deshalb hatte ich spontan beschlossen vorbeizukommen. Aber ich hätte vorher anrufen sollen.«

Ich bin sprachlos, versuche nach wie vor zu begreifen, dass Hannah nicht bloß vor mir steht, sondern anscheinend wieder in Downsley wohnt. Sie lächelt milde und will gehen, da überkommt mich ein erstaunlich intensives Verlustgefühl. »Bitte, gehen Sie nicht!«

Ruby kommt zu mir, während ich noch überlege, was ich als Nächstes sagen soll. »Hi«, sagt sie und streckt die Hand aus.

Hannah schüttelt sie förmlich. »Hallo, ich bin Hannah. Und wie heißt du?«

»Ruby Black.«

»Was für ein zauberhafter Name! Und hast du zufällig eine Vorliebe für Cupcakes?«

In diesem Moment fühlt es sich tatsächlich an, als würde Hannah vor mir stehen – wirklich meine echte Hannah. Die Art, wie sie die Frage formuliert und Ruby anlächelt, lässt die Jahre dahinschwinden.

»Eine große Vorliebe«, antwortet Ruby und reibt ihren Bauch. Sie ist noch im Pyjama, auf dem lauter Cupcakes aufgedruckt sind. »Besonders die Red Velvet.«

»Nun, du hast einen sehr guten Geschmack, denn die sind die besten. Es freut mich sehr, dich kennenzulernen, Ruby, und es ist schön, Sie zu sehen, Jocelyn. Sie sehen so gut aus, es ist einfach großartig. Eine wirklich wunderbare Überraschung. Aber jetzt halte ich Sie nicht länger auf. Ich würde Sie und Ihre

Mutter sehr gern mal wiedersehen, wenn es Ihnen irgendwann mal passt.«

»Das wäre schön«, sage ich im Reflex, obwohl ich keine Ahnung habe, wie ich empfinde.

Mein Herz sagt, dass ich mich seit dreißig Jahren nach diesem Wiedersehen sehne; mein Verstand erinnert mich, dass mein abscheuliches Verhalten Hannah vertrieben hatte, macht mir aber auch bewusst, dass der Schädel im See zum Glück nicht von Hannah sein kann, weil sie lebendig und munter vor mir steht. In mir regen sich gleichzeitig Freude, Scham und Erleichterung.

»Wer war das?«, fragt Ruby, als Hannah weggeht.

»Meine frühere Nanny.«

»Deine richtige Nanny, von da, als du noch klein warst? Die, die du so gemocht hast?«

»Ja.«

»Ist sie nicht verschwunden?«

»War sie. Es war ein furchtbarer Schock.«

»Bist du nicht froh, dass sie wieder da ist?«

»Ich kann es nicht glauben.«

VIRGINIA

In Marlborough versuche ich ein paarmal, Faversham von meinem Handy aus zu erreichen, aber er geht nicht dran. Er ist unfassbar gerissen, aber wir beide wissen, dass er mir nicht ewig aus dem Weg gehen kann. Zwar bin ich nicht sicher, was ihn dazu veranlasst, Jocelyn einen Job anzubieten, doch ich habe eine ungefähre Ahnung.

Das ständige Streiten mit Jocelyn laugt mich aus. Ich bin schnippischer zu ihr, als mir lieb ist, aber die Art, wie sie mich wegen jeder Kleinigkeit anfährt, strapaziert meine Geduld bis zum Äußersten.

Meine Kosmetikerin weiß, dass ich ungern plaudere, deshalb arbeitet sie stumm an meinem Gesicht, entfernt verirrte Haare und zaubert ein klein wenig gesunde Röte in meine Haut. Was sein muss, muss sein, Aussehen ist wichtig. Wenn ich hier rausgehe, wird kein einziger Makel zu entdecken sein.

Seltsamerweise fühle ich mich erst hier mutig genug, als ich mit geschlossenen Augen auf einer Papierunterlage liege, Hals und Schultern entblößt, mich einer Frage zu stellen, der ich bisher aus dem Weg gegangen bin.

Wenn die Polizei den Schädel als den von Hannah Burgess identifiziert – und es ist nur eine Frage der Zeit, bis es so weit ist –, was soll ich dann tun?

Ich überlege, welche Optionen ich habe.

Ich könnte ein Geständnis verfassen, das alles erklärt. Es würde natürlich einen Skandal geben, aber den könnte Jocelyn aussitzen. Sie ist stärker, als sie denkt, und jeder weiß, dass sie sich von uns distanziert hatte, sobald sie konnte. Das könnte sie wieder tun. Das Haus verkaufen und von vorn anfangen. Es würde ihr gehören, denn nachdem ich mein Geständnis geschrieben habe, würde ich ihr Lake Hall überschreiben und verschwinden. Wie, weiß ich noch nicht genau, doch das sind nur Feinheiten, Nuancen von Endgültigkeit.

Nochmals überdenke ich es.

Mein Plan ist gut, wenn auch nicht perfekt.

Ruby ist ein Problem. Ruby, Ruby, Ruby. Ich liebe sie zu sehr, um sie zu verlassen.

Und Jocelyn. Wenn ich verschwinde, woran würde sie sich erinnern? Das darf ich nicht dem Zufall überlassen. Ich muss hier sein und versuchen, den Schaden zu begrenzen.

Vielleicht wäre es das Beste, doch das Polizeiprozedere mitzumachen: Verhöre und eventuell Festnahme. Ich könnte leugnen, irgendetwas von dem gewusst zu haben, was passiert ist. Bei Alexander und mir hat das früher funktioniert.

Die Kosmetikerin widmet sich meinen Schultern.

»Sie sind heute sehr verspannt, Lady Holt«, sagt sie. »Sehen wir mal, was wir da tun können.«

Wenn sie wüsste! Ihre Finger kneten meine Muskeln.

Alexander, mein gut aussehender Spieler, mein risikofreudiger Geliebter, sagte mir einmal: »Man muss wissen, wann man sich auf ein langes Spiel einlassen will, und entscheidet man sich dafür, muss man Geduld haben. Abwarten und nicht in Panik geraten. Falls man doch panisch wird, lässt man es sich nie anmerken. Man behält die Nerven, und irgendwann weiß man, was der richtige Zug ist.«

Tapfere Worte, und, bei Gott, wie sehr ich wünschte, die Strategie wäre für ihn aufgegangen. Aber er verlor laufend Geld an den Kartentischen. Trotzdem denke ich, dass es jetzt der richtige Rat für mich ist. Ich bin bereit, mich notfalls für meine Familie zu opfern. Es ist eine Frage des Timings.

Zu Hause ist niemand, als ich zurückkehre. Ich gehe direkt in mein Wohnzimmer und versuche abermals, Faversham zu erreichen. Er nimmt immer noch nicht ab. Ich lege auf und sitze allein mit meinen Gedanken da.

Die Uhr mit dem Glasgehäuse auf dem Kaminsims tickt laut. Mir kommt es vor, als würde sie die Zeit abzählen, bis die Polizei eintrifft, was lächerlich ist. Es könnten Tage, sogar Wochen vergehen, bis sie genug Testergebnisse haben, um ihre Ermittlungen zu stützen. Trotzdem ist das Ticken unerträglich. Ich stecke den Schlüssel zum Aufziehen in die Öffnung und versuche, ihn in die falsche Richtung zu drehen, damit die Uhr stehenbleibt. Erst rüttle ich, dann drehe ich mit aller Kraft. Das sollte ich nicht tun, denn es ist eine seltene, wertvolle Uhr, aber das ist mir egal. Meine Hand zittert.

»Brauchen Sie Hilfe?« Anthea erschreckt mich.

»Du meine Güte! Ich dachte, Sie sind weg!«

»Stimmt etwas mit der Uhr nicht?«

»Ja. Nein.« Ich lege den Schlüssel hin.

»In der Diele liegt eine Karte für Sie.«

»Danke.« Ich bin froh, einen Vorwand zu haben, um ihrem Blick zu entkommen. Manchmal ist er die pure Verurteilung. Alexander hatte deshalb schon einmal mit ihr gesprochen, aber es änderte sich nicht.

Ich finde eine Adressänderungskarte auf dem Dielentisch, wie sie gesagt hat, und ich muss sie mehrmals lesen, ehe ich begreife, was dort steht. Dann wird mir kalt. Jemand spielt mir einen kranken Streich.

»Anthea!« Ich muss mich setzen.

»Was ist? Geht es Ihnen nicht gut?«

Meine Hand zittert so sehr, dass die Karte flattert, als ich sie hochhalte, und meine Brust fühlt sich wie von einer Schraubzwinge umfangen an.

»Woher in Gottes Namen ist die?«

ZWEI

»NUN?«, FRAGT LADY HOLT

Hannah beugt sich über die Wiege. Die kleine Jocelyn ist winzig. Ihr Gesicht ist zerknautscht, der Kopf ein wenig verformt mit einer hässlichen kleinen Delle an der Schläfe, wohl von einer Zange, und roten Kratzern auf beiden Wangen. Eine Schönheit ist sie nicht. »Darf ich?«, fragt Hannah.

»Ja, ja, natürlich.«

Hannah greift in die Wiege und hebt den Säugling heraus. Lady Holt blickt ihr Kind bewundernd an. Hannah kennt das: die verliebte Mutter. Sie merkt nicht, wie hässlich das Baby ist. Es ist eines der Wunder der Natur. Hannah begutachtet das Babygesicht aus der Nähe. »Sie ist wunderschön«, schwindelt sie, und Lady Holt strahlt.

Hannah war von der Nacht-Nanny eingeweiht worden: Jocelyn ist ein gräuliches, zu Koliken neigendes Baby, und der Mutter fällt es schwer, eine Beziehung zu der Kleinen aufzubauen oder in einen Rhythmus mit ihr zu finden. Mit ihren nur drei Wochen soll Jocelyn alle drei Stunden eine Dosis Infacol bekommen und dann gefüttert werden, keine Minute früher oder später. Lady Holt darf das Kind nicht bei sich schlafen lassen, auch wenn sie es versuchen wird. Hannah mag die Nacht-Nanny nicht besonders, stimmt ihr aber zu, was den vorgeschlagenen Ablauf angeht. Mischt sich die Mutter allzu sehr ein, gerät alles durcheinander. Dieses Muster durchbricht man lieber zu früh als zu spät.

Lake Hall hat alles, was Hannah sich erträumt hat. Es ist wie ein Film- oder Fernsehdrehort. Hannah ist noch nie in einem derart prächtigen Haus gewesen. Die Vorstellung, hier ihr eigenes Zimmer zu haben und ein offizielles Mitglied des Haushalts zu sein, ist berauschend. Die Leute im Dorf und in der Stadt werden zu ihr aufschauen müssen, wenn sie wissen, um wessen Baby sie sich kümmert. Jeder hat von Lake Hall und den glamourösen Holts gehört. Hannah hat das Gefühl, das große Los gezogen zu haben.

»Dann lasse ich Sie mal allein, damit Sie und das Kind sich kennenlernen«, sagt Lady Holt. Sie sieht nervös aus.

»Das wäre sehr gut«, antwortet Hannah. Sie setzt sich in den Schaukelstuhl am Fenster und gurrt dem Baby zu, das nun die Augen öffnet und unfokussiert, aber verzückt zum Licht sieht. »Sie ist ein echter Schatz«, sagt Hannah zu Lady Holt, damit sie sich entspannt und sich endlich aus der offenen Tür verzieht, wo sie steht und ihre Perlenkette befingert, als wäre sie ein Rosenkranz.

Sobald Lady Holts Schritte verklungen sind, hält Hannah das Baby aufrecht vor sich, sodass das kleine Gesicht direkt vor ihrem ist.

»Hallo«, sagt sie. »Jetzt sind wir unter uns. Deine Mama ist weg. Was für ein albernes Theater sie gemacht hat. Wir kommen klar, nicht wahr? Ich weiß jetzt schon, dass wir beste Freundinnen werden.«

Sie reibt ihre Nasenspitze an Jocelyns und legt sie sich wieder in den Arm, um die Fingernägel des Babys zu inspizieren. Sie sind zu lang. Hannah weiß, dass man sie in diesem Alter noch nicht mit der Schere schneiden soll, weil sie zu sehr mit der zarten Haut verbunden sind. Deshalb beugt sie sich vor und nimmt einen von Jocelyns Fingern in den Mund. Sie knabbert an dem Nagel. Als sie fertig ist, bewundert sie das Ergebnis: Die langen, scharfen Kanten sind fort. Genauso verfährt sie mit den restlichen Fingern, und nun wird es keine Kratzer mehr im Gesicht geben und das Baby viel hübscher aussehen.

Hannah lächelt. Sie wird auf dieses Baby aufpassen, als wäre es kostbarer als die Kronjuwelen. Schließlich ist Jocelyn ihr Schlüssel zu einer besseren Zukunft. Sie lehnt den Kopf zurück und blickt hinaus auf die Gartenanlagen von Lake Hall. Sanft bewegt sie den Schaukelstuhl und singt leise ein Wiegenlied.

VIRGINIA

Anthea sagt, sie hätte die Frau nicht gesehen, von der die Karte ist, und kann sie folglich nicht beschreiben. »Und von früher kannte ich sie ja sowieso nicht«, sagt sie. »Aber Ihre Jo sah hinterher aus, als würde sie in Ohnmacht fallen.«

Ich kann mir Jocelyns Gesichtsausdruck vorstellen. Meine Tochter hat Hannah vergöttert.

Als sie nach Hause kommt, frage ich sie.

»Es war Hannah. Sie ist wieder hergezogen.«

Sie klingt, als versuche sie, ihre Begeisterung zu zügeln, und kann mich kaum ansehen. Fast könnte man glauben, sie will es mir am liebsten gar nicht sagen. So war es immer. Ich stellte Hannah ein, aber Jocelyn war furchtbar besitzergreifend und schloss mich aus ihrer Beziehung aus, wo sie konnte. Nur kann das hier nicht Hannah sein. Hannah ist tot.

»Hast du sie wiedererkannt?«, frage ich möglichst beiläufig.

»Ja. Nein, na ja, sie hat sich sehr verändert, klar. Aber ich wusste, dass sie es ist.«

»Woher?«

»Na, wie sie war und wie sie gesprochen hat. Sie war es.«

»Hat sie gesagt, warum sie zurückgekommen ist?«

»Nein. Sie war nur wenige Minuten hier. Und ich wollte sie nicht aushorchen. Warum fragst du überhaupt?«

»Aus reiner Neugier.«

»Erstaunlich, dass es dich interessiert.«

Ich schnappe nicht nach dem Köder. Sollte sie durchschauen, wie sehr es mich interessiert, habe ich versagt.

Die Karte behalte ich. Ich schiebe meine übrige Korrespondenz beiseite und lege sie in die Mitte der Schreibtischplatte.

Dann rufe ich Elizabeth an, die den Ehrgeiz hat, über alles im Dorf Bescheid zu wissen, und frage sie nach Hillside Cottage. Sie erzählt mir, dass sie gehört hat, eine ältere Frau hätte es gemietet, aber sie hatte keine Ahnung, dass es Hannah war.

»Die hat ja mal Nerven, bei euch aufzukreuzen«, sagt Elizabeth. »Hat sie sich entschuldigt, dass sie einfach sang- und klanglos verschwunden ist?«

»Sie hat mit Jocelyn gesprochen.«

»Und hat sie gesagt, warum sie zurück nach Downsley gekommen ist?«

»Nicht dass ich wüsste. Jocelyn hat nichts erwähnt.«

»Tja, auf jeden Fall ist es eine Neuigkeit für die Annalen.«

Sie erzählt mir, dass Hillside Cottage einem Londoner Paar gehört, das es renovieren und ausbauen will, aber noch nicht die nötigen Genehmigungen hat, weshalb sie es vorerst vermieten. Was mich erst recht stutzig macht. Wer würde solch eine aufwendige Umzugsbenachrichtigung drucken lassen, wenn er nur befristet mietet? Auf keinen Fall die praktische, vernünftige Hannah, die ich kannte.

Andererseits kann ich nicht umhin zu denken, dass Hannah nichts unbedacht täte. Sie wüsste, dass ich edles Papier, elegante Schrift, erhabenen Druck und Goldrand mag. Ich weiß, dass es unmöglich ist, dass es gar nicht sein kann, dennoch frage ich mich, ob die Qualität der Karte eine Botschaft an mich sein soll: der Beginn eines neuen Dialogs.

Mich interessiert, wo sie gedruckt wurde. In der Gegend gibt es nur eine Adresse.

Ich fahre nach Marlborough und gehe mit der Karte zu KwikkestCopy, um zu fragen, ob sie von dort ist. »Sie ist so schön«, sage ich, »und ich überlege, etwas Ähnliches drucken zu lassen.« Der Jugendliche, der mich bedient, kaut geräuschvoll Kaugummi und hat einen fettigen Pony, bestätigt aber, dass die Karte nicht bei ihnen gedruckt wurde. »Daran würde ich mich erinnern«, sagt er, als ich frage, ob er sich sicher ist.

Zu Hause meide ich Jocelyn und Ruby und lege die Karte zurück auf meinen Schreibtisch. Ich muss einen klaren Kopf bekommen, gründlich nachdenken. Die Karte kann nicht von Hannah sein. Hannah ist tot. Ihr Schädel wurde gerade aus unserem See gefischt, und die Frakturen sind allesamt an der richtigen Stelle.

Ich zerreiße die Karte und werfe sie weg, aber es hilft nichts. Sie zu ignorieren kann ich mir nicht erlauben, also klaube ich sie wieder aus dem Papierkorb und lege die Teile auf meinem Schreibtisch zusammen.

Draußen schwindet das Tageslicht, und in meinem Zimmer wird es dunkler. Trotzdem schalte ich das Licht nicht an. Ich möchte zuschauen, wie die Landschaft draußen ihre Schärfe verliert. Wie die Dunkelheit den See verschluckt und bitte auch mich mit. Sie soll mein physisches Ich ausradieren, bis nur noch die Konturen meines Denkens bleiben. Denn ich brauche jeden Funken Konzentration und Klarheit, den ich aufbringen kann, um die Antwort auf eine außergewöhnliche Frage zu finden:

Wie kann eine tote Frau wieder lebendig werden?

DETECTIVE ANDY WILTON

Maxine lehnt sich grinsend auf ihrem Stuhl zurück, als Andy ins Büro kommt. »Und, wie geht es dir heute Morgen?«, fragt sie. Zuletzt hat sie Andy gesehen, als sie am Abend zuvor nicht allzu spät den Pub verließ. Da war er noch an der Bar gewesen.

»Frag nicht.« Andy hat einen Kater wie seit Jahren nicht mehr, und dasselbe gilt für den Streit mit seiner Freundin, den selbiger Kater provoziert hat. »Hol mir einen Kaffee, ja?«

Sie lacht. »Hol ihn dir selbst. Aber wir haben gute Neuigkeiten. Willst du sie hören?«

Er bringt ein winziges Nicken zustande.

»Die Radiokarbonanalyse vom Zahnschmelz am Schädel hat uns ein Geburtsjahr geliefert. Na ja, also eine Spanne, aber die ist klein. Sie gehen davon aus, dass sie 1958 geboren wurde, und das ist auf achtzehn Monate genau.«

»Sprich: Sie könnte 1957, achtundfünfzig oder neunundfünfzig geboren sein?«

»Richtig.«

»Passt das zu unserer Jagdzeugin?«

»1984 müsste Jane Doe ungefähr siebenundzwanzig oder achtundzwanzig gewesen sein.«

»Jung genug.«

»Ich denke schon.«

Bei Marion Harris öffnet ihnen eine Freundin und bittet sie herein.

»Marion ist eine ganz Liebe«, sagt sie, »aber ich muss Sie warnen. Sie neigt dazu, sehr viel zu reden, und manchmal benutzt sie schlimme Ausdrücke, wenn ihr Kopf nicht mehr so will, doch das ist nie böse gemeint. Ich muss ihr in ein paar Minuten das Mittagessen geben.«

Andy gefällt die Ansage, dass Marion gern zu viel redet. Es ist mal etwas anderes als die vielen schleppenden Befragungen, mit denen er es schon zu tun hatte, und er kann es nicht abwarten, mit Marion zu sprechen. Die Haushälterin muss mehr über die Holts wissen als irgendjemand sonst.

Marion sitzt in einem Rollstuhl und ist gebrechlich, aber munter. Eine karierte Decke ist ordentlich über ihre Beine gelegt, und sie trägt Veloursshausschuhe mit einem Pompon auf der Fußspitze. Ihr Rollstuhl ist an einen Tisch geschoben, wo sie mit einem Puzzle beschäftigt ist.

»Das Haus gehört meiner Tochter«, sagt sie. »Ich wohne hier bei Anthea und ihrem Mann. Kinder haben sie keine. Alan schießt nur mit Platzpatronen.«

»Wir sind hier, um mit Ihnen über Lake Hall zu reden«, erklärt Andy. »Und über Lord und Lady Holt.«

»Es gibt nicht viel, was ich nicht über sie weiß, aber es ist lange her, seit ich ihre Haushälterin war. Heute fragen Sie lieber Anthea.«

»Uns interessieren die frühen Achtziger, vor allem die Zeit um 1984; damals haben die Holts eine Jagd veranstaltet, bei der ein Junge aus dem Dorf verletzt wurde.«

»Darüber weiß ich nichts. Zu der Zeit hatte ich eine Operation. Frauenkram.«

Andy ist enttäuscht.

»Was habe ich in dem Haus nicht alles gesehen!«, sagt sie.

»Da würden Ihnen die Haare zu Berge stehen. Die Partys, die sie hatten. Ich war natürlich nicht eingeladen, aber wenn man hinterher aufräumt, sieht man so gut wie alles und kann sich den Rest denken.«

»Darüber würden wir gern mehr erfahren«, sagt Maxine.

»Die sind anders als wir, die Holts. Er hat sie geliebt, sie angebetet, das hat man gesehen. Aber sogar hier gab es so viele Versuchungen für ihn, und London muss noch schlimmer gewesen sein. Männer wie der denken sich nichts dabei, wenn sie eine Affäre haben. In den Kreisen würde man wohl eher schief angeguckt, wenn man nichts mit einem Mädchen anfängt, das sich einem an den Hals wirft.«

»Vom wem sprechen wir?«, fragt Andy. »Dem Mädchen bei der Jagdgesellschaft?«

Maxine schüttelt den Kopf. »Sie meinen das mit Lord Holt ganz allgemein, nicht wahr, Marion?«

Sie reagiert nicht auf ihre Fragen, ist ganz in ihrer eigenen Welt. »Ich habe nie gesehen, dass Lord Holt Ihre Ladyschaft betrogen hat, oh nein, aber es wäre ein Leichtes für ihn gewesen. Die Frauen flogen auf ihn. Der Mann sah so gut aus, dass man seinen eigenen sofort von der Bettkante gestoßen hätte, wenn man sich eine Chance ausgerechnet hätte. Nanny Hannah hat ihn immer angeglotzt, als würde ihm die Sonne aus dem Hintern scheinen.«

»Hat Lady Holt es mitbekommen?«, fragt Andy.

»Lady Holt war umwerfend, aber sie hatte so was Distanziertes an sich. Falls sie gemerkt hat, dass Hannah Burgess ihrem Mann schöne Augen machte, hätte sie es nie gezeigt. Das war nicht ihre Art. Sie hätte es im Stillen geregelt.«

»Hat jemand von den Leuten, die bei der Jagdgesellschaft in Lake Hall gearbeitet haben, mit Ihnen über den Tag geredet, an dem Barry angeschossen wurde?«

»Da hatte jeder seine eigene Geschichte, genau wie damals, als Nanny Hannah wegging.«

»Und wann ist Nanny Hannah gegangen?«

»Das muss ein oder zwei Jahre später gewesen sein. Irgendwas in dem Dreh. Die kleine Jocelyn war erst sieben, und jetzt ist Jocelyn wieder in Lake Hall und so, und das ist ganz schön anstrengend für Anthea, denn sie hat ja nicht so viel Hilfe im Haus wie ich damals. Die schinden sie bis auf die Knochen, und dabei kümmert sie sich auch noch so gut um mich und Alan. Anthea und Alan haben übrigens keine Kinder. Er hat nur mit Platzpatronen geschossen.«

Andy sieht zu Maxine, die ihren Notizblock zuklappt.

»Vielen Dank, dass Sie sich Zeit für uns genommen haben«, sagt sie. »Ich denke, wir haben alles, was wir brauchen.«

»Dann verschwinden Sie jetzt, und ich kriege endlich mein Essen?«

»Kriegen Sie.« Andy muss lachen. »Hat mich gefreut, Marion.«

»Ich wette, sogar Sie hätten für Alexander Holt die Hosen runtergelassen«, sagt sie mit einem Augenzwinkern.

»Marion!« Ihre Freundin stellt ein Tablett auf den Tisch. »Nun ist es aber genug.«

JO

Ich bin unterwegs zu meinem Probetag in Jacob Favershams Galerie. Anscheinend gehört der Job mir, wenn ich ihn will, und ich bin weniger nervös, als ich erwartet hätte.

Auf der Zugfahrt denke ich an Hannah. Sie geht mir nicht aus dem Kopf, seit sie aufgetaucht ist. Es war ein extrem seltsames Gefühl, ihr gegenüberzustehen. Wie denkt sie heute überhaupt über mich? Können wir eine Beziehung zueinander aufbauen? Wo würden wir anfangen, nachdem sie vor all den Jahren meinetwegen fortgegangen ist? Die Landschaft rauscht vorbei, während ich mit meinen Gefühlen ringe und zu keiner Antwort finde.

Bei meiner Ankunft in der Galerie stellt Jacob mich einer Frau namens Clemency vor. Sie leitet die Galerie, und ich bin schlagartig voller Ehrfurcht vor ihrem Stil und ihrem Auftreten. Sie hat dunkles, kurzes Haar, grüne Augen, grellrot geschminkte Lippen und schafft es, ganz in Schwarz lässig elegant zu wirken. Ich wünschte, ich hätte mich besser gekleidet, doch ich besitze seit Jahren keine »Arbeitsgarderobe« mehr.

Clemency ist höflich, aber still. Und ihre Schwingungen sagen mir, dass sie neugierig ist. Ihr Begrüßungslächeln erreicht die Augen nicht.

Die Stunden in der Galerie sind anstrengend und vergehen wie im Flug. Es gibt so viel zu lernen, und abgesehen von ein paar SMS, um mich zu vergewissern, dass alles in Ordnung ist, denke ich nicht an zu Hause.

»Hätten Sie Lust, Clemency und mich heute Nachmittag auf einen kleinen Ausflug zu begleiten?«, fragt Faversham nach dem Mittagessen. »Es gibt etwas, das Sie sehen sollten.«

Wir fahren in einem Taxi zum Burlington Club an einem Platz in St. James, wo vor allem Botschaften und Konsulate sind. Alle Gebäude haben Säuleneingänge und edle, halbrunde Oberlichter über den Eingangstüren. Vor den meisten stehen Portiers.

»Für gewöhnlich sind Frauen hier nicht erlaubt«, sagt Faversham, als wir die Stufen hinaufgehen. »Aber ich habe einige Fäden gezogen, also versuchen Sie bitte, sich wie ehrwürdige Expertinnen zu geben.«

»Sicher dürfen Frauen rein, um Tee zu servieren und zu putzen«, murmelt Clemency, während wir uns in Favershams Kielwasser halten und das Gebäude betreten.

Drinnen ist alles viel größer und vornehmer als in Lake Hall, aber vergleichbar teuer und elegant. Es herrscht eine Atmosphäre stiller Macht. Hier könnte man mit luxuriöser Gastlichkeit blenden oder in einer privaten Nische Geheimnisse austauschen und Komplotte schmieden.

Faversham nickt dem Portier zu, als wir die Treppe hinaufsteigen, und fasst mich unerwartet am Arm, um mich neben sich zu ziehen, sobald wir im ersten Stock sind. Wir blicken hinab zum Erdgeschoss. »Sie müssen es von hier oben sehen«, sagt er. »Es ist die beste Aussicht.« Die Treppe beschreibt einen Bogen unter uns, und das Mosaikmuster des Bodens im Eingangsbereich sieht aus dieser Warte schwindelerregend aufwendig aus. »Ihr Vater war hier Mitglied. Und vor ihm Ihr Großvater und Ihr Urgroßvater.«

»Das habe ich nicht gewusst.« Ich frage mich, ob er so Clemency und mich hier reinbekommen hat. Der Name Holt öffnet in bestimmten Kreisen Türen.

Das Gemälde, das wir hier schätzen sollen, befindet sich in einem kleinen Speisezimmer, wo lange Vorhänge an hohen Fenstern drapiert sind und sich Wandleuchten matt in der polierten Tischfläche spiegeln. Das Bild wurde von der Wand genommen und auf eine Staffelei gestellt, damit wir es begutachten können. Es ist kraftvoll, komplex und rätselhaft.

»Was meinen Sie?«, fragt Faversham, der mich aufmerksam ansieht.

»Es ist sensationell. Schmerzt es den Club nicht, das Bild zu verlieren?«

»Sie brauchen das Geld, meine Liebe. Es geht immer um Geld. Und ich glaube, sie haben bereits eine Reproduktion in Auftrag gegeben.«

»Vermutlich werden die meisten Mitglieder den Unterschied gar nicht bemerken«, sagt Clemency.

»Wie wahr.«

Ich betrachte das Gemälde. Es ist ein Vanitas-Stillleben mit den typischen Motiven: Totenschädel, von Insekten wimmelnde Früchte, welke Blumen und andere Vergänglichkeitssymbole.

»›Während die Schatten der Sonne harren‹«, zitiert Faversham. »Ist es nicht wunderschön und schaurig?«

»Von wem ist es?«

Er zeigt zu der versteckten Signatur im Bild.

»Rachel Ruysch«, lese ich.

»Sie hat im achtzehnten Jahrhundert gearbeitet und kaum etwas anderes als Blumenstillleben gemalt. Was dieses Werk um so bemerkenswerter macht.«

»Was wissen wir über die Provenienz?« Mich interessiert, wie dieses Gemälde in dem Club gelandet ist.

Faversham sieht mich mit einem verhaltenen Grinsen an. »Erinnern Sie sich nicht? Es hing früher im Haus Ihrer Eltern am Chester Square. Im Esszimmer.«

Ich erinnere mich nicht, kann jedoch nicht leugnen, dass das Bild etwas in mir auslöst. Nur habe ich das auf die seltsame Schönheit geschoben; womöglich habe ich es doch unbewusst wiedererkannt.

Als Clemency das Zimmer verlässt, sagt Faversham: »Helfen Sie mir, es zu verkaufen, Jocelyn. Ich sehe doch, dass Sie es lieben.«

»Wie ist es in diesen Club gelangt?«

»Ich glaube, Ihr Vater hat damit eine Schuld beglichen.«

»Aber es muss, nun ja, ein kleines Vermögen wert sein.«

»Alexander hat nicht um Kleingeld gespielt. Das war nicht seine Welt. Sicher wissen Sie das doch, oder?«

Ich weiß vor allem nicht, was ich sagen soll. Und ich begreife allmählich, dass es eine Menge geben könnte, was ich nicht weiß.

»Betrachten Sie es mal folgendermaßen«, sagt Faversham. »Ich kann Ihnen dieses Gemälde nicht zurückholen, es sei denn, Sie möchten es vom Club kaufen. Sollten Sie es hingegen für mich *verkaufen*, würde Ihre Familie wieder ein Teil seiner Geschichte sein, und Sie verdienen eine beachtliche Provision.«

»Wie viel Provision?«, frage ich.

Er flüstert mir einen Prozentsatz ins Ohr, der mir mehr als großzügig erscheint.

»Könnte ich eine Viertagewoche bekommen?«

»Sie verhandeln hart.«

»Meine Tochter braucht mich.«

Er reicht mir die Hand. »Abgemacht.«

Ich kann nicht glauben, dass es so einfach war.

Auf dem Rückweg von London denke ich an meinen Vater. Es ist merkwürdig, einen seiner Freunde über ihn reden zu hören, habe ich ihn doch stets nur mit den Augen der Familie gesehen. Im Grunde habe ich mir nie Gedanken darum gemacht, was die Welt von ihm dachte oder wer außer Mutter ihn richtig gekannt hatte.

Außerdem überlege ich, wie ich Mutter und Ruby sage, dass ich den Job angenommen habe. Mutter sollte *froh* sein, und Ruby und ich müssen uns unterhalten, wer auf sie aufpasst, denn eine Betreuung durch Mutter und Anthea kann höchstens eine Übergangslösung sein. Dieser Job bedeutet, dass ich mich zum ersten Mal auf andere Leute verlassen muss, die sich um meine Tochter kümmern. Es macht mich nervös, erinnert mich jedoch auch daran, dass meine beste Betreuung als Kind eine Nanny gewesen ist.

Bei der Einfahrt des Zuges in den Bahnhof von Downsley gähne ich, obwohl erst früher Abend ist. Ich bin eher zurück als angekündigt, und mir kommt eine Idee, bei der mein Herz ein wenig schneller schlägt. Eilig schreibe ich Ruby eine SMS.

Bin in einer halben Stunde zu Hause oooxxx

Cool 😎 Granny zeigt mir ihre Lieblingsbilder, und dann soll ich ihr zeigen, wie ich mit einem Buch auf dem Kopf gehen kann 📚 damit ich einen anständigen Mann finde 🙄

Ich erinnere mich genau an die Adresse auf der Karte, die Hannah mir gegeben hat.

Beim Co-op in Downsley halte ich an, suche einige Süßigkeiten für Ruby zusammen und stelle mich an der Kasse an. Eileen – bei deren Kasse ich mich am liebsten anstelle, weil sie verlässlich mürrisch und wortkarg ist – versucht sich an einem

Lächeln, als sie mir den Bon reicht. »Wie ich höre, war die Polizei oben in der Hall«, sagt sie. Ich bin nicht ganz sicher, ob es eine Frage oder eine Feststellung sein soll, und blicke mich um, wer hinter mir ansteht. Es ist einer der jungen Burschen, die im Pub arbeiten. »Alles klar?«, fragt er und tut gar nicht erst so, als würde er nicht zuhören.

»Sie haben einen Schädel im See gefunden«, sage ich. »Jetzt suchen sie nach weiteren Knochen.« Offensichtlich wissen sie es bereits, weshalb es sinnlos ist, irgendwas beschönigen zu wollen.

Eileen scheint zufrieden mit meiner Bestätigung, und der Junge sieht beeindruckt aus. »Weiß man, ob der Schädel eher neu ist?«

»Noch nicht.«

»Wird was Archäologisches sein«, sagt Eileen. »Die können diesen Kerl von *Time Team* aus dem Fernsehen holen, damit er da gräbt. Dem würde ich jederzeit einen Tee machen. Sieht gut aus, was?«

»Wahrscheinlich liegt ein ganzer Haufen Leichen in dem See«, mischt sich eine andere Kassiererin ein.

»Hoffentlich ist es irgendein feiner Pinkel von einer ihrer schicken Partys, der besoffen reingefallen ist«, trägt eine Männerstimme von hinter einer Vitrine bei. »Wäre jedenfalls kein Verlust. Und überhaupt traut man den Holts einen Mörder in der Familie zu, stimmt's?«

Für einen Moment erstarre ich. Weiß er nicht, wer ich bin? Am besten wäre es wohl, schnell zu gehen. Ich will das hier nicht noch anheizen, indem ich kontere. Ein Streit mit den Dorfbewohnern hat noch nie jemandem etwas genützt. »Danke«, sage ich stumm zu Eileen, die verlegen wirkt.

Der junge Bursche verlässt den Laden beinahe direkt hinter mir, und ich frage ihn, wo das Hillside Cottage ist.

»Hinterm Pub rechts, dann gegenüber vom Cricket Club nach links. Ist eine enge, kleine Straße, kann man leicht verpassen.«

Und tatsächlich verpasse ich sie beim ersten Mal und muss umkehren. Die Hecken sind lange nicht gestutzt worden, sodass Zweige und Laub über meine Wagenfenster quietschen, als ich in den Weg einbiege. Er ist einspurig und wird anscheinend sehr wenig benutzt, denn Gras wächst aus einem Asphaltriss in der Mitte. Mein Wagen rumpelt auf dem unebenen Grund.

Nach knapp vierhundert Metern erreiche ich das Cottage. Es ist nicht so bilderbuchhaft, wie ich es mir vorgestellt habe, sondern ein hässlicher moderner Bungalow, der durchaus eine Renovierung vertragen könnte. Aber ich ahne, warum Hannah hier wohnen will. Hinter dem Haus ist ein steiler Berghang, doch nach vorn gibt es einen hübschen älteren Obstgarten. Ich sehe Apfel-, Birnen- und Pflaumenbäume, einige schwer von Früchten, und darunter ein Durcheinander von Fallobst.

Hannah hat es immer genossen, Dinge in Ordnung zu bringen, und die ineinander verschlungenen Obstbäume im ummauerten Garten von Lake Hall mochte sie besonders. »Probier mal«, forderte sie mich auf, wenn sie mir eine frisch vom Baum gepflückte Frucht reichte, »und sag selbst, schmeckt das nicht wie ein Stück vom Himmel?« *Sie wird diesen Obstgarten und dieses Haus zähmen*, denke ich. *Beides wird sie schön machen.*

Ich halte quer vor der Einfahrt, sodass ich Hannahs schlichten kleinen Wagen zuparke. Auf dem Weg hierher hatte ich gedacht, ich könnte anklopfen und irgendwas sagen, doch jetzt verlässt mich der Mut. Ich weiß nach wie vor nicht, was ich sagen soll. Wie beginnt man eine Unterhaltung mit jemandem, dem man mit sieben Jahren nahe war? Noch dazu, wenn die

Beziehung so endete, wie sie es tat, und Hannah gegangen ist, weil ich so abscheulich gewesen bin? Meine Zweifel eskalieren. *Was tue ich hier überhaupt? Was ist, wenn sie mich sieht, wie ich sie ausspähe? Was wird sie denken?*

Ich lege den Gang ein und fahre weiter. Es war kein Lebenszeichen im Haus zu sehen, daher hoffe ich, dass sie mich nicht bemerkt hat. Bald wird der Weg noch schmaler, und ich fürchte, stecken zu bleiben oder mich zu verfahren, wenn ich nicht umkehre. An einem Weidengatter wende ich umständlich und lande beinahe im Graben. Mir ist heiß, und ich bin nervös. Wäre ich doch nur direkt nach Hause gefahren.

Als ich mich wieder Hillside Cottage nähere, steht Hannah vorn an der Pforte. Ich lasse den Fuß auf dem Gas und starre stur geradeaus, als würde ich sie nicht sehen – was lächerlich ist. Zugleich hoffe ich, dass sie mich nicht erkennt. Stocksteif sitze ich hinter dem Lenkrad, bis ich die Biegung erreiche, hinter der Hillside Cottage nicht mehr zu sehen sein wird. Erst jetzt wage ich, in den Rückspiegel zu blicken.

Hannah winkt.

VIRGINIA

Ich bin so dumm! Wie konnte ich vergessen, dass dieser Teil des Waldes solch ein heikles Terrain ist? Im Frühling sieht alles so zahm aus, wenn der Boden voller Glockenblumen ist, soweit das Auge reicht; nun jedoch wate ich durch kniehohe Farne und Nesseln, unter denen ich gar nichts sehe.

Ich steige den Hang hinter dem Hillside Cottage hinauf, wo diese Frau wohnen soll, die sich Hannah Burgess nennt, denn ich möchte versuchen, selbst einen Blick auf sie zu werfen.

Ich gehe vorsichtig und schwinge vor jedem Schritt meinen Wanderstock voraus. Die Hündin sucht nach Kaninchenbauten, und ich hoffe, dass sie nicht anfängt zu bellen. Mein Atem ist inzwischen laut und angestrengt, und ich überlege, zum Auto zurückzukehren, doch nun bin ich schon zu nahe, um aufzugeben.

Oben auf dem Hügel liegt zum Glück ein großer herabgestürzter Ast, auf den ich mich setzen kann. Die Stelle ist durch die Bäume abgeschirmt, bietet mir indes einen guten Blick auf die Rückseite des Cottage, das furchtbar klein und hässlich ist. In so einem Haus könnte ich nicht leben. Daneben parkt ein Wagen, was mich zuversichtlich macht, dass diese Frau, wer sie auch sein mag, zu Hause ist.

Ich hocke so lange auf dem Ast, dass meine Knöchel kribbeln, als ich sie endlich sehe. Sie kommt um das Haus herum, und der Wagen piept, als sie ihn elektronisch entriegelt. Ihr Gesicht kann ich wegen des Winkels, in dem sie zu mir steht, nicht erkennen, aber die Götter intervenieren und schicken ein Kaninchen über das Feld neben uns. Boudicca, die hechelnd vor mir gelegen hat, springt mit einem lauten Bellen auf und jagt hinterher.

Die Frau dreht sich ruckartig um und blickt hinauf zum Wald. Ich erstarre. Sonnenlicht durchschneidet das Laubdach, und ich kann nur hoffen, dass ich dadurch im Schatten umso schwerer auszumachen bin. Die Frau blinzelt und mustert den Wald, aber sie sieht mich nicht.

Ihr Anblick ist verstörend. Sie hat mehr oder minder die richtige Größe und Statur, um Hannah zu sein, und ihre Körperhaltung kommt mir bekannt vor. Als sie ihre Augen mit einer Hand abschirmt, taucht in meinem Kopf ein Erinnerungsfetzen auf: Hannah in derselben Pose auf dem Rasen von Lake Hall, wie sie nach Jocelyn ruft. Ihre Züge sind aus dieser Entfernung schwer zu erkennen, und obwohl ich sicher bin, dass sie es nicht sein kann, sagt mir mein Gefühl laut und deutlich, sie könnte es doch sein. Ich will dringend weg von hier.

Also stehe ich auf. Sie bemerkt die Bewegung und sieht direkt zu mir. Ich versuche, über den Ast zu steigen, auf dem ich gesessen habe, aber er ist zu hoch. Als ich obendrauf bin, gerate ich ins Schwanken und begreife, dass ich mich nicht retten kann. Die Bäume rauschen weg von mir, ich falle auf den Rücken, und Schmerz explodiert in meinem Kopf.

Ihr Gesicht verschwimmt zunächst.

»Da sind Sie ja wieder!«, sagt sie. »Sie waren bewusstlos, allerdings nur für ein paar Sekunden. Da haben Sie aber eine unschöne Wunde am Kopf.«

Sie redet genauso, wie Hannah früher mit Jocelyn gesprochen hatte, in diesem »Mutter weiß es am besten«-Tonfall. Nun sitzt sie auf dem Ast, auf dem ich vorhin gehockt habe, und betrachtet mich mit einem Ausdruck, der wohlwollend und fürsorglich ist, als wäre ich ein Kind, das sich das Knie aufgeschürft hat. Ich suche in ihrem Gesicht nach Merkmalen, an die ich mich erinnere, nur ist so viel Zeit vergangen und meine Sicht noch so unklar, dass ich gar nichts sicher sagen kann. Das Einzige, was ich erkenne, ist, dass sie große braune Augen hat, so wie Hannah. Ich versuche, mich zu bewegen, doch Kopf und Nacken fühlen sich an, als säßen sie in einem Schraubstock fest. Der Schmerz ist grausam und lähmend.

»Helfen Sie mir«, sage ich. »Rufen Sie Jocelyn.«

Sie lacht, und ich werde ohnmächtig.

Als ich wieder zu mir komme, liege ich noch an derselben Stelle. Jemand hat eine Decke über mich gelegt. Ich höre eine Frauenstimme: »Wir sind hier drüben!« Ob es Hannah ist, kann ich nicht sagen. Sie hat nett zu mir gesprochen, bevor ich weg war, doch macht dieser Umstand es eher wahrscheinlich oder unwahrscheinlich, dass sie es ist?

Zwei Sanitäter arbeiten an meinem Körper wie an einem Stück Fleisch. »Sie ist vielleicht nicht die, für die sie sich ausgibt«, sage ich zu dem einen, der sich über mich beugt, scheine die Worte jedoch nicht recht herauszubringen, und er antwortet: »Keine Sorge, das wird wieder. Versuchen Sie, nicht zu reden, und atmen Sie tief ein. So ist es gut.« Sie geben mir irgendein Mittel und Sauerstoff, was den Schmerz, als sie mich auf eine Trage verfrachten und bergab tragen, nur teilweise lindert.

»Von ihrer Familie ist noch keiner da«, höre ich sie zu den Sanitätern sagen, als sie mich in den Krankenwagen laden. »Darf ich mit ihr fahren?«

»Nein!«, will ich sagen, aber die Maske auf meinem Mund

macht es unmöglich. Einer der Sanitäter streichelt meinen Arm und spricht so laut mit mir, als wäre ich halb taub.

»Am besten bleiben Sie ruhig, Mrs. Holt. Versuchen Sie, sich zu entspannen. Wir möchten Ihnen jetzt einen Zugang legen, um Ihnen intravenös ein Schmerzmittel zu geben, okay? Sind Sie bereit für einen Pieks?«

Wieder versuche ich, es ihm zu sagen.

»Sie ist ein bisschen unruhig«, sagt er. »Könnten Sie ihre andere Hand halten? Es hilft ihr vielleicht, sich zu beruhigen.«

»Natürlich«, antwortet Hannah oder wer sie auch ist. Ich fühle ihre Finger, die meine umfangen. Hat mal jemand versucht, vor etwas zurückzuweichen, ohne physisch dazu imstande zu sein? Man empfindet eine Hilflosigkeit und Furcht sondergleichen. Den ganzen Weg zum Krankenhaus klebt sie an mir. Sobald sie mich in ein Bett gehoben haben, zieht sie sich einen Stuhl an meine Seite. Mir ist schwindlig und übel, und ich betrachte sie wie durch Mattglas.

»Wie können Sie am Leben sein?«, frage ich. »Wer sind Sie?«

Doch sie lächelt, tätschelt meine Hand und sagt: »Versuchen Sie, nicht zu reden. Schlafen Sie ein wenig.«

Meine Augenlider werden schwer. Das Schmerzmittel hat es in sich.

Zitternd wache ich auf. Sie heben mich hoch, wickeln mich ein. »Alexander!«, sage ich. Ein Gesicht taucht auf. »Keine Sorge, Mrs. Holt. Ihre Temperatur war ein bisschen niedriger, als wir sie gern hätten, aber wir wärmen Sie auf. Deshalb wickeln wir Sie in Wärmedecken. Sollen wir Alexander für Sie anrufen? Ihre Tochter ist hier, gleich draußen auf dem Flur, sehen Sie? Es wird leichter, wenn ich das Bett ein wenig höher stelle.«

Jocelyn und die Frau, die sich Hannah nennt, stehen sich auf dem Korridor gegenüber und unterhalten sich, doch ich kann nicht hören, was sie sagen. Sie umarmen sich, und ich möchte Jocelyn anschreien, sie nicht zu berühren. Die Frau geht, und meine Tochter schaut ihr nach.

Als Ruby und Jocelyn hereinkommen, kann ich nicht anders; ich fange an zu weinen.

Ruby macht es besser. Sie bleibt nicht an der Tür stehen wie Jocelyn und sieht herüber, als wäre ich peinlich. Ruby nimmt mich in die sonnengebräunten, schmalen Arme, und es fühlt sich an, als würden sie mir wieder etwas Lebenskraft geben.

Aber was für ein Leben ist das jetzt? Ich weiß es nicht.

Die Schmerzmittel schalten mich nicht so sehr aus, dass mir nicht bewusst ist, welch gravierenden Fehler ich heute begangen habe, indem ich mich in Gefahr gebracht habe. Wer diese Frau auch ist, sie will etwas von mir, und ich kann es mir nicht leisten, ihr gegenüber verwundbar zu sein.

Schlimmer noch. Sollte sie Hannah Burgess sein – und nachdem ich sie gesehen habe, könnte es sein, auch wenn ich nicht weiß, *wie* –, glaube ich, dass keiner von uns sicher ist.

Was ist, wenn sie Rache für die Gewalt üben will, die sie erlitten hat?

JO

Als Kind habe ich davon fantasiert, dass Hannah mich adoptiert. Es waren idyllische Träume, in denen sie und ich ein Leben lang zusammenblieben. Ich erträumte mir nie, dass sie meine richtige Mutter sein könnte – dafür hatte ich zu viele äußerliche Merkmale von meinen Eltern geerbt, was schon ein extremes Leugnen nötig gemacht hätte –, aber ich wünschte mir, dass Hannah meine neue Mutter würde.

Mein einziges Problem war, wie dieses Leben aussehen sollte. Ich konnte mir Hannah nicht mit meinem Vater vorstellen. Sie hätten nie so zusammengepasst wie Vater und Mutter. Meine Fantasielösung war folgende: Hannah und ich fanden ein neues Zuhause nur für uns. Wir könnten meine Eltern besuchen oder zumindest meinen Vater. Im Kopf hatte ich alles durchgeplant.

Heute Morgen gab es schlechte Neuigkeiten. Ich bekam eine E-Mail von dem Anwalt, der Chris' Nachlass regelt:

Der Geschäftspartner Ihres verstorbenen Ehegatten hat Dokumente vorgelegt, die bestätigen, was er Ihnen bereits inoffiziell mitgeteilt hat. Das Kapital, das Ihr Ehemann in die Firma investiert hat, dient als Bürgschaft für einen Kredit, den die Firma aufgenommen hatte. Entsprechend lässt sich keine Auszahlung einrichten, solange kein anderer Investor gefunden ist, der für denselben Betrag aufkommt. Man versicherte mir, dass man bemüht sei, einen solchen zu finden. Bis dahin besteht keine Möglichkeit, auf diese Mittel zuzugreifen.

Ich hatte auf bessere Neuigkeiten gehofft, dass ich die Lage falsch verstanden hätte oder wir irgendwas tun könnten. Mein Jobangebot ist ein wahrer Segen.

Blöd, wie ich bin, habe ich mich Mutter gegenüber beklagt, dass ich nichts für den Job Passendes anzuziehen hätte. Sogleich bot sie mir an, ich könne mich in ihrem Kleiderschrank bedienen, und war beleidigt, als ich sagte, das würde ich lieber nicht tun, weil ich nicht wie ein Klon von ihr erscheinen wolle. Auch Ruby war enttäuscht. Sie lagen zusammen auf Mutters Bett und gaben ein schräges Paar ab, Mutter in ihrem weißen Spitzennachthemd und mit dem Verband am Kopf und Ruby in Jogginghose und T-Shirt, aber mit einem Turban, den Mutter ihr aus einem ihrer Seidenschals gewickelt hatte.

»Möchtest du mit mir nach Marlborough kommen, Rubes?«

»Nein danke.«

Ich lasse Ruby da. Sie liest Mutter *Harry Potter* vor, und ich bemühe mich, nicht gekränkt zu sein. Bevor ich aufbreche, entferne ich allerdings noch einen Stapel Thriller vom Nachttisch meiner Mutter. »Die sind nicht für Ruby geeignet«, sage ich.

»Aber das sind richtig gute Bücher!«, widerspricht sie. »Du solltest ihren Lesestoff nicht beschränken. Ihre Fantasie muss wachsen. Und bei dem da bin ich mittendrin!«

Ich gebe ihr das Buch, das sie will, behalte aber die anderen im Arm.

Die beiden sehen sich gespenstisch ähnlich, wie sie mich beäugen.

Anthea staubt das Mobiliar im Flur ab. »Ist es in Ordnung, wenn ich wegfahre?«, frage ich. »Den beiden scheint es gut zu gehen.«

»Sie dürfen tun und lassen, was Sie wollen.«

Sie hat recht, doch ihr Ton missfällt mir, denn ich hatte versucht, höflich zu sein. Sie soll nicht das Gefühl haben, ihr würde zu viel aufgebürdet, weil Ruby und ich hier sind.

»Anthea?«

»Ich bin hier.«

»Sind Sie sicher, dass es Ihnen nichts ausmacht, Mutter mit Ruby zu helfen, wenn ich wieder arbeite? Es sollte nicht allzu viel Aufwand sein, und wir sorgen dafür, dass Sie zusätzliche Arbeit und Zeit bezahlt bekommen.«

»Wenn Lady Holt es so wünscht, mache ich es.«

»Aber ...«

»Es ist nicht ideal, aber ich denke, wir bekommen das hin.«

»Sind Sie sicher?«

»Die Läden werden geschlossen sein, wenn Sie sich nicht beeilen.«

Ich verstehe den Wink und gehe. In Marlborough erlaube ich mir, eine Boutique zu betreten, die Rabatte anbietet. Ein völlig neues Outfit kann ich mir nicht leisten, aber ich finde eine schöne Bluse in meiner Größe und bin versucht.

»Möchten Sie die anprobieren?« Die Verkäuferin blickt vom Kassentresen aus zu mir.

»Darf ich?«

»Es ist noch jemand in der Umkleide, aber Sie können rein, wenn die Dame fertig ist.«

Der Vorhang zur Umkleide wird zurückgerissen, und eine Frau kommt heraus. Sie trägt ein langes Abendkleid und dreht sich seitlich vor dem hohen Spiegel. Das Kleid ist traumhaft: figurbetont, schmeichelnd und genau im richtigen Maß gewagt. Die Frau streckt ein Bein mit nacktem Fuß vor. Mein Blick wandert nach oben, bis er ihr Gesicht erreicht, und wir beide erschrecken. Es ist Hannah, allerdings sieht sie aus, wie ich sie noch nie gesehen habe oder sie mir vorgestellt hätte. In meiner Kindheit war ich es, die Prinzessin sein durfte, und Hannah war die Hofdame, nie die Königin.

»Oh!«, sagt sie.

»Das Kleid sieht wunderbar aus!« Ich weiß nicht, was ich sonst sagen soll.

»Danke. Ich suche etwas für eine Hochzeit, aber das ist wohl zu auffällig.«

»Nein, finde ich nicht. Es sieht umwerfend aus. Hatte meine Mutter nicht ein ähnliches Kleid?« Es kommt mir bekannt vor.

»Nein, ich glaube nicht. Jedenfalls erinnere ich mich nicht. Wie geht es Ihrer Mutter?«

»Soweit ganz gut, danke. Gut genug zumindest, um sich nach Kräften verwöhnen zu lassen. Ruby hat entdeckt, dass das alte Klingelsystem noch funktioniert, und Mutter gewöhnt sich ein bisschen zu sehr daran, die Klingel in ihrem Zimmer zu nutzen.«

»Es freut mich sehr, dass sie sich erholt. Der Sturz war bestimmt ein furchtbarer Schrecken.«

Hannah ist so nett. Es wäre ihr gutes Recht gewesen zu fragen, warum Mutter bei ihrem Cottage herumspioniert hat. Ihre Freundlichkeit macht mir Mut.

»Darf ich Sie zu einer Tasse Tee einladen?«, frage ich. »Als Dankeschön, dass Sie Mutter geholfen haben? Ich habe Zeit, falls es Ihnen passt. Eigentlich wollte ich Ihnen eine Kleinigkeit vorbeibringen, aber so wäre es viel netter. Natürlich nur, wenn Sie möchten.«

»Sehr gern«, antwortet sie.

Ich kann nicht umhin zu lächeln, als sie wieder hinter dem Vorhang verschwindet, und mir wird bewusst, wie sehr ich mir gewünscht habe, dass sie Ja sagt.

»Nehmen Sie das Kleid?«, ruft die Verkäuferin.

»Ich überlege es mir«, sagt Hannah.

»Möchten Sie noch die Bluse anprobieren?«, fragt die Verkäuferin mich, als Hannah in ihren Sachen wieder aus der Umkleide kommt.

»Was meinen Sie?«, frage ich Hannah.

»Ich finde sie reizend, meine Liebe.«

Ich blicke auf das Preisschild. Solche teuren Sachen sollte ich mir nicht kaufen, nicht einmal herabgesetzt. »Ich komme später wieder und probiere sie an.«

»Aber ich kann nicht versprechen, dass sie dann noch da ist. Herabgesetzte Artikel können wir nicht zurücklegen«, sagt die Verkäuferin.

»Ach, sie ist sowieso ein bisschen zu teuer für mich.«

Hannah und ich gehen am Fluss entlang. Ein Kleinkind steht mit seiner Mutter am Ufer – oder vielleicht seiner Nanny. Sie füttern die Enten. Mein Mund fühlt sich klebrig an, und mein Herz pocht. Ich möchte Hannah dringend nach der Nacht fragen, in der sie fortgegangen ist, bin aber so nervös wie neulich, als ich mit meinem Wagen vor ihrem Cottage stand. Ich räuspere mich und hoffe, dass sie das Zittern in meiner Stimme nicht hört.

»Das habe ich früher gern gemacht.«

»Stimmt«, bestätigt Hannah. »Aber Sie hatten Angst vor den Schwänen.«

»Hatte ich? Ich erinnere mich, dass ich sie faszinierend fand, aber nicht beängstigend.«

»Sie hatten zu Recht Angst. Und ich war froh darüber, weil es bedeutete, dass Sie auf Abstand blieben. Die können einem erwachsenen Mann den Arm brechen, wussten Sie das?«

Ich dachte, Mutter hätte mir das erzählt, aber da muss ich mich irren.

»Wie wäre es mit The Polly Tea Rooms, wie früher?«, frage ich.

»Das wäre wunderbar.«

Das Café hat sich kaum verändert, seit wir zuletzt hier waren. An der Gebäudefassade hängen üppig bepflanzte Blumenampeln, die Decken drinnen sind niedrig, und die Bedienungen tragen schwarz-weiße Uniformen mit Rüschenschürze.

»Unser alter Tisch ist frei!«, sage ich. »Wollen wir?«

»Nach Ihnen.«

Es ist der Fenstertisch mit dem besten Blick auf die belebte Hauptstraße. Wir setzen uns einander gegenüber, und die Jahre scheinen dahinzuschwinden und sich neu zu formieren. Das Herz schlägt mir bis zum Hals, dennoch fehlt mir der Mut, sie direkt zu fragen, was damals passiert ist. »Erinnern Sie sich, wie wir uns Geschichten über die Leute ausgedacht haben, die draußen vorbeigingen?«

»Ja, stimmt! Sie hatten eine solch lebhafte und wunderbare Fantasie. Und Sie haben Geschichten geliebt. Wenn Sie sich nicht gerade welche ausdachten, haben Sie welche gelesen. Ich erinnere mich an die Ponybücher, die Sie gesammelt haben.«

»Was darf ich Ihnen bringen?«, fragt die Bedienung.

»Das Übliche?«, frage ich. Wir haben früher immer das Gleiche bestellt.

»Das wäre wunderbar!«

»Zweimal Earl Grey, ein Stück Zitronenkuchen und einen Cream Tea.« Es fühlt sich eigenartig an, diese Worte auszusprechen: noch ein Echo aus einer anderen Zeit. Hannah faltet ihre gestärkte Serviette auseinander und streicht sie auf dem Schoß glatt. Meine Frage brennt mir auf der Zunge, aber ich scheine meine Courage in der Boutique zurückgelassen zu haben.

»Ich bin sehr dankbar für das, was Sie für Mutter getan haben«, sage ich. Nichtssagende Worte. Feige. Warum ist es mir unmöglich, die Vergangenheit anzusprechen? Wie könnte ihre Antwort mich mehr verletzen, als es ihr Fortgang damals schon getan hat?

»Das war doch selbstverständlich.«

»Da bin ich mir nicht so sicher. Es war schon mehr, als man erwarten konnte, mit ihr ins Krankenhaus zu fahren. Vielen Dank.«

»Ich hätte sie nie allein gelassen, bevor ihre Familie bei ihr ist.«

Auf ihre Antwort kann ich mich kaum konzentrieren und hole tief Luft. *Komm schon*, fordere ich mich auf. *Sei erwachsen. Nimm dich zusammen und frag sie jetzt, sonst erfährst du es vielleicht nie.*

»Hannah?«

»Ja, meine Liebe?« Ihre Augen wirken so tief und glänzend wie eh und je. So anders als die grünen meiner Mutter, die immerzu streng sind. Hannahs quellen über vor Verständnis.

»Sie müssen nicht antworten, wenn Sie nicht möchten, aber …« Ich stocke und atme aus, um mich zu fangen. Was ist los mit mir? *Frag schon!*

»Was ist?«

»Warum haben Sie Lake Hall so plötzlich verlassen, als ich klein war? War es meinetwegen? Hatte ich irgendwas getan?«

»Du meine Güte, wie kommen Sie darauf?«

»Mutter erzählte mir, Sie wären gegangen, weil ich mich so schlecht benommen hatte.«

»Nein! Da ist nicht wahr. Ihre Mutter und ich hatten an dem Abend einen Streit, weil sie so furchtbar streng mit Ihnen war, als Sie sich das Kleid schmutzig gemacht hatten. Erinnern Sie sich an das Kleid? Sie hatte es extra für Sie in London ausgesucht und gekauft. Es war entzückend.«

»Das blaue Kleid«, sage ich. »Sie hatten es an meinen Kleiderschrank gehängt. Es war das hübscheste Kleid, das ich je hatte.«

»Stimmt. Ihre Mutter wurde allgemein bewundert für ihren sehr guten Geschmack. Aber leider war das Kleid hin. Solche Dinge geschehen, wenn man kleinen Kindern edle Sachen anzieht. Doch Ihre Mutter war außer sich. Sie war sehr erbost. Gewöhnlich hielt ich meinen Mund, wenn sie Sie zurechtwies, weil es mir nicht zustand, mich einzumischen, aber an dem Abend konnte ich nicht anders, weil sie so boshaft zu Ihnen war. Ich fand, dass sie eine Grenze überschritten hatte, und das sagte ich ihr. Es war ein furchtbarer Fehler. Ein schrecklicher Fehler, denn sie nahm es gar nicht gut auf. Sie sagte mir, ich solle meine Sachen packen und verschwinden, verbot mir, mich von Ihnen zu verabschieden. Ich wandte mich an Ihren Vater, entschuldigte mich und sagte ihm, wie gern ich bleiben würde, aber er stellte sich hinter sie, und ich konnte nichts tun. Es schmerzte mich sehr, Sie zu verlassen, und Ihre Eltern untersagten mir, Ihnen zu schreiben oder Sie anzurufen. Sie drohten mir sogar mit einer Klage, sollte ich es tun.«

Mir ist, als hätte mir jemand in den Magen geboxt. »Sie haben mich belogen.«

»Das tut mir leid.«

»Und sie haben Sie so furchtbar behandelt!«

»Seien Sie ihnen bitte nicht böse. Ich war lange traurig und wütend, aber das ist jetzt alles Schnee von gestern. Sie und ich sind hier. Wir sind wieder zusammen und haben so vieles aufzuholen. Wenn Sie Ihre Mutter zur Rede stellen, verbietet sie mir eventuell, Lake Hall zu besuchen, oder macht es uns schwer, uns zu sehen. Es wäre ein Jammer, wo wir die wunderbare Chance haben, uns wieder kennenzulernen.«

»Wollen Sie das denn wirklich?«

Sie ergreift meine Hand. Wie weich ihre Haut ist. »Ja, will

ich. Es hat genug Aufregung gegeben, meinen Sie nicht? Wir haben alle gelitten. Lassen wir die Vergangenheit hinter uns. Ich würde gern glauben, dass sogar Ihre Mutter und ich wieder zueinanderfinden.«

Es ist wohl das Mindeste, was ich tun kann, wenn man bedenkt, wie schlecht meine Eltern sie behandelt haben, obwohl ich meine Mutter am liebsten schütteln würde, bis sie damit herausrückt, was wirklich gewesen ist, und sich bei Hannah entschuldigt. Ja, vor ihr zu Kreuze kriecht. Das würde sich gerechter anfühlen.

»Wenn Sie sicher sind.«

»Bin ich. Ich würde heute Nacht ruhiger schlafen, wenn ich wüsste, dass dies hier unter uns bleibt.«

»Dann werde ich es selbstverständlich nicht erwähnen.«

»Danke. Ich wusste, dass Sie es verstehen würden und ich mich auf Sie verlassen kann. Soll ich einschenken? Es wäre schade, den Tee kalt werden zu lassen, und wir sollten versuchen, dieses herrliche Gebäck zu genießen. Und ich würde sehr gern plaudern und alles über Sie und Ruby hören.«

Sie schenkt Tee ein und streicht eine ordentliche Schicht Erdbeermarmelade auf ihren Scone, gefolgt von einer Schicht Clotted Cream. Mir schwirrt der Kopf, als ich alles verarbeite, was ich eben erfahren habe, und die ganze Zeit denke ich, *Arme Hannah!*, aber ich bemühe mich, etwas Normales, Unverbindliches zu sagen.

»Hatten Sie mir nicht beigebracht, dass die Cream zuerst kommt und dann die Marmelade?«

»Na, ist das nicht komisch? Ich erinnere mich nicht. Mich wundert, dass Sie es noch wissen.«

Ich lache.

»Sie glauben gar nicht, wie schön es ist, Ihr bezauberndes Lächeln wiederzusehen«, sagt sie.

Später, als wir die Hauptstraße entlangschlendern, sagt Hannah: »Dieses Kleid, das Sie an jenem Abend trugen, es war nicht blau, sondern grün.«

»Wirklich?« In meiner Erinnerung an jenen Abend ist es definitiv blau.

»Ich erinnere mich, wie ich den Faden aussuchte, als der Saum aufging. Ich wählte eine Garnfarbe namens Apfelgrün. Ist es nicht witzig, wie sich kleine Dinge ins Gedächtnis einprägen?«

»Dann muss ich mich wohl irren.«

»Erinnerungen sind etwas Seltsames.«

»Das stimmt.«

Es gibt so vieles, worüber ich nachdenken muss, nachdem wir uns verabschiedet haben, doch die Farbe des Kleides geht mir nicht aus dem Sinn.

Ich hätte geschworen, dass es blau war, aber was spielt das für eine Rolle?

VIRGINIA

Ich bin immer noch ans Bett gefesselt. Meine Wunde verheilt gut, doch ich habe Kopfschmerzen, und meine Rückenmuskeln krampfen jedes Mal, wenn ich mich zu bewegen versuche. Das Bad aufzusuchen ist ein langwieriger und schmerzhafter Vorgang, aber ich erlaube nicht, dass mich jemand begleitet. Es wäre zu beschämend.

Auf meinem Nachttisch sind Schachteln mit Schmerztabletten, und ich nehme sie so ein, wie es mir im Krankenhaus gesagt wurde. Jocelyn ist in die Rolle der herrischen Oberschwester geschlüpft und überwacht drei-, viermal täglich, wie ich die verdammten Dinger schlucke. Von den Tabletten werde ich benommen, und das macht mir Angst, weil es bedeutet, dass ich nicht alles mitbekomme, was in meinem Haus vor sich geht.

Ich hätte es nicht für möglich gehalten, dass ich Jocelyn noch mehr gegen mich aufbringen kann als vor dem Sturz, was ein Irrtum war. Sie ist fortwährend schnippisch zu mir, wütend, weil ich bei Hannahs Haus war und weil ich ihr in meiner gegenwärtigen Verfassung zusätzliche Arbeit aufbürde. Stirnrunzelnd wuselt sie in meinem Schlafzimmer herum, redet mit mir wie mit einem kleinen Kind und wirft mir Informationsbrocken hin, die eigens gedacht scheinen, mich zu quälen.

»Faversham verkauft ein Gemälde, das früher uns gehört hat, aber ich erinnere mich nicht daran. Es ist ein Vanitas-Stillleben, sehr schön. Ich kann nicht fassen, dass es verkauft wurde.«

Ich frage mich, was genau Faversham ihr erzählt hat. Während ich mich schlafend stelle, plane ich schon, was ich ihm sage, wenn ich ihn endlich ans Telefon bekomme. Das werde ich ihm nie verzeihen.

Und sie erzählt mir noch etwas anderes, auch wenn ich nicht sagen kann, ob es bei derselben Gelegenheit ist.

»Hatte ich gesagt, dass ich neulich Hannah in Marlborough getroffen habe?«, fragt sie. »Mutter? Hast du mich verstanden?«

»Ja, und?« Ich bemühe mich, gleichgültig zu klingen.

»Ich habe sie zum Tee eingeladen, um ihr zu danken, dass sie sich nach deinem Sturz um dich gekümmert hat. Was wolltest du überhaupt da oben auf dem Hügel?«

»Erzähl mir nicht, dass du nicht genauso neugierig auf sie warst wie ich!« Angriff kann die beste Verteidigung sein. Jocelyn wird rot.

»Tja, sie lässt dich herzlich grüßen«, sagt sie steif. Mir ist klar, dass ihre Gefühle für diese Frau, die sie für Hannah hält, kompliziert sein müssen. »Und wenn es dir besser geht, sollten wir sie mal zum Essen einladen, damit du dich auch bedanken kannst.«

Auf keinen Fall setzt die Frau einen Fuß in mein Haus. Auf dieser Bühne wird sie nicht noch einmal auftreten. Ich schließe die Augen und tue, als würde ich wieder einschlafen, damit Jocelyn geht. Vor Wut über meine Dummheit und Angst zittern mir die Hände. Ich drehe mich auf die Seite, obwohl es furchtbar wehtut, und klemme die Hände zwischen meine Beine, weil Jocelyn nicht merken soll, wie ich zittre.

»Dr. Howard ist da, Mutter. Bist du vorzeigbar?«

Jocelyn zieht die Vorhänge zurück. Draußen ist es grau, und ein rauer Wind peitscht die Eichenkronen von einer Seite zur anderen. Er rüttelt an den Fensterscheiben. Jocelyn schaltet das Licht an. Vorsichtig setze ich mich auf, und sie rückt meine Kissen zurecht, um mich zu stützen, was ein wenig gröber ausfällt, als mir lieb ist.

»Gibst du mir bitte meinen Taschenspiegel und meinen rosa Lippenstift?«

»Du musst für den Arzt keinen Lippenstift auflegen. Im Ernst! Ich hole ihn hoch.«

Wie schnell wir der Gnade anderer ausgeliefert sind, wenn wir krank sind!

»Lässt du uns bitte allein?«, sage ich zu Jocelyn, als sie mit dem Arzt zurückkehrt. Je weniger sie weiß, desto besser. Ich muss versuchen, die Kontrolle zurückzugewinnen.

Eric Howard stellt die Tasche auf den Boden und drapiert seine Jacke darüber, wie er es jedes Mal tut, wenn er herkommt. Er behandelt Alexander und mich schon, seit wir jungverheiratet herzogen, ist nur wenig jünger als ich und sehr gepflegt. Er sieht mich freundlich an.

»Hat man sich im Krankenhaus um Sie gekümmert? Ich wäre schon früher gekommen, hätte ich etwas gewusst.«

»Sehr gut, danke, aber ich habe all diese verfluchten Tabletten verschrieben bekommen, und von denen fühle ich mich furchtbar. Ich bin immerzu müde.«

Er untersucht mich und sieht sich meine Medikamente an. »Naproxen und Amitriptylin, eine ziemlich starke Kombination. Die Nebenwirkungen sind Verwirrung, Depression, Müdigkeit und Benommenheit. Klingt das in etwa richtig?«

»Genau richtig.«

»Was machen die Schmerzen?«

»Sind kaum auszuhalten. Kann ich nicht etwas anderes nehmen? Ohne diese Nebenwirkungen?«

»Sie könnten versuchen, auf rezeptfreie Schmerzmittel umzustellen, was der nächste logische Schritt wäre, aber es könnte zu früh sein. Ihre Kopfwunde heilt gut, doch da ist immer noch eine beträchtliche Schwellung.«

»Lieber Schmerz als verwirrt sein.«

»Sie müssten die jetzigen Medikamente langsam ausschleichen. Machen Sie keinen kalten Entzug.«

»Ich verstehe.«

»Es könnte zu früh sein, Ginny. Warum bleiben Sie nicht noch ein paar Tage bei den alten Mitteln? Es wäre mir lieber.«

Er bleibt stehen, obwohl keiner von uns spricht. Es könnte sein, dass Howard immer ein bisschen verliebt in mich war. Mit Sicherheit weiß ich es nicht, aber Alexander und ich hatten stets die Vermutung.

»Es ist schön, Jocelyn wiederzusehen«, sagt er. »Anscheinend geht es ihr gut. Ich erinnere mich noch an ihre häufigen Mandelentzündungen früher.«

Jocelyn hat mich nie in ihre Nähe gelassen, wenn sie als Kind krank war. Ich musste an der Tür stehen und zuschauen, wie Hannah ihre Hand hielt, während Eric sie untersuchte. Erinnert er sich auch daran?

»Da ist sie rausgewachsen«, sage ich.

»Das ist meistens so.«

Ruby kommt ins Zimmer, als Jocelyn den Arzt zur Tür begleitet. »Mummy sagt, dass du deine Tabletten nehmen musst.«

»Kannst du mir einen Gefallen tun? Der Arzt hat gesagt, dass ich die Mittel wechseln soll. Kannst du in mein Bad gehen und mir die Schachtel holen, auf der ›Ibuprofen‹ steht, und auch die mit ›Paracetamol‹ drauf?«

Sie tut es.

»Drückst du mir bitte zwei Ibuprofen aus der Packung?«

Ruby zählt sie in meine Hand, »Eins, zwei«, und ich denke an Hannah, wie sie Jocelyn Abzählreime vorsingt. Hannah hatte ein unglaubliches Repertoire an Kinderreimen. Im Nachhinein dachte ich, dass sie sie als Lockmittel benutzt hat, um mein Kind immer weiter von mir zu entfremden. Ich sehnte mich danach, meinem Kind das Zählen beizubringen und ihm vorzulesen, doch als Jocelyn erst einmal alt genug war, ertrug sie meine Nähe nicht mehr. Sie hielt sich die Ohren zu, wenn ich ihr vorlas, oder kniff die Augen zu, wenn ich auf die Bilder in ihren Büchern zeigte. Sie wollte nur Hannah.

»Danke, Schatz«, sage ich, als Ruby mir ein Glas Wasser reicht, und schlucke die Tabletten. Ich will dringend die stärkeren Mittel absetzen. Nie war es mir wichtiger als jetzt, einen klaren Kopf zu haben. Ich habe keine Ahnung, was die Frau, die sich Hannah nennt, getrieben hat, während ich ausgeschaltet war. Bleibt nur zu hoffen, dass ich die Schmerzen aushalte.

»Erzähl Mummy bitte nichts von meinen neuen Tabletten, ja?«, sage ich zu Ruby. »Der Arzt möchte, dass sie mein Geheimnis bleiben.«

»Warum?«

»Weil Medikamente privat sind«, antworte ich. »Und nicht alles geht deine Mummy etwas an.«

»Ist gut.« Sie scheint ein wenig skeptisch, aber offenbar beschäftigt es sie nicht sonderlich, dass sie ihre Mutter täuschen soll, und schnell ist sie wieder abgelenkt, als sie eine Schublade meiner Frisierkommode öffnet. Die Überbleibsel meiner glamourösen Zeit ziehen sie magnetisch an.

»Mom hat auch ein Geheimnis vor dir«, sagt sie beiläufig, und mein Herz setzt einen Schlag lang aus. »Hannah hat ihr eine neue Bluse geschickt. Mom hatte sie in dem Laden gesehen und konnte sie nicht bezahlen, und da hat Hannah sie ihr gekauft und hergeschickt. Sie ist für die Arbeit. Die Bluse ist hübsch, aber nicht so hübsch wie das hier.« Sie dreht sich um und hält sich einen meiner juwelenbesetzten Haarkämme vor das Gesicht.

»Hast du Lust auf einen Tauschhandel?«, frage ich Ruby.

»Welchen?« Sie liebt es, ein Abkommen zu treffen, genau wie ihr Großvater.

»Ich erzähle Mummy, dass du dein Matherätsel hier oben bei mir gemacht hast, wenn du mir für eine halbe Stunde dein iPad leihst.«

»Und darf ich mir auch diesen Kamm ins Haar stecken?«

»Wenn du ihn hinterher wieder dahin zurücklegst, wo er hingehört.«

»Abgemacht.«

Sie holt ihr iPad, bevor sie sich an meine Frisierkommode setzt und den Haarkamm bei sich ausprobiert. Als sie mit ihrem Aussehen zufrieden ist, plündert sie mein Ringkästchen. Sie steckt sich mindestens drei Ringe an und bewundert die Edelsteine aus allen Winkeln im Spiegel.

Ich öffne den Internetbrowser auf Rubys iPad und gehe zu Google.

Die geschenkte Bluse beunruhigt mich. Solch ein Geschenk ist sehr typisch für Hannah, und allein der Gedanke lässt sämtliche Alarmglocken bei mir schrillen. Noch weiß ich nicht, wie groß oder welcher Art die Gefahr ist, aber ich spüre sie.

Ich versuche, mich trotz der Schmerzen und der Medikamente zu konzentrieren. Mir ist in den Sinn gekommen, dass Hannah ihre Kopfverletzung vielleicht überlebt hat, ganz gleich, wie schlimm sie aussah, und wir sie in jener chaotischen Nacht bloß für tot hielten, weil sie bewusstlos war. Andererseits war die Verletzung nicht alles, was Hannah hätte überstehen müssen.

Ich tippe eine Frage ein: »Kann man Ertrinken überleben?«

JO

»Ich will nach Hause«, sagt Ruby.

Es ist drei Uhr morgens. In etwas über vier Stunden muss ich in den Zug nach London steigen und zu meinem ersten Arbeitstag antreten. Und Ruby hat ihren ersten Schultag. Das Timing ist schlecht, aber Stans Mutter hat versprochen, Ruby für mich hinzubringen.

Nun steht Ruby in einer Pyjamahose und dem weißen T-Shirt, das alle ihre Freunde an ihrem letzten Schultag in Kalifornien unterschrieben hatten, neben meinem Bett. Ich weiß, was sie mit »nach Hause« meint. Es ist nicht Lake Hall, sondern das Haus auf einem anderen Kontinent, das wir verlassen mussten.

»Komm her, Süße.« Ich hebe die Bettdecke an. Ruby krabbelt in mein Bett und schmiegt sich an mich. Ihr Körper ist warm, aber ihre Füße sind wie Eisklötze, und ich frage mich, wie lange sie schon auf ist. Ich berühre ihre Schläfe. Dort war ihre Haut weich wie Marshmallows, als sie ein Baby war, und nach ihrer Geburt so dünn, dass ich die Schatten der Adern sehen konnte. Manchmal ließ mich diese Zartheit erschauern. Heute Nacht sind ihre Schläfen und Wangen feucht.

»Erzähl mir, was los ist«, flüstere ich.

»Ich vermisse meine Freunde.«

»Das tut mir leid.«

»Ich vermisse unser Haus in Amerika.«

»Ja, ich weiß. Ich auch.«

»Und ich vermisse Daddy.«

»Ach, Süße.«

Ich lasse sie weinen. Das soll man angeblich. Man soll einem Kind nicht vermitteln, dass seine Gefühle falsch sind. Das hat meiner Mutter nie jemand gesagt. Vielleicht lasse ich es auf ihren Grabstein setzen, damit ich das letzte Wort habe.

Ruby weint heftig. Diese schwere, überbordende Trauer sollte kein Kind durchmachen, und es schmerzt mich ungemein, dass ich ihr nicht helfen und ihren Daddy zurückholen kann.

Die altmodische Digitaluhr auf dem Nachttisch zeigt 04:07, als Ruby endlich einschläft. Sie ist ganz heiß, und mein Kissen ist klamm, also ist für mich an Schlaf nicht mehr zu denken. Ich werde den Rest der Nacht hier liegen und mich um Ruby, um uns und um Mutter sorgen.

Dr. Howard hat mit mir gesprochen, nachdem er bei Mutter gewesen ist. Er ist ein hagerer, glattrasierter Mann mit schlohweißem Haar und riecht altmodisch nach Rasierwasser und Desinfektionsmittel.

»Wie geht es ihr?«, habe ich ihn gefragt.

»Sehr gut, in Anbetracht der Umstände. Sie müssen achtgeben, dass sie sich nicht übernimmt und zu schnell zum Alltag zurückkehrt. Sie muss sich richtig erholen.«

»Wird sie wieder ganz gesund?«

»Ich wüsste nicht, was dagegenspricht. Sie ist robust für ihr Alter. Aber haben Sie ein Auge auf sie.«

Dann hat er die Tür geöffnet. Draußen pfiff ein böiger Wind durch die Buchen und schüttelte erstes Laub aus den Kronen. »Ich mag Ihre Mutter sehr, müssen Sie wissen«, sagte er. »Im Laufe der Jahre hat sie eine Menge Herausforderungen gemeistert. Jetzt braucht sie Ihre Unterstützung.« Er hat mir zugenickt, seinen Hut fest aufgesetzt und die Tür hinter sich geschlossen.

»Wow«, sagte ich laut. Als Kind hatte ich die Nähe zwischen Mutter und Eric Howard gespürt. Er war regelmäßig hier zu Gast gewesen. Ich denke, Elizabeth war die einzige Person, die noch häufiger in Lake Hall war als er.

Mutter wird wieder, dachte ich. *Sie ist unverwüstlich.*

Um fünf Uhr morgens stehe ich auf, vorsichtig, um Ruby nicht zu wecken. Sie rollt sich auf den Rücken, und ich erstarre mit angehaltenem Atem, denn ich möchte, dass sie weiterschläft. So bleibe ich, bis ich sicher bin, dass sie nicht aufwacht.

Ich schleiche den Flur hinunter zum Bad. Vor Mutters Zimmer bremst mich ihre Stimme. »Wer ist da?«

»Ich bin's.«

»Komm her.«

»Ich muss mich für die Arbeit fertig machen.«

»Nur eine Minute.«

Ich betrete ihr Zimmer. Die Vorhänge sind offen, und Mutter steht am Fenster und beobachtet, wie es Tag wird. »Hörst du das?«, fragt sie. Ich schüttle den Kopf. »Es ist ein Waldkauz. Was für ein hohler Klang. Ich konnte nicht schlafen.«

»Mutter, mein Zug geht um …«

»Ich weiß, wann dein Zug fährt, und ich wollte dir Glück wünschen. Sag Faversham, er soll mich anrufen. Und vergiss es bitte nicht, ja? Er hat mich auf meine Nachrichten hin nicht zurückgerufen.«

»Geh wieder ins Bett, Mutter. Das ist zu kalt für dich.« Sie schüttelt meine Hand ab, als ich ihren Arm berühre, also warte ich ungeduldig, bis sie sich wieder ins Bett legt. »Anthea ist um sieben hier, um Frühstück zu machen und Ruby zu wecken. Bleib bitte bis dahin im Bett und versuche, dich auszuruhen.

Stans Mum holt Ruby um Viertel vor neun zur Schule ab. Erinnerst du dich?«

»Natürlich.« Unter der bis zum Kinn hochgezogenen Bettdecke wirkt sie klein und zerbrechlich.

»Woher ist die Bluse?«, fragt sie.

Ich will ihr nicht erzählen, dass sie von Hannah ist. Nicht jetzt. Dann würde sie bloß etwas Schreckliches über sie sagen.

»Die hatte ich schon in Kalifornien. Sie ist alt.«

»Ich dachte, du hattest nichts Passendes für die Arbeit«, sagt sie.

»Ich muss los.«

»Du siehst hübsch aus«, fügt sie hinzu. Ihr unerwartetes Kompliment ist viel verstörender als ihre Kritik.

»Bis später.«

Als ich die Tür schließe, sagt sie: »Kannst du Hannah etwas für mich fragen?«

»Was?«

»Frag sie, ob sie sich erinnert, wie sie und ich uns kennengelernt haben.«

»Warum?«

»Ich bin nur neugierig, ob sie sich erinnert, was ich getragen habe.«

»Frag sie selbst! Findest du nicht, ich habe genug auf meiner Liste?«

Rasch schließe ich die Tür. Ich kann nicht damit umgehen, dass sie jetzt auch noch bedürftig ist.

Auf dem Weg zur Arbeit bin ich angespannt, weil ich mich sorge, wie Ruby zurechtkommt. Vom Zug aus schreibe ich ihr.

Wie geht es dir? Ich drück dich und küss dich und wünsche dir heute Glück in der Schule.

Ihre erste Antwort fällt besorgniserregend kurz aus.

Gut.

Als ich einige Minuten später noch eine Nachricht von ihr bekomme, fühle ich mich schon besser.

Stan will, dass ich nach der Schule mit zu ihm komme und mir sein neues Meerschweinchen ansehe.

Einverstanden, wenn Stans Mum Ja sagt, schreibe ich ihr.

Stans Mum bestätigt, dass sie beide Kinder nach der Schule abholt. Ich spare mir die Mühe, es meiner Mutter mitzuteilen, weil es sie nicht betrifft. Lieber sage ich es Anthea direkt. Ihr Handy ist ein uraltes Modell, und sie hat mir erzählt, dass ihr Datenvolumen dauernd aufgebraucht ist. Daher ist es sicherer, später in Lake Hall anzurufen, denke ich und wähle die Nummer, als ich aus der U-Bahn komme. Doch Mutter meldet sich.

»Kannst du mir Anthea geben?«, frage ich.

»Sie ist weg.«

»Wann kommt sie wieder?«

»Worum geht es?«

»Das sage ich lieber Anthea.«

»Glaubst du, ich kann nichts ausrichten? Soll ich jetzt auch mit einfachen Sekretariatsaufgaben überfordert sein?«

»Bestell Anthea bitte, dass Ruby nach der Schule mit zu Stan geht, also nicht mit dem Bus nach Hause kommt. Ich hole sie bei Stan ab, wenn ich wieder zurück bin.«

»Ich sage es ihr.«

»Wie wäre es, wenn du es aufschreibst?«

»Ach, habe ich jetzt neuerdings auch kein Gedächtnis mehr?«

»Wie du willst, Hauptsache, Anthea erfährt es.«

Ich schreibe Anthea eine SMS, auch wenn ich nicht weiß, ob sie ankommt, und nehme mir vor, später nochmal anzurufen. Einzig Mutter kann solche simplen Sachen anstrengend machen.

DETECTIVE ANDY WILTON

Andy und Maxine steigen aus dem Wagen.

»Bereit?«, fragt sie.

Er sieht blinzelnd zu Lake Hall. »Bereit wie nur was.«

Sie ziehen die Klingelschnur an der Tür und hören es drinnen läuten.

»Vielleicht hätten wir vorher anrufen sollen«, sagt Maxine, als niemand öffnet.

Andy antwortet nicht. Maxine hat recht, aber ihm war nicht danach, Lady Holt vorzuwarnen, weil sie jeden behandelt, als wäre er unter ihrer Würde. Sie läuten wieder, und als sie es gerade aufgeben wollen, geht die Tür auf.

»Ja bitte?« Die Frau ist mittleren Alters und außer Atem. Sie trägt eine Kittelschürze über einer schwarzen Hose und flache Schuhe.

Beide zeigen ihre Marke. »Wir würden gern mit Lady Holt sprechen, wenn es geht.«

»Nein, das geht nicht. Sie hat einen üblen Sturz hinter sich und braucht Bettruhe.«

»Ich habe ja gesagt, wir hätten anrufen sollen«, murmelt Maxine.

Die Frau rümpft kurz die Nase und schiebt ihre Brille nach oben. »Ist das alles?«

»Arbeiten Sie hier?«, fragt Andy.

»Ich bin die Haushälterin.« Sie strafft die Schultern und reicht ihnen nacheinander die von einem Gummihandschuh verhüllte Hand. »Anthea Marshall.«

»Wir haben kürzlich mit Ihrer Mutter gesprochen. Hätten Sie zufällig einen Moment Zeit für uns?«, fragt Andy.

»Geht es um den Schädel?« Sie klingt ermattet.

»Nein, wir würden gern ganz allgemein plaudern, um uns ein wenig Hintergrundwissen zu dem See, dem Haus und den Leuten anzueignen, die über die Jahre hier waren. Ich vermute, Sie wissen so gut wie alles. Und wenn ich ehrlich bin, würde ich alles geben für einen Tee.« Andy ringt sich sein Feiertagslächeln ab.

Sie öffnet die Tür weiter. »Vielleicht habe ich auch ein schönes Stück Früchtekuchen für Sie.«

»Sie sind ein Engel!«

Der Früchtekuchen ist zu trocken und der Tee so stark, dass der Löffel darin steht, aber Anthea redet, als hätte sie schon sehr lange darauf gewartet, dass ihr endlich mal jemand zuhört.

»Früher war es ein schönes Arbeiten in Lake Hall, weil es jede Menge Personal gab und jeder seine Aufgabe hatte. Heute sind nur noch Geoff und ich übrig. Geoff macht den Garten, ich das Haus, aber es ist viel zu viel Arbeit und viel zu wenig Zeit. Allein die Bilderrahmen abzustauben dauert einen ganzen Tag. Meine Mutter ist vor mir hier die Haushälterin gewesen, und sie weiß gar nicht, was für ein Glück sie damals hatten. Da war es ja nur die halbe Arbeit. Na gut, es wurden auch mehr Partys gegeben und so. Jetzt ist das Haus nur noch ein Abklatsch von dem, was es früher mal war, vor allem, seit Lord Holt gestorben ist, möge seine Seele in Frieden ruhen. Seine Tochter war nicht mal zu seiner Beerdigung hier. Aber sie kam ganz schnell an, als sie nicht wusste, wohin, und hat ihre

Tochter mitgebracht. Wenn Sie mich fragen, ist es nicht gut für die Kleine, in einem riesigen Haus wie diesem aufzuwachsen, nur mit ihrer Mutter, ihrer Großmutter und mir. Sie wird hier noch verrückt oder gewöhnt sich Allüren an wie Ihre Ladyschaft. Ich weiß nicht, was von beidem schlimmer ist! Und als hätte ich nicht schon genug um die Ohren, erwarten sie jetzt auch noch, dass ich auf Ruby aufpasse, sogar wenn sie oben noch im Bett liegt und mich alle fünf Minuten ruft.«

Anthea nickt zu einer Reihe von kleinen Glocken an der Wand. Sie sind mit einem antiken System von Schnüren und Zügen verbunden, und unter jeder steht der Name eines Zimmers. Anthea trinkt einen Schluck Tee, und Andy nutzt die Gelegenheit, um eine Frage einzuwerfen.

»Erinnern Sie sich, ob Sie von einer Jagdgesellschaft hier gehört haben, das muss 1984 gewesen sein, zu Jahresbeginn? Vielleicht fällt Ihnen dazu etwas ein, denn damals wurde ein Junge aus dem Dorf verletzt.«

»Oh ja, das war zu Mutters Zeit. Alle haben davon geredet.«

»Was wissen Sie über die Sache?«

»Nicht viel, weil ich da auf der Sekretärinnenschule in London war. Ich wollte ja ein richtiges Großstadtmädchen werden, nicht? Aber das war nichts für mich. Ich hatte Heimweh. Jedenfalls war ich damals nicht hier, und Mum war nicht in Lake Hall, was sie Ihnen sicher schon erzählt hat, falls sie gerade halbwegs klar war. Sie hatte eine Operation, aber ich weiß noch, dass es in den Zeitungen stand, und Mum erzählte mir, dass Journalisten in Downsley waren, doch mit denen hat keiner gesprochen. Das tut man ja auch nicht. Man hält zu seinen Leuten.«

»Und die Holts zählten dazu?«

»Damals haben viele Leute aus dem Dorf für sie gearbeitet. Man konnte unsere Familien nicht von ihrer trennen.«

»Was sagten die Leute privat?«

»Da gab es Gerede, dass einer der Männer in der Jagdgesellschaft betrunken war und etwas Blödes getan hat, aber das war bloß Gerede. Sie würden nicht glauben, was die Holts hier manchmal veranstaltet haben, doch bei der Jagd waren sie immer sehr vorsichtig.«

»Haben Sie dem Gerede geglaubt?«

»Ich gebe nichts auf Tratsch, vor allem nicht auf Sachen, die nach einigen Pints gesagt werden. Klatsch gibt es immer, Detective. Das werden Sie doch sicher wissen.«

»Ja, tue ich.«

Eine der Glocken an der Wand bimmelt laut. »Hören Sie das?«, fragt Anthea. »Jetzt will sie wieder irgendwas. Ich gehe lieber hin, wenn es Ihnen nichts ausmacht. Sie wird nicht wollen, dass ich mit Ihnen rede, also erwähnen Sie es lieber nicht, wenn Sie wieder herkommen.«

»Eine Frage noch«, sagt Maxine. »Wir haben gehört, dass es hier eine Nanny gab, Hannah. Sie ist ziemlich abrupt verschwunden, richtig?«

»Man muss kein Detective sein, um zu wissen, dass dieser Schädel nicht der von Hannah Burgess ist!«, sagt Anthea und lacht verblüffend laut. »Ich muss zugeben, dass ich das auch erst dachte, als man ihn fand, weil sie die Einzige ist, die hier plötzlich verschwunden war. Aber weder ich noch sonst wer hier hat das länger geglaubt, denn ich habe gehört, dass Hannah wieder in Downsley ist. Sie ist anscheinend sogar hier gewesen. Nicht, dass ich sie selbst gesehen hätte. Bis jetzt nicht. Und es werden auch nicht alle froh sein, dass sie zurückgekommen ist, das können Sie mir glauben! Die Leute haben immer gesagt, dass sie eingebildet war und sich für was Besseres gehalten hat. Was für ein Zufall, dass sie ausgerechnet jetzt zurückkommt, oder? Ich frage mich, ob sie in der Zeitung was über den Schädel gelesen hat. An dem Tag waren die Zeitungen hier im Laden alle ausverkauft.«

Die Glocke bimmelt erneut, diesmal länger.

»Dann wollen wir Sie mal nicht länger aufhalten«, sagt Andy. »Danke für den Kuchen. Er war köstlich.«

Im Wagen sagt Maxine: »Das nächste Mal rufen wir vorher an, damit wir wirklich mit Lady Holt sprechen können.«

»Ist ja gut.« Andy knackt mit den Fingern. »Aber es war ein interessantes Gespräch. Anthea macht einen alles andere als glücklichen Eindruck, was? Tja, wundern tut mich das nicht. Aber wenigstens müssen wir nicht nach der Nanny suchen.«

Er erinnert sich an das Foto von ihr in der Zeitung, wie anders sie aussah als die Holts.

»Wir sollten mit ihr reden, wenn sie wieder hier ist«, sagt Maxine.

»Stimmt. Ich wette, sie kann einige schmutzige Geschichten erzählen, vor allem wenn sie in Lord Holt verknallt war.«

»Vielleicht hat es gar nichts mit ihnen zu tun. Vielleicht hat der Gärtner jemanden im See versenkt.«

»Doch, hat es«, sagt er. »Jedenfalls fühlt es sich so an, weil es so verdammt dreist ist.«

»Genau deshalb glaube ich, dass sie es nicht sein können. Wer würde es aushalten, täglich auf den See zu blicken, wenn er weiß, was da drin ist?«

»Die sind nicht wie wir.«

Er lässt den Motor an und tritt aufs Gaspedal. Kies wird von den Reifen hochgeschleudert, als er wegfährt.

JO

Auf der Arbeit helfe ich Clemency, das Vanitas-Stillleben in einem privaten Ausstellungsraum hinten in der Galerie auszupacken. Wir verbringen einige Zeit damit, das Licht richtig einzustellen, um das Bild möglichst gut zur Geltung zu bringen. Währenddessen bemühe ich mich, Clemency kennenzulernen, doch sie blockt all meine Versuche höflich und konsequent ab, bis ich mich frage, ob es ein Problem für sie ist, dass ich hier arbeite.

Als das Gemälde so weit bereit ist, nehmen wir uns beide einen Moment, es zu bewundern.

»*Carpe diem*«, sage ich.

»Wie bitte?«

»Nutze den Tag. Die Botschaft ist klar und deutlich, denke ich, oder?« Ich zeige auf das Gemälde.

»Ich werde nicht fürs Denken bezahlt«, antwortet sie, und ich wünsche mir, ich hätte den Mund gehalten.

Faversham besteht darauf, mich zum Mittagessen einzuladen, um meinen ersten Tag zu feiern. In dem Restaurant werden wir herzlich von dem Oberkellner begrüßt, der ihn offenbar kennt. Die Einrichtung ist mit einem intensiv gemusterten Teppich, samtgepolsterten Bänken, goldenen und dunkelroten Akzenten überladen. Mich erinnern sie an Papstgewänder auf alten Porträts. Die weißen Tischtücher sind gestärkt und hängen steif in extravagant langen Falten über die Tischränder.

Faversham bestellt Austern und zum Hauptgang Moorhuhn für uns beide. »Solange noch Saison ist«, sagt er.

Es gibt etwas, das ich ihn unbedingt fragen will.

»Wie gut haben Sie meinen Vater gekannt?«

»Sehr gut. Wir waren zusammen in Eton und sind gleichzeitig nach Oxford gegangen. Er war am Queen's, ich am Balliol, aber wir haben uns in denselben Kreisen bewegt, mithin sind wir einander nahe geblieben und haben uns nach dem Studium noch sehr oft in der Stadt gesehen.« Mit »Stadt« meint er London, glaube ich. Vielleicht fühlt sich die Stadt wie ein Dorf an, wenn man sich in ihren Kreisen bewegt. Es ist anzunehmen, dass sie Mayfair kaum verlassen haben.

»Nein danke, schenken Sie einfach ein«, sagt Faversham zu einem Kellner, der eine Weinflasche präsentiert und fragt, ob er kosten möchte. »Nach seiner Heirat habe ich Alexander natürlich nicht mehr ganz so oft gesehen, aber sie ließ ihn hin und wieder von der Leine.«

»Was genau hat er gemacht?«

»Wissen Sie das nicht?«

»Ich weiß, dass er in der City gearbeitet hat und der Privatsekretär des Burlington Clubs war, aber ich habe keine Ahnung, was das bedeutet.«

Als ich es nicht mehr aushielt und mir die Nachrufe ansah, war ich erstaunt, dass es einige Dinge gab, die ich nicht von ihm gewusst hatte, einschließlich seiner Stellung in dem Club. Meine Mutter weigerte sich, mit mir darüber zu sprechen. »Er hat viel gearbeitet und viel gefeiert« war alles, was sie sagte.

Vornehm zieht Faversham eine Augenbraue hoch und kratzt sich mit zwei Fingernägeln unterm Kinn. Dann faltet er seine

Serviette auseinander und legt sie sich auf die Knie. »Gefällt Ihnen das Stillleben?«, fragt er.

»Es ist exquisit.«

»Erinnern Sie sich, was in der Ecke unten rechts auf dem Bild ist?«

Ich rufe es mir ins Gedächtnis und sehe den Schädel mit Zähnen wie abgebrochenes Mauerwerk und von zartem Schimmel bedeckte Trauben; da sind einige abgefallene Blütenblätter, die sich an den Rändern kräuseln, und – natürlich! – ein unordentliches Kartenspiel, bei dem die Herz-Fünf ganz oben liegt.

»Spielkarten?«, sage ich zu Faversham. Es leuchtet in gewisser Weise ein, falls er meint, dass mein Vater in der City mit hohen Summen jongliert hat. Alexander Holt war gewiss nicht der Typ für einen langweiligen Job. Er war jedermanns Held, jedermanns Liebling. Sein Beruf passte sicher zu seinem Status. »Dein Vater hat Priorität für mich«, sagte meine Mutter einmal zu mir. Für mich ergab das Sinn, obwohl es mich kränkte. Und es bestätigte mein Bild von ihm.

Faversham tupft sich den Mund mit der Serviette ab. »Meine Liebe«, sagt er, und da ist kein Blitzen mehr in seinen Augen. An seine Stelle ist etwas getreten, das ich nicht sehen will: Mitleid. »Ihr Daddy war ein professioneller Spieler.«

»Wie bitte?«

»Er hat in Oxford entdeckt, dass er gut darin war.«

»Ich weiß, dass er gespielt hat. Er und seine Freunde haben manchmal zu Hause gespielt, aber ich wusste nicht, dass er das professionell gemacht hat. Ehrlich?«

Ich stelle mir den quadratischen Tisch an der einen Seite des Blauen Salons vor, auf dem eine Bahn Billardtuch ausgelegt war. Nach dem Essen nahmen Vater und seine Freunde auf den Stühlen um den Tisch Platz, alle gut gekleidet, und zwischen ihnen auf dem Billardtuch waren Karten, schwere Aschenbecher und Kristall-Whiskygläser. Meine Mutter spielte nie mit. Sie saß vor dem Feuer auf der Kante einer Ottomane, rauchte und beobachtete.

Hatte bei diesen Spielen viel Geld den Besitzer gewechselt? Es kam mir nie in den Sinn, weil ich es nie gesehen hatte. Ich erinnere mich, dass ein Gast nach einem lauten Streit nachts davongefahren war, doch brachte ich nie das eine mit dem anderen in Verbindung. In kindlicher Arglosigkeit nahm ich an, dass die Erwachsenen aus demselben Grund Karten spielten, wie Hannah und ich Quartett oder »Snap« spielten: zum Spaß.

»Schauen Sie«, sagt Faversham, »Ihr Vater war von einem edlen Spielclub in Mayfair eingestellt, um ihm zu helfen, eine bestimmte Klientel anzulocken. Clubs wie der Burlington litten Mitte der Siebziger Geldnot. Sie waren nicht mehr das exklusive Refugium des Adels, weil der zu einem erheblichen Teil bankrott war, auch wenn es keiner zugab. Die Clubs, ebenso wie die Regierung, brauchten reiche Araber und das Ölvermögen, das sie in die City brachten. Ihr Vater wurde eingestellt, um im Club als Gastgeber für die neuen Mitglieder zu fungieren – um sie hinzulocken, wenn Sie so wollen. Er war nicht der Einzige in unserer Generation, der das machte, aber der Beste. Leute wie er, echte Lords, vermittelten die Illusion, die alte Welt wäre noch intakt.«

»Mein Vater war eine Schaufensterdekoration?« Mich überkommt eine maßlose Enttäuschung.

»Nein, mehr als das. Wie gesagt, er war sehr gut in dem, was er tat. Ach du lieber Himmel, jetzt habe ich Sie erschüttert, Jocelyn. Bitte verzeihen Sie mir. Es war nicht meine Absicht, Alexander herabzuwürdigen. Ich dachte, Sie wüssten im Wesentlichen Bescheid.«

»Tut mir leid, und ich bin nicht erschüttert.« Was eine Lüge ist. Meine Gedanken überschlagen sich, während ich das Bild, das ich von meinen Eltern habe, ausradiere und neu entwerfe, und ich bin versucht, Faversham mehr zu fragen, aber das darf ich nicht. »Mir ist gleich, was er gemacht hat. Ich bedaure nur, dass ich so weit weg war, als er starb.«

»Das hat er auch bedauert, meine Liebe. Sehr.«

Das Essen kommt, und ich nutze die Gelegenheit, um das Thema zu wechseln. »Warum will der Burlington Club das Stillleben nicht in eine Auktion geben? Warum sollen wir es verkaufen?«

»Ich habe sie wissen lassen, dass ich bereits einen sehr vermögenden Interessenten habe.«

Das beantwortet meine Frage nicht ganz, denn eine Auktion würde dem Club Zugang zu einer Vielzahl von vermögenden Käufern verschaffen. Faversham bemerkt mein Stirnrunzeln.

»Ein diskreter Privatverkauf hat andere Vorteile, wie Sie gewiss verstehen. Der Club wird nicht wollen, dass die Leute denken, er braucht Geld und verkauft seine Schätze. Es macht keinen guten Eindruck.«

Faversham hat offenkundig keine Zeit damit vergeudet, potenzielle Käufer für das Bild zu interessieren, und ich bin die Letzte, die sich darüber beklagt. Je eher sich das Gemälde verkauft, desto eher werde ich bezahlt. Ich erhebe mein Weinglas. »Auf einen erfolgreichen Verkauf. Ich freue mich darauf, den Käufer kennenzulernen.«

»Und er freut sich darauf, Sie kennenzulernen«, sagt er. »Chin-chin.«

Ich lächle weiter und behalte einen unbekümmerten Tonfall bei, kann jedoch nicht umhin, mich durch unsere Unterhaltung beschmutzt zu fühlen und das Ambiente als bedrückend zu empfinden. Die blinkenden Messingbeschläge, die sorgsam platzierten Spiegel mit Unendlichkeitseffekt und die *Trompe-l'œil*-Wandgemälde scheinen allesamt gedacht, die Wirklichkeit zu verzerren.

Wir sind spät zum Mittagessen gegangen, und Faversham hat auf drei Gängen bestanden, weshalb ich erst nach vier Uhr auf mein Handy sehe, als wir das Restaurant verlassen.

Da ist die Hölle los. Mein Display quillt über von verpassten Anrufen und panischen SMS von Stans Mutter. In der ersten steht:

Die Kinder waren nicht in der Schule, als ich sie abholen wollte. Sie gehen nicht an ihre Handys. Rufen Sie mich an.

Das hat sie um sieben Minuten nach drei geschickt.

Ich kann meine Angst schmecken. Hektisch scrolle ich weiter, suche nach einer Nachricht, die mir sagt, dass alles okay ist.

1978–79

Linda braucht nicht lange, um sich an den Namen Hannah zu gewöhnen, und Jean hilft ihr. Linda liebt ihren neuen Namen. »Hannah Burgess« klingt so viel außergewöhnlicher als »Linda Taylor«. Es gab keine anderen Hannahs, als sie zur Schule ging, aber sie war eine von drei Lindas in ihrer Klasse gewesen.

Hannah und Jean mieten sich ein Zimmer in einem heruntergekommenen Wohnheim in Montpelier in Bristol, und Jean bekommt eine Stelle bei einem Friseur; ihre Arbeit dort besteht darin, die abgeschnittenen Haare hinaus auf die Straße zu fegen, wo die Hausfassaden in allen Regenbogenfarben gestrichen sind. Eines Samstags geht sie zu Woolworths und stiehlt zwei Messinggardinenringe, wie sie dort für ledige Mütter geführt werden. »Tun wir so, als wären wir verheiratet, wenn wir ausgehen«, sagt sie. Im Pub gefällt Hannah das Rollenspiel, und sie lässt ihren Ringfinger vor gierigen Männerblicken blitzen. Jean wird es bald langweilig, und sie nimmt den Ring wieder ab.

Hannah spielt mit dem Gedanken, sich bei der Arbeitssuche als Norland-Nanny auszugeben, entscheidet aber, dass es zu riskant ist. Sie gibt eine Anzeige in einem Lokalblatt auf:

ERFAHRENE NANNY, NEU IN DER GEGEND,
SUCHT GANZTAGSBESCHÄFTIGUNG.
REFERENZEN AUF ANRAGE.

Am Abend läutet das Telefon auf dem Wohnheimflur. »Ich habe Ihre Annonce gesehen«, sagt der Mann. »Meine Frau und ich sind Künstler und haben zwei wilde Söhne. Wir brauchen Hilfe.«

Hannah ist erfreut, als sie bei der Adresse ankommt. Es ist ein riesiges Haus am Rande von »Clifton Down« mit Buntglasfenstern in der Diele. Die Jungen sind langhaarig, streitlustig und undiszipliniert, aber das Zimmer, das sie Hannah zeigen, ist hübsch, die Bezahlung ist gut, und Hannah ist das Zusammenwohnen mit Jean leid.

Jean klammert zu sehr, seit sie hergezogen sind. Hannah ist der mangelnde Ehrgeiz ihrer Freundin zuwider, ihr Gejammer und ihre kleinlichen Eifersüchteleien. Das Zimmer, das sie sich teilen, ist zu klein, und die Freundschaft fängt an, sie zu ersticken. Hannah findet es zunehmend schwieriger, Jean nicht anzufahren, aber sie weiß, dass sie vorsichtig sein muss. Jean ist die Einzige, die Hannahs wahre Identität kennt, und so soll es tunlichst bleiben.

Dieser Job bietet ihr das Entkommen, das sie braucht.

Noch ein Pluspunkt ist, dass die Eltern viel zu chaotisch scheinen, um auf detaillierte Referenzen zu pochen. Hannah rechnet damit, dass ihr gefälschtes Schreiben ausreicht.

»Ich würde die Stelle sehr gern annehmen«, sagt sie ihnen.

»Gott sei Dank!« Die Mutter neigt den Kopf übertrieben tief, sodass die Enden des Seidenschals, den sie sich um das Haar gewickelt hat, in die Bombay-Mix-Krümel auf dem Küchentisch hängen.

»Dann nichts wie weg mit dem Tee!«, sagt der Vater. Er schiebt ihre Becher beiseite und greift nach einer Weinflasche und drei Gläsern. Was für eine fabelhafte Geste, *denkt Hannah,* sehr feurig. *Sein Hemd rutscht nach oben, als er sich nach den Gläsern streckt. Er ist gertenschlank, und eine schwarze*

Haarlinie zieht sich vom Bauchnabel bis unter den Jeansbund. Hannah bemüht sich, nicht hinzustarren. Er schenkt ihr großzügig ein.

Die Frau ist gesprächig und nett, doch Hannah gefällt es nicht, dass ihre Bluse so weit offen steht, dass die tiefe Furche zwischen ihren BH-losen Brüsten sogar für die Jungen zu sehen ist.

»Tagsüber werden Sie nicht viel von mir sehen«, sagt die Frau. »Mein Atelier ist ganz hinten im Garten. Ich liebe es! Mir ist es so wichtig, einen Raum außerhalb des Hauses zu haben, damit ich weg von allem hier bin und mich auf meine Arbeit konzentrieren kann.«

Ist auch der beste Platz für dich, *denkt Hannah.* Meinetwegen darfst du da mit dem Kompost vergammeln.

»Ich hingegen werde im Weg sein«, sagt der Mann. »Ich arbeite oben. Was ich auch vorziehe. Ich würde wahnsinnig, wäre ich den ganzen Tag mit mir allein, und ich mag es, die Jungs zu hören. Nicht wahr, ihr Äffchen?« Er springt auf und jagt die beiden zum Spaß aus dem Zimmer.

»Willkommen in der Familie!« Die Frau erhebt ihr Glas. Hannah will mit ihr anstoßen, doch die Frau bemerkt es nicht und stürzt den Wein in einem Zug herunter. »Gut!«, sagt sie und füllt das Glas bis an den Rand nach. »Zurück an die Arbeit! Sehen wir uns morgen?«

Hannah bleibt allein zurück und steht auf. Da sie noch nie zuvor Wein getrunken hat, ist sie ein wenig beschwipst. Der kleinere Junge erscheint an der Tür.

»Meine Mummy ist berühmt«, sagt er.

»Aha«, sagt Hannah. »Dann hat sie sicher viel zu tun.«

Er nickt. Der Kleine sieht vollkommen geschafft aus. Er sollte längst im Bett sein, *denkt Hannah.* Diese Eltern wissen nicht, was sie tun. Nanny Hughes wäre entsetzt.

»Möchtest du, dass ich dir eine Geschichte vorlese?«, fragt sie.

Er kuschelt sich neben sie auf das Sofa und steckt den Daumen in den Mund. Seine Fußsohlen sind schmutzig, und seine Fingernägel müssen geschnitten werden. Morgen wird sie dafür sorgen, dass er vor dem Schlafengehen badet. Beim Vorlesen riecht sie Gras aus dem Zimmer oben. Keiner der Eltern taucht wieder auf, und der Junge ist eingeschlafen, ehe Hannah auf der letzten Seite angekommen ist.

Im ersten Jahr, nachdem Hannah den Job übernommen hat, leben sie und Jean sich auseinander. Der Auslöser ist ein Mann. Jean verliebt sich bis über beide Ohren in Arthur Wagner, einen intelligenten, verkrampften Mann, der bei Rolls-Royce in Filton arbeitet. Er sagt, dass er noch Großes vorhat, und Jean erzählt Hannah, dass sie davon träumt, mit ihm in einem nagelneuen Haus in Stoke Bishop zu wohnen. Sie will Arthur um jeden Preis, doch als sie ihn ihr vorstellt, missfällt Hannah, dass er Jean für ihre Getränke im Pub bezahlen lässt. So benimmt sich ein Gentleman nicht. Hannah geht zur Hochzeit der beiden und findet, dass Jean in ihrem herabgesetzten Chloé-Kleid sehr dünn aussieht. Als sie Jean das nächste Mal trifft, muss Hannah für ihren Tee bezahlen, weil Jeans Haushaltsgeld aufgebraucht ist. Jean redet unentwegt von ihren Bemühungen, schwanger zu werden, und Hannah bemerkt den gelblichen Schatten eines Veilchens unter dem Abdeckpuder um Jeans Auge.

Es ist ein beklemmendes Treffen. Kurze Zeit später bekommt Hannah einen Brief von Jean, in dem sie schreibt, Arthur hätte einen neuen Job und sie würden nach Surrey ziehen, wo sie hoffen, ein neues Leben anfangen zu können. Lieber du als ich, *denkt Hannah. Sie stellt fest, dass ihr Jean überhaupt nicht fehlt.*

Bei der Arbeit hat Hannah mit ihren eigenen Herausforderungen zu kämpfen. Sie begreift, dass die beiden Jungen unterschiedlich behandelt werden müssen.

Der Kleinere, inzwischen fünf, ist gut zu haben und lechzt nach Zuneigung. Im ersten Jahr muss sie ihm Hunderte Male durch das zerzauste Haar gefahren sein, und seine Hand in ihrer ist so vertraut wie früher die ihres eigenen kleinen Bruders. Sie mag ihn und findet ihn ausgesprochen leicht zu erziehen. Der Ältere, Hugh, ist misstrauischer und nicht annähernd so unkompliziert wie sein Bruder.

Hugh mag Hannah von Anfang an nicht und macht ihr das Leben schwer. Zunächst hält Hannah sich an die Strategien von Nanny Hughes, um ihn für sich zu gewinnen, aber keine davon funktioniert. Hannah hat Nanny Hughes nie mit größeren Kindern arbeiten sehen, daher kommt sie zu dem Schluss, dass sie sich wohl selbst eine Strategie ausdenken muss. Sie beschließt, ihn mit seinen eigenen Waffen zu schlagen, und tischt seinen Eltern ein paar Lügen auf, was sein schlechtes Benehmen angeht, wobei sie direkt hinzufügt, sie hätte ihn schon mehrfach beim Lügen ertappt. Sie glauben ihr. Inzwischen hat sie sich unentbehrlich gemacht. Und sie lassen sie entscheiden, wie Hugh zu bestrafen sei. Zuerst klappt es damit, ihn in sein Zimmer zu sperren, doch nach einer Weile scheint es seinen Trotz zu befeuern. Sie muss sich etwas Neues einfallen lassen. Hannah konfisziert einige seiner Lieblingssachen und verbietet ihm das Fernsehen.

Als ihn auch diese Maßnahmen nicht folgsamer machen, tut Hannah eines Tages, was sie schon seit Monaten tun will: Sie kneift ihn. So hatte sie es früher mit ihren kleinen Geschwistern gehalten. Hannah versteht es, gerade eben so fest zu kneifen, dass kein großer Bluterguss entsteht. In ihrem Zuhause musste man leugnen können, und hier muss sie es ebenfalls. Sie weiß, was die empfindlichsten Stellen sind. Und Hughs Entsetzen ist unbezahlbar!

Natürlich verpetzt er sie. Sein Vater ist im Pub, also rennt Hugh hinaus in den Garten zum Atelier seiner Mutter. Hannah beobachtet vom Haus aus, wie seine weißen Fußsohlen über die Pflastersteine fliegen und er durch die Ateliertür stürmt. Streng verboten. Die Mutter erwartet, dass jeder klopft, bevor er eintritt, und das auch nur im absoluten Notfall. Hannah stellt sich Hugh drinnen vor, hochrot und wütend, wie er sein Märchen erzählt, er wäre gemein gekniffen worden. Der Junge hat solch einen ausgeprägten Sinn für Richtig und Falsch. Ungerechtigkeit macht ihn fassungslos. Und Hannah stellt sich die Reaktion seiner Mutter vor. Die dürfte nach all dem Wein und dem Starren auf ihre hässlichen Gemälde glasige Augen haben. Sie wird von ihrer Liege hochschießen und sagen: »Verpiss dich, Schatz. Das würde Hannah niemals machen.«

Hannah steht an der Küchenspüle, als Hugh wieder reinkommt. Er sieht aus wie ein getretener Hund.

»Komm mal her«, sagt sie.

Mit gesenktem Kopf nähert er sich ihr. »Sieh Hannah an.« Sie legt ihm einen Finger unter das Kinn und hebt es an, bis sie sieht, dass sich die Sehnen an seinem Hals straffen. Sein Blick geht zur Seite.

»Sieh. Mich. An«, wiederholt sie. Mit der anderen Hand kneift sie ihn in die Haut direkt unter der Achsel. Und drückt zu. Jetzt sieht er sie an. Mit solch einem Hass.

»Es ist ganz einfach, Hugh«, sagt sie. »Ungezogene Jungen bekommen, was sie verdienen. Wenn du artig bist, tue ich dir nicht weh. Du musst dich damit abfinden, dass eure Mutter sich nicht richtig um euch kümmern will, und hier zähle ich. Jetzt geh in dein Zimmer. Es ist Schlafenszeit.«

Später am Abend kommt der Mann nach Hause, als Hannah

gerade mit einem Becher Tee nach oben geht. Sie trägt nichts als ein großes Herrenhemd. Das hatte sie aus einer Schublade in dem Haus in Leeds genommen, bevor sie ging. Seiner Schublade. Als Erinnerung. Genau wie die beiden Porzellankatzen, die in ihrem Zimmer stehen. Die stammen aus dem Kinderzimmer dort.

Der Mann sieht sie hungrig, wölfisch an, starrt auf ihre Beine. Dann wandert sein Blick absichtlich langsam nach oben, und sie sieht ihm an, dass er die Fantasie auskostet, was unter dem Hemd ist. Das passende Sehnen in ihr ist überwältigend.

»Habe ich Ihnen gezeigt, woran ich gerade arbeite?«, fragt er. Es soll scherzhaft klingen, aber das Verlangen verleiht seiner Stimme einen belegten, gefährlichen Ton. Hannah antwortet nicht. Sie setzt ihren Weg nach oben fort und hört, dass er ihr folgt. Sollte sie nicht an seinem Atelier vorbei und in ihr Zimmer gehen, wo sie leicht den Schlüssel von innen umdrehen kann, bevor er da ist?

Sie erreicht die Tür mit dem farbverschmierten Knauf und öffnet sie. Drinnen ist es dunkel. Hannah schaut zum Fenster hinaus und kann durch das Oberlicht des Ateliers sehen, dass seine Frau reglos auf dem Tagesbett liegt. Ausgeknipst vom Wein. Der Mann schaltet das Licht nicht an. Er steht dicht hinter ihr. Berührt sie nicht. Auf einmal unsicher? Sie dreht sich um und küsst ihn. Es ist bloß ein Streifen der Lippen, ein angehaltenes Atmen.

»Gott, das will ich schon so lange«, murmelt er. Dieser Moment ist elektrisierend, und sie glaubt – hofft –, dass er zu betrunken ist, um zu bemerken, dass sie Jungfrau ist.

JO

Die SMS von Stans Mutter sind ein Echtzeitprotokoll von fünfundvierzig Minuten blanker Panik, in denen sie versucht, Ruby und Stan zu finden. Mein Herz hämmert, als ich sie durchlese, obwohl ich schon die Nachricht gesehen habe, die schlicht lautet:

Gefunden. Es geht ihnen gut.

Darauf folgte:

Rufen Sie mich an.

Dann:

Übrigens hatten Stan und Ruby den Schulbus zurück nach Lake Hall genommen. Irgendwie haben sie den Busfahrer überredet, sie mitzunehmen – weiß der Himmel, wie –, und als sie dort ankamen, hat mir KEINER BESCHEID GESAGT, und als ich endlich heraushatte, wo sie sind, und dort ankam, um Stan zu holen, waren sie unbeaufsichtigt und STIEGEN GERADE IN EIN KAJAK AN DEM SEE, AUS DEM ERST VOR KURZEM EINE LEICHE RAUSGEZOGEN WURDE.

Ihre nächste Nachricht ist nur noch:

Kennt Ihre Familie gar keine Grenzen?

Ich schäme mich unglaublich und rufe sie an. Sie klingt nur wenig ruhiger. Ich halte es schlicht und sage ihr, dass ich auf dem Heimweg bin und mir unendlich leidtut, was passiert ist. Ich verspreche, mit allen Beteiligten zu reden und sie anzurufen, sobald ich der Sache auf den Grund gegangen bin. Sie reagiert frostig.

Von der Bahnhofshalle in Paddington aus versuche ich, mit Ruby, Anthea und Mutter zu reden. Während mir die Ansagen in das eine Ohr dröhnen, schluchzt Ruby mir ins andere: »Wir wollten ja gar nicht auf den See, nur im Kajak am Ufer sitzen. Ich bin doch nicht blöd!« Ich bitte sie, mir Anthea zu geben, und sie erzählt mir recht wirr den Ablauf der Ereignisse, unterlegt mit Wut und einer klaren Schuldzuweisung an meine Mutter. Schließlich sagt Mutter: »Es ist ein simples Missverständnis. Stanleys Mutter reagiert vollkommen übertrieben und ziemlich unhöflich noch dazu, muss ich sagen. Sie hat die arme Anthea angeschrien, dabei war es ja nicht Antheas Schuld, dass ich es nicht ausgerichtet hatte. Die Kinder waren nie in Gefahr.«

Die Gleisnummer meines Zuges wird aufgerufen, und Leute schwärmen in die entsprechende Richtung.

»Wir reden, wenn ich zu Hause bin«, sage ich. »Versuch bis dahin gut auf Ruby aufzupassen.«

Als ich endlich zu Hause bin, sitzt Anthea in der Diele. Sie hat ihren Mantel an und eine Tasche neben sich.

»Sie hätten nicht warten müssen.«

»Ich muss Ihnen meine Version der Geschehnisse erzählen. Dafür lasse ich mir nicht die Schuld zuschieben.«

»Keiner gibt Ihnen die Schuld.«

Sie wischt sich eine Träne ab.

»Ich höre zu. Also, was war los?«

»Mir hatte keiner gesagt, dass Ruby nicht nach Hause kommen sollte. Ich habe die Kinder am Bus abgeholt, wie Sie gesagt hatten. Natürlich hatte ich nicht mit Stan gerechnet, aber Ruby hat mir ganz keck erzählt, dass er seiner Mum eine Nachricht geschrieben hat und es okay ist, und er hat genickt. Da habe ich ihnen geglaubt. Selbstverständlich hätte ich angerufen, wenn ich gewusst hätte, dass sie nicht hier sein sollen. Aber Ihre Mutter hat mir Ihre Nachricht ja nicht ausgerichtet. Und Ruby hätte mich nicht belügen dürfen! Es geht nicht, dass Sie mir diese Verantwortung auch noch aufladen. Für mich ist es schon schlimm genug, Ihre Familie im Dorf in Schutz zu nehmen. Wissen Sie, was die über den Schädel sagen? Die Leute fragen mich dauernd, und mir reicht es. Den Dreck für Leute wie Sie aufzukehren ist nicht meine Aufgabe.«

»Sie haben recht. Es tut mir leid.« Ich fühle mich schlecht, weil das teils auch meine Schuld ist. Ich hatte vergessen, Anthea nochmal anzurufen, ob sie die Nachricht von morgens bekommen hat.

»Mir ist das zu viel Verantwortung, für Ihre Mutter und auch noch die Kinder zu sorgen. Und die Polizei war wieder hier. Ich habe ja so schon nicht die Zeit, meine normale Arbeit zu machen.«

»Es tut mir wirklich leid. Ich sorge dafür, dass das nicht wieder vorkommt.«

Ich sehe Ruby auf dem Treppenabsatz. »Komm her«, sage ich.

Sie schlingt die Arme um mich und vergräbt den Kopf an meinem Hals. »Was ist passiert, Ruby? Warum bist du nicht mit zu Stan gegangen? Und wie kam es, dass der Fahrer euch in den Bus gelassen hat?«

Die Worte sprudeln so schnell aus ihr heraus, dass ich kaum mitkomme. »Mein Name steht auf der Busliste, Stans nicht, aber Stan hat dem Fahrer gesagt, dass er mit zu mir kommt, und der Fahrer war neu und dachte, es ist okay. Er hat nur geguckt, ob Stan mit mir aussteigt, und Anthea war ja da, und Stans Mutter war sowieso zu spät, deshalb war sie gar nicht da, und er hat seiner Mutter geschrieben, was wir machen, aber sie hat das nicht gekriegt.«

Noch ein Versagen von mir. Ich hätte die Schule anrufen und ihnen Rubys Pläne mitteilen sollen, damit ihr Name nicht auf der Busliste landete.

»Und das Kajak? Sag die Wahrheit.«

»Wir wollten nur da drinsitzen, ehrlich. Aber Stans Mum war richtig sauer auf mich. Sie hat total laut geschrien.«

Ruby beginnt zu weinen, und auch Anthea schnieft geräuschvoll. Ich weiß nicht, wem ich mich zuerst zuwenden soll.

»Anthea«, sage ich. »Es tut mir sehr leid, dass Ihnen Vorwürfe gemacht wurden, denn das ist unfair. Wie wäre es, wenn Sie nach Hause gehen und wir morgen reden, wenn alle sich wieder beruhigt haben?«

»So geht das nicht weiter. Es ist zu viel. Ihre Mutter braucht, schon wenn sie gesund ist, mehr Hilfe, als ich leisten kann. Und jetzt?«

»Das verstehe ich. Vielleicht ist es besser, wenn wir am Freitag reden, da ist mein freier Tag. Bitte. Ich könnte Sie zum Mittagessen einladen. Ihre Hilfe bedeutet uns allen so viel. Ich möchte, dass Sie hier glücklich sind.«

»Das geht nicht. Ich habe meine eigene Mutter, für die ich sorgen muss. Das ist nicht leicht. Vielleicht ist es das Beste, wenn ich mich verabschiede.«

»Das verstehe ich«, sage ich. »Aber bitte entscheiden Sie das nicht heute Abend. Schlafen Sie eine Nacht drüber.«

Sie ist zu aufgewühlt, um irgendwas zu sagen, und als sie zur Tür geht, halte ich sie ihr auf. Ihr tränenreiches Nicken hat etwas schrecklich Endgültiges. »Ich schreibe Lady Holt und erkläre es ihr. Ich will sie nicht hängen lassen, aber auch ich komme mal an meine Grenzen.«

»Ruby«, sage ich, nachdem ich die Tür hinter Anthea geschlossen habe. »Heute Nachmittag sind eine Menge Sachen schiefgegangen, an denen wir alle zusammen irgendwie schuld sind und zugleich keiner von uns. Aber du darfst nicht einfach Pläne ändern, ohne es vorher mit mir abzusprechen. Und du darfst nicht lügen. Nie. Versprichst du mir das?«

»Ja, versprochen. Stans Mum sagt, er darf nicht wieder herkommen.«

»Sie war wütend. Sicher wird sie es anders sehen, wenn sie sich beruhigt hat.«

»Nein, wird sie nicht. Sie hat gebrüllt.«

»Doch, wird sie.«

»Und in der Schule sagen sie, dass ich ein Zombie aus dem See bin und wir Leute umbringen und sie da reinwerfen.«

»Oh, Süße, das ist schlimm, aber es ist nur dummes Gerede. Das weißt du doch, oder? Morgen werden sie nicht mehr so sein, okay? Jetzt bleib bitte hier unten, denn ich möchte mit Granny reden. Mach den Fernseher an, wenn du willst.«

Ich öffne die Tür zu Mutters Zimmer; drinnen ist es dunkel. Sie schläft oder tut so. Ich schleiche zurück auf den Korridor, wo Ruby mich erschreckt.

»Ich hasse es hier!«, sagt sie.

Ich nehme sie in die Arme. »Morgen fühlt sich alles besser an. Und ich verspreche, dass wir so bald wie möglich hier wegziehen. Ehrenwort. Aber bis dahin müssen wir tapfer sein, tapfer und stark, und das Beste aus dem machen, was wir haben.«

»Wenn wir wegziehen, soll Granny auch mitkommen. Sonst ist sie einsam hier, ganz allein.«

Ich drücke sie fester und hoffe, dass es sich für sie nach Liebe anfühlt, nicht wie bei mir, als hätte ich eine Schlinge um den Brustkorb, die mich zu ersticken droht.

Später am Abend kann ich wegen all dem, was mir durch den Kopf geht, nicht schlafen und gehe auf die Facebook-Seite der Mütter aus Rubys Klasse.

Stans Mum hat etwas Niederschmetterndes dort gepostet:

DRINGEND. Wir müssen die Verabredungen nach der Schule übersichtlicher organisieren. Wir brauchen ein System, bei dem die Schule direkt informiert wird, damit wir nicht durchdrehen vor Sorge, wenn sich andere Eltern und/oder der Schulbusfahrer unverantwortlich verhalten.

Es könnte schlimmer sein. Wenigstens hat sie uns nicht namentlich genannt, aber ich fürchte, sie wird viele private Anfragen bekommen, was denn war, und es dann tun.

Eines jedenfalls ist klar: Ich brauche eine andere Betreuung für Ruby, und das Einzige, was mich nicht vollends verzweifeln lässt, ist der Entschluss, dass ich meinen Mut zusammenraffen und Hannah fragen werde, ob sie helfen kann.

VIRGINIA

Sobald ich sicher bin, dass Jocelyn draußen ist, öffne ich die Augen. Ich ertrage es nicht, hier zu liegen und mir von ihr lauter Vorwürfe entgegenschleudern zu lassen, was garantiert geschehen wäre.

Letztlich ist heute gar nichts passiert. Ruby wäre nicht auf den See hinausgepaddelt. Dafür ist sie viel zu klug und umsichtig. Sie himmelt ihren Freund an. Die ganze Geschichte mit dem Schulbus war einfach ein Durcheinander. Heutzutage sind die Eltern so schrecklich ängstlich.

Mein Kopf tut weh, und Schmerz krallt sich in meinen Nacken und Rücken, wenn ich mich bewege. Vielleicht war es zu früh, die starken Schmerzmittel abzusetzen, aber ich bleibe eisern. Mit einiger Mühe drehe ich mich auf die Seite. Alexander beobachtet mich von dem gerahmten Schwarz-Weiß-Foto auf meinem Nachttisch aus. Wie sehr ich mir wünsche, er wäre hier. Ich wünsche es mir mit jeder müden, schmerzenden Faser meines Seins. Die Bürde, all unsere Geheimnisse allein zu wahren, ist fast so schwer auszuhalten wie meine Verletzungen.

In einem Zustand zwischen Wachen und Schlafen leuchten Erinnerungen auf und erlöschen wieder wie Glühwürmchen: Partys, Urlaube, ruhige Zeiten, intime Momente. Diese hübschen Bilder kommen mir wie ein Luxus vor dem unvermeidlichen Augenblick vor, in dem sich der Himmel verdunkelt und mein Denken bitter und furchterregend wird.

Als Kind gehörte unsere Tochter einer anderen Frau, und es war mir mehr als nur ein Dorn im Auge. Vielmehr war es wie ein Mühlstein an meinem Hals, der mich brach.

Es war an einem Samstagabend. Wir hatten sechs Gäste zum Dinner eingeladen. Sie waren am Nachmittag gekommen, um mit uns das Grand National zu sehen, folglich begannen alle, früh zu trinken, und schon vor dem Essen wurden die ersten Linien Kokain gezogen. Ich machte nicht mit. Ich mochte es nicht, betrunken zu sein oder die Kontrolle zu verlieren, das mochte ich noch nie, was ich wohl all den Jahren verdanke, die ich Alexander am Kartentisch beobachtete. Einer von uns musste auf der Hut bleiben, so wenig es uns am Ende auch nützte. Er fand reichlich Wege, hinter meinem Rücken zu spielen.

An jenem Wochenende blieb ich nüchtern und bestand darauf, dass die Drogen hinter verschlossener Tür genommen wurden. Schließlich lebte ein Kind in unserem Haus. Das Personal ließ ich schon vor dem Dinner gehen. Mir machte es nie etwas aus, selbst zu servieren und auf diese Weise unsere Privatsphäre zu schützen. Überdies haben Wände bekanntlich Ohren.

Hannah blieb natürlich. Sie war immerzu da, nahm sich an ihren freien Tagen kaum je wirklich frei. Ihre Aufgabe war es, Jocelyn zu beschäftigen. Am späten Nachmittag, als unsere Gäste bereits rote Wangen hatten und sehr fröhlich waren, bat ich Hannah, Jocelyn anzuziehen und ein wenig früher als geplant nach unten zu bringen, damit sie alle begrüßte, bevor der Abend weiter fortschritt.

Ich hatte ein Kleid für Jocelyn ausgesucht. »Sie muss nicht lange unten bleiben«, sagte ich zu Hannah. »Ein kurzes ›Hallo‹ sollte genügen, und danach können Sie sie wieder ins Kinderzimmer bringen.« Ich wollte, dass Jocelyn den Moment genießt.

Als Kind hatte ich es gemocht, den Freunden meiner Eltern präsentiert zu werden. Es war etwas Besonderes, in einem hübschen Kleid nach unten zu kommen, sich zu drehen und einen winzig kleinen Schluck Champagner probieren zu dürfen.

Außerdem gingen mir die Ideen aus, womit ich Jocelyn eine Freude machen könnte. Und, bei Gott, ich hatte alles ausprobiert, was mir einfiel! Also war dies quasi ein letzter, verzweifelter Versuch.

»Selbstverständlich, Lady Holt«, sagte Hannah.

Heute frage ich mich, was die vielen Male in ihr vorgegangen sein mochte, die sie mir diese Antwort gab. Falls ihre Frustration einem Höhepunkt entgegenging, ließ sie es sich nicht anmerken. Noch nicht.

Ich höre ein Telefon klingeln. Nicht das Haustelefon, sondern ein Handy. Leises Murmeln folgt, als Jocelyn sich meldet. Sie muss im Flur draußen sein. Ich versuche, mich aufzusetzen. Es ist halb elf. Wer ruft um diese Zeit an? Vielleicht spricht sie mit jemandem in Kalifornien.

Sie sagt: »Hannah! Vielen Dank, dass Sie mich zurückrufen. Es tut mir so leid, dass ich mich so spät melde, aber ich bin in einer Zwickmühle, denn ich glaube, Anthea verlässt uns, und ich weiß nicht, an wen ich mich sonst …« Hier bricht ihre Stimme ab, weil sie ihre Zimmertür schließt.

Es ist wie ein Schlag in den Magen. Anthea geht, und Jocelyn holt Hannah wieder in unser Zuhause. *Selbstverständlich tut sie das.* An wen sonst würde sie sich wenden, um sich mit Ruby helfen zu lassen?

Ich sehe zu den Beuteln mit Medikamenten auf meinem Nachttisch. Alexanders Gesicht starrt mir von dem Foto daneben entgegen. Ich könnte sie alle nehmen und zu ihm gehen, wo er auch sein mag. Es ist verlockend. Doch ich habe meine Tochter so lange beschützt, da werde ich jetzt nicht damit aufhören.

An dem Abend der Party gaben wir Jocelyn eine von meinen Pillen. Etwas Besseres fiel uns nicht ein. Wir gaben ihr eine Tablette und hofften auf das Beste.

»Sie schläft«, sagte Alexander, als er aus ihrem Zimmer kam. Er wirkte wie ein Mann unmittelbar vor dem Absturz in den Wahnsinn.

»Was hat sie gesehen?«

Er konnte nicht antworten, zitterte wie ein Hund auf dem Weg zum Tierarzt. Ich hielt seinen Kopf mit beiden Händen ruhig und wollte ihm in die Augen blicken, aber er konnte mich nicht ansehen. Da schlug ich ihm mit der flachen Hand auf die Wange. »Was hat sie gesehen?«, schrie ich, obwohl ich es besser nicht getan hätte. Es hätte genau die eine Sache sein können, die uns vernichtete. Sanft legte er mir die Hand auf den Mund.

»Schhh«, machte er. »Ist schon okay. Sie schläft.« Seine Pupillen waren klein wie Stecknadelköpfe, und Schweiß glänzte an seinen Schläfen. Der Flur im Dachgeschoss schien sich um uns zusammenzuziehen.

Während wir redeten, lag Hannah auf der Hintertreppe, ihre Gliedmaßen in einem abscheulich unnatürlichen Winkel abgespreizt. Blut sammelte sich unter ihrem Kopf und verklebte das schimmernde Haar. Ihre Augen waren geschlossen, worüber ich froh war.

»Hol eine Decke«, sagte ich.

Wir wickelten sie hinein und verschnürten sie mit dem Handlaufseil, das sich aus der Wand gelöst hatte, als sie danach griff. Dann trugen wir sie die Treppe hinunter, ich ihre Füße. Einer ihrer Schuhe fiel ab und purzelte klappernd die Stufen hinunter, und ihr Kopf rollte schaurig an Alexanders Brust hin und her. Wir brachten ihre Leiche in den Hof hinter der Küche, wo wir sie in den Kohlenschuppen schlossen.

»Hier können wir sie nicht lassen«, sagte Alexander.

»Müssen wir aber fürs Erste. Den Rest regeln wir später. Geh rein, wechsle das Hemd, du bist voller Kohlenstaub und ...« Ich wollte nicht Blut sagen, doch er war vollgeschmiert damit. »Dann gehst du zurück zu den Gästen. Sag ihnen, Jocelyn wäre krank und hätte dich vollgespuckt. Aber die Nanny und ich wären bei ihr. Ich komme so schnell wie möglich nach.«

»Wir müssen das Blut wegmachen.«

»Genau das habe ich vor.«

Ich ging zurück ins Dachgeschoss und überprüfte meine Kleidung. Sie war makellos, Gott sei Dank. Ich zog das Kleid und die Strumpfhose aus und holte einige Handtücher und Shampoo aus dem Bad. Jocelyns ruiniertes Kleid lag auf dem Boden und stank immer noch. In Unterwäsche hockte ich auf der Treppe und schrubbte sie. Ich arbeitete so schnell und geräuschlos, wie ich konnte. Von den Stufen oben sah ich Jocelyns Zimmertür. Sie durfte nicht aufwachen. Ich stopfte die blutigen Handtücher und Jocelyns Kleid in den Wäschebeutel im Bad, bevor ich mich in die Wanne stellte und mit der Handbrause abduschte. Das Wasser war so kalt, dass ich nach Luft schnappte, aber es fühlte sich wie eine Strafe an, vertrieb meine Panik und ermahnte mich, die Nerven zu behalten.

Als ich die Unterwäsche, die Strümpfe und das Kleid wieder anzog, war mein Atem ruhiger. Ich sah in den gesprungenen Spiegel und holte tief Luft. Alexander und ich hatten uns einem bestimmten Vorgehen verschrieben, und nun gab es kein Zurück mehr.

Jocelyns Tür war noch geschlossen, als ich aus dem Bad kam. Ich öffnete sie einen Spalt und linste hinein. Sie war ein regloser Umriss im Bett. So klein und verletzlich, solch eine kleine Seele, und es machte mir Angst, dass ich keine Ahnung hatte, was jetzt in ihrem Kopf vorging, was sie gesehen hatte und vielleicht niemals vergessen könnte.

Langsam und vorsichtig ging ich die Treppe hinunter. Die Stufen waren blitzsauber. Das Handlaufseil musste ersetzt werden. Den Wäschesack mit den blutigen Handtüchern und dem Kleid versteckte ich in einer dunklen Nische neben dem Kohlenschuppen. Ich brachte es nicht über mich, ihn zu öffnen und mir die Leiche anzusehen.

Die Nacht war ungewöhnlich warm, aber ich fühlte eine Brise vom See. Aus den Fenstern fiel Licht in die Dunkelheit. Ich musste wieder hineingehen.

»Ginny! Wie geht es der kleinen Kranken?« Milla stolperte in die Diele, als ich gerade meinen Lippenstift auffrischte. Ihre Arme waren weit ausgebreitet, und sie versuchte, mich zu umarmen, ehe sie überhaupt bei mir war. Eine Zigarette hing zwischen ihren Fingerspitzen.

»Ganz gut jetzt. Ich denke, sie muss etwas Falsches gegessen haben. Hannah und ich glauben, dass sie nur eine Nacht Ruhe braucht.«

»Übrigens, Giles gefällt mir«, sagte sie. »Du gerissenes Ding. Woher wusstest du das?«

»Oh, lass mich überlegen. Ah ja, jetzt fällt es mir wieder ein. Der richtige Typ, haufenweise Geld, seit Kurzem Single. Klingt das ungefähr nach dir?«

»Ich liebe ihn jetzt schon«, sagte sie. Ich musste sie stützen, als wir in den Blauen Salon zurückgingen, was ich jedoch beinahe als Erleichterung empfand. Es überspielte diese schreckliche Schwäche, die mich zu überwältigen drohte.

Alexander saß im Ohrensessel und schaute aus dem Fenster. Ich betete, dass er die Fassung wahrte.

»Dinner?«, fragte ich. »Entschuldigt die Verspätung.«

Georgie hievte sich hoch. »Gott, ich dachte, du fragst nie. Ich habe jetzt schon viel zu viel auf nüchternen Magen getrunken.«

Gut, dachte ich. *Je betrunkener, desto besser.*

Alexander stand auf, als Milla sich von mir löste und nach Giles' Arm griff.

Ich beobachtete Alexander. Es war, als wären nur wir zwei in dem Raum. In seinen Augen spiegelte sich so vieles, was keiner der anderen sehen durfte. *Komm schon*, dachte ich, *reiß dich zusammen. Für irgendwas anderes ist es jetzt zu spät.*

Ich legte eine Hand auf das Medaillon an meinem Hals, wie ich es tat, wenn ich glaubte, er würde am Kartentisch zu weit gehen. Er bemerkte es. Es war unser geheimes Signal, auch wenn er es manchmal ignorierte. Ich nickte, wie ich hoffte, unmerklich, um ihm Mut zu machen.

»Liebling«, sagte er, und wie aus dem Nichts erschien sein Lächeln, brachte sein Gesicht zum Strahlen. *Dem Himmel sei Dank!* »Erweist du mir die Ehre?«

Ich hakte mich bei ihm ein. »Mit dem größten Vergnügen.«

Er bedeckte meine Hand mit seiner, und ich fühlte den Schweiß in seiner Handfläche. Und ich dachte: *Wenn wir nur durchhalten, überstehen wir die Nacht vielleicht.*

Diese Erinnerung jagt kalte Schauer durch mich, die so heftig sind, dass sich meine Schmerzen verstärken und ich unweigerlich stöhne. Als sie abebben, tritt ein anderer Gedanke an ihre Stelle:

Als Jocelyn ein Kind war, hat Hannah sie so geschickt getäuscht, dass Jocelyn nichts anderes sah als die geliebte Nanny: kuschelig, freundlich, immer da. Wenn Jocelyn diese Frau, die sich Hannah nennt, in unser Leben holt, kann ich nicht einschätzen, was geschieht, denn es hängt davon ab, ob sie Hannah ist oder nicht. Dessen bin ich mir nach wie vor nicht sicher. Das Einzige, was ich mit Sicherheit weiß, ist, dass ich große Angst habe.

DETECTIVE ANDY WILTON

Andys Telefon klingelt, während er fährt.

Maxine geht dran. »Es ist das Labor.«

»Kannst du auf Lautsprecher stellen?«

Sie tippt die Taste an.

»Gibt es Neuigkeiten, oder ist das ein Höflichkeitsanruf?«, fragt Andy.

»Es gibt etwas Neues, aber das wird dir nicht gefallen.«

Maxine schneidet eine Grimasse.

»Was heißt das?«, fragt Andy.

»Wir konnten die DNS von deiner Jane Doe extrahieren, aber es gab keinen Treffer in unserem System.«

Andy ist enttäuscht. »Was ist mit der Todesursache?«

»Da kann ich höchstens sagen, dass die Schädelfraktur ausgereicht haben könnte, um sie zu töten, aber ich lege mich nicht darauf fest, dass sie die Todesursache war. Die Schwere der Fraktur ist gerade so an der Grenze.«

»Plan B?«, fragt Maxine, als das Gespräch beendet ist.

»Gesichtsrekonstruktion. Die ließe sich mit dem Schädel machen.«

»Und wie willst du den Chef dazu kriegen, das zu bezahlen?«

Andy zieht eine Ausgabe der Lokalzeitung aus dem Türfach und reicht sie ihr.

»Seite vier. Da ist noch ein Artikel zu dem Schädel. Nichts beeindruckt den Chef mehr als öffentlicher Druck.«

Sie überfliegt den Artikel. »Okay, nicht schlecht. Eine kleine Spalte«, sagt sie. »Könnte klappen.«

»Die Story wird nur immer größer, wenn wir mehr Informationen zu dem Schädel rausgeben.«

»Und zusammen mit den forensischen Infos, die wir haben …«

»Genau. Einen Versuch ist es wert, denn ich bin nicht bereit aufzugeben.«

JO

Anthea kommt nicht zurück zur Arbeit, aber Hannah rettet uns. Ihre Rückkehr in mein Leben fühlt sich nach sehr langer Zeit wie ein kleines bisschen Glück an. Als ich sie um kurzfristige Hilfe bei meinem Betreuungsdesaster bitte, sagt sie, sie hätte vorgehabt, ganz in den Ruhestand zu gehen, müsse jedoch zugeben, dass sie sich ein wenig langweile, sie könne also aushelfen. Vier Tage die Woche vor und nach der Schule für Ruby zu sorgen würde ihr gerade die Abwechslung bieten, die sie sich wünscht, und ihr zugleich viel Freizeit lassen. Und sie sagt, dass sie es vorzieht, nach Lake Hall zu kommen. »Es ist besser für Ruby, wenn sie in ihrem Zuhause ist.«

Sie nennt einen hohen Preis, trotzdem stimme ich sofort zu. Mir bleibt keine Wahl, und ich will sie nicht beleidigen, indem ich verhandle. Ich muss mir etwas ausdenken, wie ich sie bezahle.

Am ersten Tag nach Antheas Kündigung wursteln wir uns durch, indem Geoff sich bereit erklärt, Ruby zum Schulbus zu bringen und abzuholen. Am zweiten Tag übernimmt Hannah.

Ich bekomme eine SMS von ihr, als ich aus dem Zug steige.

Ruby ist gut zum Bus gekommen. Nicht glücklich, aber auch nicht unglücklich. Ich habe ihren Lesebericht unterschrieben, weil Sie es wohl vergessen hatten. Es macht

Ihnen hoffentlich nichts aus. Ich bleibe noch ein wenig, falls Ihre Mutter Hilfe beim Aufstehen braucht, und möchten Sie, dass ich eine Annonce wegen einer neuen Haushälterin für das Anschlagbrett im Dorfladen entwerfe? Hxxoo

Ich bin unglaublich erleichtert und dankbar. So schnell, wie alles aus den Fugen geraten ist, richtet Hannah es wieder.

Tausend Dank! Das wäre großartig. Jxx

Viel Glück heute. Hxxoo

☺

Ich atme tief durch und erlaube mir, daran zu glauben, dass ich es hinbekomme mit diesem Job.

Faversham verlangt, dass ich beim Tee mit dem Kaufinteressenten für das Stillleben dabei bin.

»Er möchte meine Privatsammlung sehen«, sagt er. »Wir haben denselben Geschmack.«

Am Nachmittag gehen wir zu Fuß zu Favershams Wohnung. Sie befindet sich im ersten Stock eines noblen Gebäudes nur zehn Minuten von der Cork Street. Oben schließt Faversham auf; seine Wohnung zu betreten ist, als würde ich in der Zeit zurückreisen. Es riecht nach Zigarettenrauch und altmodischem Rasierwasser.

Das Wohnzimmer geht nach vorn hinaus. Drei hohe und breite Fenster bieten einen Ausblick auf die Straße, und ein prächtiger schwarzer Marmorkamin beherrscht das eine Ende des Raumes. Am auffälligsten aber sind die Gemälde und Zeichnungen, die sämtliche Wände bedecken und zwischen deren edlen Rahmen kaum noch Lücken bleiben. Es sind ausnahmslos Bilder von nackten oder halb nackten Frauen, die auf kostbaren Stoffen liegen oder diese auf ihrem Körper drapiert haben. Sie blicken den Betrachter direkt an, kokett oder unverhohlen einladend. Und sie machen mich verlegen.

Faversham bittet mich, Platz zu nehmen, und setzt sich mir gegenüber hin. Als er die langen Beine überkreuzt, blitzen rote Socken hervor.

»Ihr Vater verabscheute meine Gemälde«, sagt er und weist zu den Wänden.

»Es ist eine außergewöhnliche Sammlung.«

»Ja, dem stimme ich zu, doch ich denke, Alexander hätte gute Militärszenen vorgezogen. Schlachtschiffe bei Sonnenaufgang, Kanonenfeuer und Ruhm.«

»Mag sein. Oder ein Porträt seiner Hunde.«

»Stimmt. Ja, das wäre wohl eher sein Fall gewesen. Ich glaube, eigentlich hatte er das Connaisseur-Gen der Holts nicht, aber Sie besitzen es.«

»Danke.« Ich fühle mich geschmeichelt.

»Hören Sie, ich möchte noch mit Ihnen sprechen, weil der Käufer des Stilllebens nervös ist.«

»Warum?«

»Die Provenienz. Er will einen Nachweis, wer die Vorbesitzer waren.«

»Wenn das Gemälde meiner Familie gehört hat, wird es gestempelt sein. Irgendwo auf der Rahmenrückseite müsste ein ›H‹ eingebrannt sein.«

»Es ist gestempelt«, sagt Faversham, »aber er ist ermüdend pingelig und will einen Beleg dafür, von wann bis wann es in Ihrer Familiensammlung war und wo Ihr Großvater es gekauft hat.«

Der Summer schrillt, und Faversham schnalzt mit der Zunge. »Er kommt zu früh.«

Faversham begrüßt den Käufer überschwänglich und führt

ihn ins Wohnzimmer. Paul Mercier trägt eine randlose Brille, ein offenes Hemd mit teurem Logo, schwarze Jeans und Budapester. Wir schütteln einander die Hand, und er hält meine rund eine Sekunde länger, als mir lieb gewesen wäre, bis die Bilder seine Aufmerksamkeit auf sich ziehen.

»Außerordentlich!«, sagt er.

Faversham grinst wie ein Honigkuchenpferd. Ich stehe einige Schritte hinter ihnen, während Paul die Gemälde betrachtet, versuche, professionell zu wirken, fühle mich aber unwohl.

»Darf ich fragen, was Sie an dem Stillleben reizt?«, frage ich Paul. »Es ist so anders als das, was meinem Eindruck nach den Großteil Ihrer Sammlung ausmacht.«

Sein Blick fühlt sich an, als würde er mich auf meinen Sessel drücken und mir die Kleider vom Leib schälen. »Was sind die Gewissheiten im Leben?«, fragt er.

»Der Tod und die Steuern, heißt es.«

»Die Steuern sind langweilig, aber was den Tod betrifft, haben Sie recht. Mich erstaunt, dass Sie die Liebe nicht erwähnen.«

»Liebe ist keine Gewissheit.«

»Es ist nicht gewiss, dass wir sie finden, sehr wohl hingegen, dass wir alle sie uns wünschen, nicht wahr?«

»Stimmt.«

»Ich besitze schon sehr viele Gemälde, die für die Liebe stehen, wie diese hier. Deshalb dachte ich, es könnte interessant sein, mal zum anderen Ende des Spektrums zu gehen und zum Thema Tod zu sammeln.«

Ich möchte erwidern: *Sinnlichkeit ist nicht Liebe. Ebenso wenig ist amouröse Liebe die einzige Form von Liebe.* Aber das sage ich nicht. Ich bin hier, um zu verkaufen, also sage ich stattdessen: »Wie faszinierend. Ist es das erste Vanitas-Stillleben, das Sie kaufen?«

»Das zweite. Vor einigen Monaten habe ich eins von Edward Collier gekauft.«

»Was für eine fantastische Wahl.« Er muss sehr vermögend sein.

»Wie ich es verstanden habe, gehörte das Stillleben früher Ihrer Familie.«

»Richtig. Wir alle haben es sehr gemocht.« Zumindest nehme ich das an. Und es schadet nicht, wenn er das glaubt.

»Und ich habe gehört, dass für die Holt-Sammlung eine Art Katalog geführt wurde.«

»Ah«, sagt Faversham. »Ich fürchte, der Holt-Katalog existiert nicht mehr.«

»Was wollen Sie damit sagen?«

»Vor einigen Jahren lagerte mein Vater den Katalog ein, während sein Arbeitszimmer renoviert wurde«, erkläre ich. »Und im Lagerbereich gab es einen Wasserschaden. Der Katalog wurde zerstört. Es tut mir leid, dass Sie das nicht wussten.«

»Ja, ich bin enttäuscht.«

»Zu Recht. Es war auch für die Familie ein großer Verlust.«

»Aber Sie können das Foto beschaffen?«

Ich habe keine Ahnung, wovon er redet. Faversham räuspert sich. »Ich habe Paul erzählt, dass Ihr Vater mir gegenüber einmal erwähnte, es gäbe ein Foto von Ihnen vor dem Stillleben, das aufgenommen wurde, als Sie noch ein Kind waren. Erinnern Sie sich zufällig daran? Wenn wir es finden könnten, würde es zumindest ein Jahr belegen, in dem das Gemälde Teil der Holt-Sammlung war.«

»Bedaure, ich erinnere mich nicht.«

»Könnten Sie Ihre Mutter fragen?«

»Natürlich. Wenn es existiert, finden wir es.«

Auf dem Heimweg lese ich eine Reihe von Nachrichten von Hannah. Die sind etwas völlig anderes als die von Stans Mum.

Ruby ist gut nach Hause gekommen. Sie ist hingefallen, als wir zu Hause waren (hat wieder versucht, auf die Mauer im Obstgarten zu steigen), und hat sich die Knie aufgeschürft, aber sonst geht es ihr gut. Sie macht jetzt Hausaufgaben, und danach backen wir Brownies.

Ich habe im Dorf gehört, dass Lottie Roberts vom Mill Cottage Arbeit sucht. Könnte sie mal zur Probe kommen? Zumindest würde es helfen, die Zeit zu überbrücken, bis wir jemanden gefunden haben, mit dem Sie langfristig zufrieden sind. Jemanden für dauerhaft zu finden könnte schwierig werden, denn wie ich im Dorf höre, will nicht jeder im Herrenhaus arbeiten, wegen der Sache mit der Polizei.

Wir haben zu Abend gegessen, aber Ihre Mutter war sehr müde. Ich bleibe bei Ruby, bis Sie zu Hause sind. Ich denke, sie sollte beaufsichtigt werden.

Ich antworte, dass ich mit all dem sehr glücklich bin, und schreibe Ruby.

Wie geht es dir? Wie war die Schule?

Gut.

Ich habe gehört, dass du dir wehgetan hast.

Nur ein bisschen. Hannah hat sich aufgeregt. Sie sagt, ich bin nicht groß genug, um auf die Mauer zu klettern.

Wenn du gestürzt bist, hat sie recht. Sei vorsichtig!

Ich bin doch bloß gestolpert, als ich wieder

runtergeklettert bin. Ich kann hochklettern und da balancieren. Das habe ich schon ganz oft gemacht.

Du musst aufpassen! Es ist eine hohe Mauer. Halte dich bitte fern davon.

Ich warte auf eine Antwort, doch es kommt keine, und ich kann mir ihre trotzige Miene vorstellen, wenn ich weiter darauf herumreite. Also versuche ich es anders.

Was hast du sonst in der Schule gemacht?

Nicht viel. Ich habe einen Stern für meine Englischarbeit bekommen.

Sehr gut! Willst du auch einen Pinguin?

Ja.

🐧 *xxxxxxxx Ich bin im Zug. Bis nachher xxxxx*

Ich lehne mich zurück und schließe die Augen. Die große Frage ist, wie lange ich Hannah für ihre Hilfe bezahlen kann, sollte ich nicht bald meine Provision bekommen. Sie ist nicht billig, was sie auch nicht sein sollte, aber ich muss es hinbekommen, denn ich weiß nicht, wie ich es ohne sie schaffe.

VIRGINIA

Mein Leben mit Alexander fing an dem Tag richtig an, an dem er mir den Antrag machte, der indes nicht die Spur romantisch war. Er fragte: »Also, wie sieht es aus, Ginny?«

»Wie sieht was aus?« Wir waren in seiner Londoner Wohnung und packten für meinen ersten Besuch in Lake Hall. Mein Handkoffer quoll über vor all der Kleidung. Ich wollte unbedingt einen guten Eindruck machen.

Alexander sprang auf seine Seite des Bettes. Wir waren schon seit einigen Monaten zusammen, und ich hatte ihn nicht im Mindesten über. Wie waren so verrückt nacheinander, wie man es nur sein konnte.

»Heirate mich«, sagte er. »Willst du?«

»Warum sollte ich?«, fragte ich scherzhaft, weil ich nicht sicher war, wie ernst er es meinte.

Er krabbelte zu mir herüber und fegte meinen Koffer vom Bett, sodass sich meine sorgsam zusammengelegten Sachen auf dem Boden verteilten. Alexander grinste. Alles, was er tat, war so intensiv. *Er macht bestimmt nur einen Witz*, dachte ich. Was mich teils erleichterte, teils enttäuschte.

Dann griff er in seine Gesäßtasche und holte ein kleines Kästchen hervor. Er hielt es zwischen uns und klappte es auf. Darin, in dunkelgrüne Seide gebettet, war ein Platinring mit einem einzelnen großen Diamanten.

»Das war der Ring meiner Großmutter«, sagte er. »Sie hat mir aufgetragen, ihn nur der zu geben, die ich wirklich liebe.«

Dieser Augenblick fühlte sich so riesig an, dass ich Angst vor dem Ring bekam. Ich konnte mich kaum überwinden, ihn zu berühren. Alexander nahm ihn aus dem Kästchen und schob ihn mir auf den zitternden Finger. Er passte. »Heiratest du mich?«, fragte er wieder, und diesmal war offensichtlich, dass es ihm todernst war.

»Ja«, antwortete ich und dachte: *Tu mir nicht weh*, denn ich wusste, dass er es könnte.

Alexander betrachtete mich eindringlich. »Deshalb will ich dich«, sagte er. »Weil du stark bist.«

Auf der Fahrt nach Wiltshire wurde er wieder frivoler. »Hoffentlich lässt Mummy uns in einem Zimmer schlafen, jetzt, wo wir verlobt sind.«

»War das der einzige Grund für deinen Antrag?«

»Natürlich.«

So kam es, dass ich bei meinem ersten Besuch in Lake Hall bereits mit Lord Alexander Holt verlobt war und wusste, das Haus würde irgendwann meines sein.

Wie ich mich fühlte, als ich Lake Hall bei strömendem Regen zwischen den schnellen Scheibenwischerschwüngen erblickte? Es war so anders als das Zuhause, in dem ich aufgewachsen war. Meine Kindheit hatte ich in einem hübschen kleinen Herrenhaus mit weiß getünchten Nebengebäuden in einer rauen Gegend nahe Dartmoor verbracht. Draußen säumte lila Heide den breiten Horizont, und drinnen waren alle Räume von Büchern und warmem Chaos geprägt. Lake Hall schüchterte mich ein, und ich empfand sogleich ein Gefühl von Verpflichtung, spürte, dass mir diverse Freiheiten genommen werden würden. Ich war unsicher, ob ich der Aufgabe gewachsen war, die künftige Lady Holt zu sein.

Alexander beruhigte mich. »Keine Sorge, das machst du mit links.«

Und das tat ich wohl. Dieses Haus nimmt man mir nur über meine Leiche.

Die Frau, die sich Hannah nennt, ist in meinem Zuhause, und sie hört sich genau wie Hannah früher an. Jede Kadenz ihrer Sprache ist mir vertraut, während sie umhereilt, Ruby antreibt, die Schuluniform anzuziehen, ihr Frühstück macht und nachsieht, ob die Schultasche gepackt ist. Was abweicht von meinen Erinnerungen an Hannah und Jocelyn, ist, dass Ruby anders auf Hannah reagiert.

Wenn Hannah fragt: »Eier oder Müsli zum Frühstück?«, antwortet Ruby: »Porridge.« Kein Bitte, kein Danke, nur »Porridge«, und das mürrisch. Meine Ruby hält dieses Benehmen die volle Stunde durch, die Hannah mit ihr verbringt. Soweit ich es hören kann – und man hört mehr, als man denkt, wenn man im Flur oben steht, denn in Lake Hall übertragen sich Geräusche auf unerwartete Weise –, kommt Ruby nicht ein nettes Wort über die Lippen.

Von Jocelyns Zimmer aus beobachte ich jetzt, wie sie zur Schule aufbrechen. Ruby schleift ihren Rucksack über den Kies, bis Hannah etwas sagt, worauf sie ihn hochnimmt. Als Hannah in den Wagen steigt, stellt Ruby den Rucksack ab und rennt zur Obstgartenmauer. Flink wie eine Bergziege klettert sie hinauf und beginnt, auf der Kante zu balancieren, die Arme weit ausgebreitet. Hannah sieht erbost aus, als sie wieder aus dem Wagen steigt, um Ruby zurechtzuweisen. Ruby erwidert es mit einem vernichtenden Blick und geht langsam weiter zu der Stelle, an der die Mauer leicht abfällt. Vorsichtig tritt sie auf einen Vorsprung und hüpft nach unten. Sie landet unversehrt und klopft sich die Hände ab, sodass Steinstaub auffliegt.

Nun holt sie den Rucksack und setzt sich mit triumphierendem Blick in den Wagen.

Das ist mein Mädchen, denke ich. *Lass dich nicht kleinkriegen.* Ich glaube nicht, dass Ruby diese Frau mag. Könnte es sein, dass sie, anders als ihre Mutter, die Probleme wittert? Manche Kinder haben sehr feine Antennen.

Sie sind fast eine Stunde weg, als ich einen Wagen höre. Dann geht unten die Tür auf und wieder zu. Ich kämpfe mich ans Fenster, um nachzuschauen, wer es ist, und sehe den kleinen Wagen, den wir Hannah geliehen haben, auf seinem Platz. Sie sollte nicht hier sein, wenn Ruby nicht im Haus ist. So war es mit Jocelyn nicht abgesprochen. Ich mache mich auf den Weg nach unten, was nicht einfach ist, weil mir kurzzeitig immer noch schwindlig wird.

Unten finde ich Hannah in Alexanders Arbeitszimmer und freue mich, dass sie zumindest erschrickt.

»Lady Holt!«, sagt sie. »Sollten Sie nicht im Bett sein? Sie sehen aus, als wäre Ihnen kalt.«

Zum ersten Mal kann ich einen richtigen Blick auf sie werfen. Da ist eine starke Ähnlichkeit mit Hannah, was die Augen und die Gesichtsform angeht, aber ist sie es? Sicher sein kann ich auf keinen Fall. In dreißig Jahren machen wir alle eine Metamorphose durch.

»Was machen Sie hier? Und was haben Sie da in der Hand?«

»Das? Der lag auf dem Fußboden.« Sie hält einen silbernen Brieföffner in den Händen, der vorn spitz ist. Er war ein Geschenk von mir an Alexander.

»Der gehört meinem Mann. Legen Sie ihn hin.«

»Er *gehörte* Alexander«, sagt sie. »Ich weiß. Aber jemand war in Gedanken woanders und hat ihn auf dem Boden liegen lassen. War es Ruby, was meinen Sie? Sie ist ein unachtsames Kind, das erkenne ich bereits. Jemand hätte sich daran verletzen können, wenn er darauf ausgerutscht wäre.« Sie legt den Brieföffner betont behutsam auf den Schreibtisch.

»Sie dürfen hier nicht ohne meine Erlaubnis rein. Und Sie sollten gar nicht in diesem Haus sein, wenn Ruby nicht da ist.«

»Und Sie dürfen nicht so mit mir reden.«

»Wie bitte?«

»Sie haben mich verstanden.«

Sie rempelt mich absichtlich an, als sie das Zimmer verlässt, und ich fange mich am Türrahmen ab. Obwohl ich zu schnell atme, bemühe ich mich, ruhig zu bleiben. Ich halte mich an den Möbeln fest, als ich zu Alexanders Ohrensessel gehe und hineinsinke.

Das Spiel hat begonnen, denke ich, und es ist schneller eskaliert, als ich mir vorgestellt hätte. Überdies bin ich im Nachteil. Sie ist in meinem Haus, verachtet mich und schreckt nicht vor der Androhung von Gewalt zurück. Unterdessen weiß ich nach wie vor nicht, ob sie ist, wer sie zu sein behauptet.

Ich denke an das, was ich gestern Abend im Internet entdeckt habe: dass es wider alle Erwartung möglich ist, bewusstlos ins Wasser zu fallen und zu überleben, weil einen der Kälteschock wiederbeleben kann. Die Chancen sind verschwindend gering, was jedoch nicht bedeutet, dass man kein Glück haben kann. Dasselbe gilt schließlich für jeden, der sich an einen Karten- oder Roulettetisch setzt.

Hatte ich ihren Puls nicht richtig überprüft, als sie auf der Treppe lag? Hatte ich in der Hektik einen Fehler gemacht? Könnte sie noch gelebt haben, als ich ihren Körper ins Wasser hievte?

In der Nacht, in der Hannah starb – oder ich dachte, sie sei gestorben –, kehrte ich ins Dachgeschoss zurück, sobald die Gäste nach Hause gefahren oder zu Bett gegangen waren, und packte systematisch ihre persönlichen Sachen zusammen, bis es keine Spur mehr von ihr gab. Ich machte ihr Bett mit ordentlichen Kniffen in der Überdecke, wie sie es tat. All das erledigte ich, während Alexander erneut bibbernd und weinend zusammenbrach, unsere Tochter im Nebenzimmer einen narkotisierten Schlaf schlief und Giles und Milla es betrunken im Gästebad unten trieben.

Noch später, als alles still war, holten Alexander und ich Hannahs Leiche aus dem Kohlenschuppen und schleppten sie zum Bootshaus. Er ließ sie beinahe fallen. »Sei vorsichtig!«, fauchte ich.

»Ich dachte, sie hätte sich bewegt.«

»Hat sie nicht! Wie sollte sie?«

Aber vielleicht hatte er recht. Vielleicht hatte sie sich doch bewegt.

Und falls ja, was kam dann? Hatte sie sich unter Wasser aus der Decke befreit und war zur Insel geschwommen? Weit war es nicht. Allerdings hatten wir die Decke um sie herum fest verschnürt, und wir hatten sie nahe der Insel abgeworfen, weil das Wasser dort am tiefsten ist. Könnte sie zwischen den knorrigen Baumwurzeln aufgetaucht sein und stumm frierend gewartet haben, bis wir weg waren? Wenn ja, ist sie zäher, als selbst ich befürchtet hatte.

Falls sie es ist. Falls.

Ich bleibe in Alexanders Arbeitszimmer, bis ich sie gehen höre. Was sie gemacht hat, weiß ich nicht.

Als sie fort ist, kehre ich nach oben zurück. Noch nie war die Treppe so Furcht einflößend und mein Bett solch eine erstrebenswerte Zuflucht. Ich schlucke noch zwei Paracetamol, widerstehe allem Stärkeren. Meine rezeptpflichtigen Mittel bleiben auf dem Nachttisch.

Ich frage mich, ob es mir helfen würde, wenn Jocelyn und Hannah oder wer immer sie sein mag, glauben, dass ich wegen der Mittel vergesslich und verwirrt bin. Ich greife nach den Packungen und drücke die entsprechende Anzahl Tabletten aus der Folie, sodass jeder, der nachsieht, denkt, ich hätte sie genommen. Zunächst will ich sie zerkrümeln, um sie unentdeckt zu entsorgen, aber die Pillen sind zu klein, und meine arthritischen Finger machen nicht mit. Es war schon schwierig genug, sie aus der Folie zu bekommen. Also nehme ich die Schachtel mit Papiertüchern von meinem Nachttisch, schiebe den Inhalt zur Seite und lasse die Tabletten eine nach der anderen auf den Boden der Box fallen.

Ich dürfte eine bessere Kontrahentin sein, wenn niemand mir diese Rolle zutraut, die ich zwingend übernehmen muss.

Am Abend fühle ich mich klarer. Ich telefoniere mit Anthea und versuche, sie zur Rückkehr zu bewegen. Sie könnte als Puffer zwischen Hannah und mir fungieren und eine Zeugin bei allem sein, was geschehen mag.

»Ihre Stelle ist noch für Sie da, wenn Sie sie wollen. Wir schätzen Sie sehr, und ich mag Sie gern, wie Sie hoffentlich wissen.«

»Vielen Dank, Lady Holt, aber ich habe mich entschieden. Ich denke, es ist das Beste so, gerade bei allem, was jetzt bei Ihnen los ist. Irgendwann in den nächsten Jahren hätte ich sowieso etwas anderes machen wollen, da kann ich es ebenso gut jetzt tun. Tut mir leid, dass es für Sie nicht leicht ist.«

»Tja, ich hoffe nur, dass Sie sich nicht von dem albernen Gerede der Leute über die Leiche im See verschrecken lassen, denn da ist wirklich nichts dran.«

»Nein, tue ich nicht.«

»Und ich kann nichts machen, um Sie wieder zurückzulocken?«

»Nein, tut mir leid.«

»Na gut. Grüßen Sie bitte Ihren Mann und Ihre Mutter von mir. Und Sie sind hier jederzeit willkommen.«

Schweren Herzens lege ich auf. Jeder weiß, wie schwierig es ist, eine gute Hilfe zu finden; und Anthea war hervorragend. Ich kann nicht umhin zu denken, dass der Schädelfund zu ihrer plötzlichen Kündigung beigetragen hat. Dabei ist es eine streng familiäre Angelegenheit. Und es gefällt mir nicht, dass sie unseren Ruf im Dorf beschädigt.

»Jocelyn!«, rufe ich. Es kommt keine Antwort. Insgesamt ist es schwierig, irgendjemanden auf mich aufmerksam zu machen, seit Anthea fort ist. Keiner reagiert auf die Klingel. Ich frage mich, was passieren würde, sollte ich stürzen, solange ich hier oben allein bin. Würde es jemand hören? Würde diese Hannah-Frau überhaupt kommen, wenn sie es hörte? Das bezweifle ich.

Im Zeitlupentempo unternehme ich einen weiteren Ausflug nach unten und entdecke Jocelyn im Blauen Salon an ihrem Laptop.

»Wenn du so stirnrunzelnd auf deinen Bildschirm siehst, kriegst du Falten«, sage ich.

Sie blickt nicht auf. Hinsetzen will ich mich nicht, weil es schmerzhaft wäre und ich unsicher bin, ob ich vom Sofa wieder hochkäme, ohne dass es eine peinliche Vorstellung würde.

»Könntest du bitte etwas für mich tun?«, frage ich. »Ich würde Anthea gern einen Präsentkorb von Fortnum's schicken. Kannst du den online für mich bestellen? Einen schönen. Ich glaube, ihr Mann mag Wildpastete, also solche Sachen, aber nicht zu viele Marmeladen, die macht sie selbst.«

»Ist das nicht zu wenig und zu spät?« Jocelyn hat Ringe unter den Augen. Sie klappt ihren Laptop zu und gähnt.

»Schön, dann mache ich es selbst«, sage ich. »Ich habe nur

gefragt, weil ich dachte, du hättest vielleicht auch gern deinen Namen mit draufstehen.«

Sie seufzt. »Ja, hätte ich. Okay, ich mache es. Aber dann brauche ich deine Kreditkarte. Ich glaube nicht, dass meine noch einen Präsentkorb von Fortnum's hergibt.«

»Natürlich. Du weißt ja, wo du sie findest.«

Mir tut der Rücken weh, denn ich stehe schon zu lange. »War mit Ruby heute alles in Ordnung?«

»Bestens, ja. Hannah ist ein Geschenk des Himmels.«

»Und Ruby ist glücklich mit ihr?«

»Natürlich. Wieso fragst du?«

»Weil Hannah heute wieder zum Haus gekommen ist, nachdem sie Ruby zur Schule gebracht hat.«

»Weiß ich. Sie sagte, dass sie etwas für Rubys Abendessen vorbereiten wollte.«

»Darüber sollte ich vorher informiert werden. Ich will sie nicht hier haben, wenn Ruby nicht da ist. Und ich glaube nicht, dass Ruby sie mag.«

»Ruby kommt klar. Überhaupt ist es nicht dein Problem, und, damit du es weißt, Hannah hat arrangiert, dass ein neues Mädchen herkommt und einen Probetag als Haushälterin macht. Sie wird an meinem freien Tag hier sein, sodass ich ein Auge auf sie haben kann.«

»Es ist wahrlich nicht Hannahs Aufgabe, sich in die Auswahl des Personals einzumischen. Sie nimmt sich unglaubliche Freiheiten heraus.«

»Sie hatte es vorgeschlagen, und ich habe zugestimmt. Wer soll es denn sonst machen? Du bist noch mehr oder minder ans Bett gefesselt, und, ganz ehrlich, ich denke, wir können froh sein, wenn irgendwer hier arbeiten will.«

»Und keiner von euch ist auf die Idee gekommen, mich zu fragen? Das hier ist mein Haus.«

»Dir geht es nicht gut genug.«

»Es geht mir durchaus gut genug, um über Personalfragen zu sprechen.«

»Aber anscheinend nicht, um bei Fortnum's anzurufen.«

»Sei nicht so bissig.«

»Ich spreche bloß Tatsachen aus.«

»Nun, dann gehe ich wieder ins Bett, wenn ich denn in meinem eigenen Zuhause als so nutzlos gelte. Vermutlich ist es nur eine Frage der Zeit, bis du mich als Last siehst.«

»Sei nicht albern.«

»Bin ich nicht, Jocelyn. Aber für mich ist ganz klar, dass es inakzeptabel ist, Hannah die Leute einstellen zu lassen, die hier arbeiten. Das erlaube ich nicht!«

»Jetzt kann ich sie nicht mehr aufhalten, aber ich lasse sie das nicht noch einmal machen, ohne dich zu fragen, okay?«

Ich nicke. Wenigstens etwas. Ich mache mich auf den Weg aus dem Zimmer, denn ich ertrage es nicht, heute Abend noch eine Minute länger in Jocelyns Nähe zu sein. Es ist schon wieder wie früher: sie und Hannah gegen mich.

»Mutter, warte! Gibt es ein Foto von mir in dem Haus in Belgravia, auf dem das Vanitas-Stillleben zu sehen ist?«

»Nicht dass ich wüsste.«

»Wo sind die Fotoalben?«

Ich will nicht, dass sie sich die Fotoalben ansieht. Das könnte dazu führen, dass sich ihre Gedächtnislücken schließen, weshalb ich die Alben auf einem der höchsten Regale versteckt habe, bevor sie und Ruby herkamen. Ich hätte mehr tun sollen, sie loswerden, als der Schädel gefunden wurde. Gern würde ich lügen und sagen, sie wären bei »dem Wasserschaden« mit vernichtet worden, so wie der Holt-Katalog, aber das kann ich nicht, weil ich zu schwach bin, die Alben aus dem obersten Regal im Blauen Salon zu holen und wegzuschaffen.

»Habe ich vergessen«, antworte ich.

»Du weißt nicht mehr, wo unsere Familienalben sind?« Sie ist so schnell dabei, jede meiner Äußerungen als Desinteresse an ihr zu deuten.

»Nein.«

Sie seufzt gedehnt und reibt sich die Augen. »Mutter, kann ich dich etwas fragen?«

»Ich würde gern ins Bett gehen.«

»Es ist wichtig. Ich würde nicht fragen, wenn es nicht sein müsste, glaub mir. Ich brauche Hannah, aber ich kann mir nicht leisten, sie über längere Zeit zu bezahlen. Könntest du mir etwas Geld für ihren Lohn leihen? Ich zahle es dir auch sofort zurück, wenn ich genug verdiene. Es sollte nicht lange dauern.«

»Ich kann auf Ruby aufpassen.«

»Nein, kannst du nicht. Das hatten wir doch schon.«

»In wenigen Tagen werde ich wieder auf den Beinen sein, dann kannst du Hannah entlassen. Ich habe beschlossen, dass ich all die Betreuung übernehmen möchte, die Ruby braucht.«

»Kommt nicht infrage. Das wird nicht passieren.«

»Warum nicht?«

»Aus mehreren Gründen! Erinnerst du dich, was neulich passiert ist? Weißt du, dass die Kinder in der Schule sie wegen dem Schädel ärgern und weil sie angeblich versnobt ist?«

»Das wäre nicht so, wenn du sie zu der Schule schicken würdest, die ich vorgeschlagen habe. Ich bezahle auch die Schulgebühr.«

»Fang nicht wieder davon an.«

»Jocelyn, ich muss mich hinlegen.«

»Warum willst du mir nie helfen?«

Manchmal treibt sie mich an meine Grenzen, aber ich knicke nicht ein. Lieber soll sie mich verachten, als die Wahrheit zu erfahren. Seit jener Nacht ist es immer so gewesen. »Ich gebe dir nicht das Geld für Hannah, und ich bespreche es nicht mehr mit dir, wenn du laut wirst. Es macht mir furchtbare Kopfschmerzen. Jetzt gehe ich ins Bett. Nein, steh nicht auf. Ich gehe allein.«

Ich hoffe, dass sie meine Worte ignoriert und mir zumindest folgt, um sicher zu sein, dass ich heil die Treppe hochkomme, aber das tut sie nicht.

Am nächsten Tag sind meine Schmerzen ein wenig besser. Ich gehe nachmittags nach unten, wo es indes schwierig ist, Hannah zu meiden. Ich biete Ruby an, sich zu mir zu setzen, als sie aus der Schule kommt, mit ihr zu lesen, aber Hannah verbietet es. Rubys Miene daraufhin ist sehr finster.

Ich gehe in Alexanders Arbeitszimmer und drücke »Play« auf seinem CD-Player. Mein Finger zittert. Furchtbar unzuverlässiger Finger. Ich habe den CD-Player nicht angerührt, seit Alexander tot ist, also ist das, was ich gleich hören werde, das Letzte, was er sich angehört hatte. Ich sinke in seinen Sessel, in die sanften Dellen, die er hineingesessen hatte, die seinen Eindruck bewahren. Ich tauche darin ein.

Violinen und Holzbläser erwecken den Klang von Wellen an einem strahlenden Sommertag. Ein sanftes Anschwellen, das in sich zusammenfällt und aus dem eine heitere Melodie hervorsteigt. Wasser auf Kies. Ich weiß, was folgt: ihre Stimme. »Die Stimme eines Engels«, pflegte Alexander zu sagen. »Und wessen wäre das?«, erwiderte ich dann. »Meine oder die deiner Freundin?« Mit der Freundin meinte ich die Sängerin. Es war unser kleiner Scherz.

Alexander sammelte all ihre Aufnahmen. Ich erinnere mich nicht, wie oft ich ihn dasitzen und sie sich anhören sah. Und je älter er wurde, desto häufiger kam es vor. Für ihn war es ein privates Vergnügen – wie so viele seiner Vergnügungen –, doch einige Wochen vor seinem Tod bat er mich, mich zu ihm zu setzen. Nachdem die letzten Noten der Arie verklungen waren, zerstörte er den Moment mit einer Frage. »War die Leiche schwer?«

Ich schnappte nach Luft. Meine Finger zuckten, und er umfing sie fester, drückte gerade genug, dass mir die Tränen kamen – nicht weil es schmerzhaft war, sondern weil es freundlich war.

»Das weißt du doch«, antwortete ich. Ich hasste das Intime, das ihr Kopf an seiner Brust symbolisierte, als wir sie die Treppe hinuntertrugen. Mir hätte es nichts ausgemacht, wäre Hannahs Kopf auf jeder Stufe aufgeschlagen.

»Ich meinte, wie hast du sie aus dem Boot bekommen?«

Denkst du darüber jedes Mal nach, wenn du hier sitzt?, fragte ich mich. *Das will ich verdammt nochmal nicht hoffen.* »Mit einiger Mühe«, sagte ich, nicht gewillt zu beschreiben, wie ich zog, drückte, stieß, fluchte, keuchte und schwitzte. Nicht nach all den Jahren, in denen ich es für mich behalten hatte. Ich wollte nicht, dass der Körper mit einem Platsch landete. Und das gelang mir, weil ich damals so viel stärker war. Heute könnte ich das nicht mehr. Ich krümme und strecke meine altersfleckigen Finger. Einst waren sie schmal und kräftig, heute sind sie schwach.

»Ich hätte dir helfen müssen«, sagte er, konnte mich jedoch nicht ansehen.

Alexander mochte mich mit intensivem, vielversprechendem Augenkontakt in sein Leben gelockt haben, aber der ließ mit den Jahren nach. Ich rückte jedes Mal aus dem Fokus seiner Zuneigung, wenn ich in die Rolle der Retterin schlüpfte, was ich, wie ich hinzufügen möchte, nicht freiwillig tat.

Ich musste uns aus jeder Patsche holen, weil Alexander es

nicht konnte, aber solche Dinge können den Stolz eines Mannes beschädigen, insbesondere eines Holt. Ihnen wird gleich mit dem ersten Brei eingeflößt, dass ein Adliger niemals auf eine Frau angewiesen sein darf. Sie werden in dem Glauben an ihre Macht erzogen. Deshalb wechselte sein Fokus von mir auf leichtere Ziele, weichere Körper, unterwürfigere Frauen mit klimpernden Wimpern. Wenn ein Mann eine Frau will, die seine Großtaten spiegelt, wird er sich anderweitig umsehen, sollten selbige Großtaten nicht mehr ganz so rein und klar zu erkennen sein. Stockfleckige Spiegel schmeicheln nicht.

Ich verstehe, warum Alexander die Stimme dieser Sängerin so sehr mochte. Sie ist ätherisch und vermittelt scheinbar unangestrengt eine Reinheit, die den Geist klärt und entrückt. Ich hole tief Luft und beobachte, wie eine Böe den See kräuselt.

Die Musik verstummt abrupt; Alexanders Freundin wird garrottiert, als ihre Stimme gerade in die Höhe geht. Jemand hat sie abgewürgt.

Hannah setzt sich mir gegenüber hin. Ich bemühe mich, mir nichts anmerken zu lassen, keine Furcht oder Berechnung zu zeigen, und blicke zum Kaminbesteck. Wäre ich stark genug und sicher, dass dies die echte Hannah ist, könnte ich versucht sein, nach dem Schürhaken zu greifen und die Sache zu beenden.

»Die Situation ist einfach«, sagt sie. »Alexander hat mir alle sechs Monate eine Summe gezahlt, seit ich, wie soll ich sagen, ›aus Ihren Diensten ausschied‹.«

Ich zucke nicht mit der Wimper, denn sollte sie meine Überraschung bemerken, hätte sie die Oberhand. Ich kann nicht glauben, dass Alexander gewusst hat, dass Hannah noch lebte, und mir kein Wort gesagt hat. Warum hat er es geheim gehalten? Um meinetwillen? Um Jocelyns willen? Vielleicht war sein Pokerface besser, als ich dachte. Ging er mit einem Messer mehr im Rücken ins Grab, als ich geglaubt hatte?

Hannah spricht in einem gelassenen Ton, wie man sich über das Wetter unterhält. »Ich möchte, dass dieses Arrangement fortgesetzt wird, aber Sie sollten wissen, dass mein Schweigen inzwischen teurer ist, sehr viel teurer als der Hungerlohn, den Ihre Tochter mir für die Arbeit hier anbietet. Und es ist eine Nachzahlung für die Monate seit Alexanders Tod fällig.«

Sie nennt zwei Zahlen: eine einmalige Summe und die, die sie monatlich erwartet. Beide treiben einem die Tränen in die Augen. Natürlich tun sie das. Ich widerstehe dem Impuls, nach ihrem Handgelenk zu greifen, als könne mir das verraten, ob sie es wirklich ist. Wir sind uns nahe genug, und ich würde meine Fingernägel nur ein klein wenig hineinbohren.

Stattdessen lege ich meine Hände übereinander, als würde ich für ein Porträt sitzen, und nicke nur – etwas häufiger, als es nötig wäre, und hoffentlich gerade hinreichend, um zu signalisieren, dass ich zuhöre und eventuell ihren Vorschlag annehme.

Ein Anflug von Verdruss umspielt ihren Mund. »Ich glaube, ich habe Ihre Antwort nicht verstanden«, sagt sie und beugt sich zu mir. Ich bekomme Angst.

»Na gut«, sage ich.

»Schön.« Sie lehnt sich zurück.

»Aber finden Sie nicht, dass Sie schon genug bekommen haben?«, frage ich. Einen Versuch ist es wert.

Sie lächelt. »Was kostet Schweigen?«

»Und Sie kündigen, wenn Sie das Geld erhalten haben?«

Jenseits des Sees fliegt ein Schwarm Stare aus einer Eiche auf und zeichnet sich als schwarzes Muster vor dem blaugrauen Himmel ab. Ein Gebilde, das auffliegt, sich dehnt, zusammenfindet und die Formationen wechselt. Die Geometrie ist unbeständig und launisch, und ihr Anblick gemahnt an eine Kreatur aus einer Geisterwelt. Zurück von den Toten vielleicht. Bösartig. Genau wie Hannah. Warum antwortet sie mir nicht?

Sie steht auf und streicht sich die Hose glatt. Mir entgeht nicht, dass es sich um einen edlen Stoff und einen teuren Schnitt handelt. Hat Holt-Geld ihre Garderobe finanziert? Zweifellos.

»Noch werde ich nicht kündigen«, sagt sie. »Ich genieße meine Arbeit zu sehr. Es ist schön, Jocelyn wieder nahe zu sein, nachdem wir vor Jahren so plötzlich auseinandergerissen wurden. Wir haben eine Menge aufzuholen.«

»Ich verdopple die Summe, wenn Sie gehen.« Ich würde alles tun.

»Ich werde mir das Angebot durch den Kopf gehen lassen. Hier ist meine Bankverbindung. Alexander hatte sie schon, aber auf diese Weise beugen wir möglichen Verwechslungen vor.« Sie legt einen Zettel auf den Schreibtisch und stellt die Musik wieder an, als sie geht. Doch jetzt spendet mir der Klang keinen Trost mehr.

Zumindest weiß ich nun, welches Blatt sie in der Hand hält. Ich kenne womöglich nicht alle Karten, aber einige, und es ist ein Anfang. Es erlaubt mir, meine Reaktion zu planen.

Wieder sehe ich zu dem Kaminbesteck. Wenn sie wirklich Hannah ist, wird Geld nicht ausreichen, sie zum Gehen zu bewegen. Ich fürchte, dass sie letztlich vorhat, die Gewalt, die ihr zugefügt wurde, mit gleicher Münze heimzuzahlen.

Darauf muss ich vorbereitet sein.

1979

Hannah findet Farbe an den intimsten Stellen. In der Badewanne beobachtet sie, wie sich welche von der Innenseite ihres Schenkels löst und sich im Wasser verteilt. Er hat seine Hände überall an ihr, wann immer er kann. Und er will es immerzu tun.

»Gott«, sagt er, wenn er sie allein in einem Zimmer antrifft. »Ich kann dir nicht widerstehen.« Wenn er durch die Nase atmet, klingt es wie ein kleines Schornsteinfauchen.

Sie liebt die Aufmerksamkeit, aber der Sex ist enttäuschend. Hannah liest schwülstige Liebesromane, die sie aus dem Regal unten hat, daher träumt sie von etwas Sanfterem oder Romantischerem. Stattdessen ist sie hinterher oft wund und fühlt sich, als wäre sie durchgerüttelt worden und in ihr alles nicht mehr ganz an dem Platz, wo es hingehört. Doch obwohl sie weiß, dass er nur auf sein Vergnügen bedacht ist, findet sie es lohnend, weil sie ihn hat und seine Frau nicht.

Die Jungen sind wie immer. Der Kleinere ist Hannah noch ergebener, ein wahres Schätzchen, aber bei dem Älteren bleibt dieses Dunkle, Bedrohliche in den Augen. Sie fragt sich, ob er von ihr und seinem Vater ahnt. Der Junge ist klüger, als gut für ihn ist. Deshalb kocht sie ihn gern runter. Manchmal nimmt sie die Hausaufgaben aus seiner Schultasche, wenn er im Bett ist, und ändert die Ergebnisse in seinem Mathematikheft ein wenig, weil er es nicht ausstehen kann, keine Bestnote zu bekommen. Dann heult er vor Enttäuschung. Was für ein Streber! Hannah ärgert sich, als er anfängt, seine Schultasche über Nacht mit in sein Zimmer zu nehmen, doch es ist auch eine Herausforderung. Warten wir ab, wer von uns beiden schlauer ist, *denkt sie.*

Die Frau hat begonnen, Medikamente zu nehmen. »Glückspillen!«, erklärt sie angespannt munter und schluckt sie direkt vor den Kindern. Die Tabletten sind blau. Hannah ist so gut wie nie in ihrem Atelier, aber wenn, fällt ihr auf, dass die Bilder schlampiger werden und die Stapel unfertiger Leinwände anwachsen. Die Pillen machen die Frau sehr entspannt. Hannah fragt sich, ob sie eine – oder eine halbe – zerstoßen und dem älteren Sohn in sein Essen mischen kann. Es könnte ihm guttun. Immer so feindselig zu sein ist sicher nicht gesund für ihn.

»Wie hältst du es mit ihr aus?«, fragt sie den Mann eines Nachts, Wochen nachdem sie die Idee mit den Pillen hatte und Tage nachdem sie ihren Plan erstmals in die Tat umgesetzt hatte. Inzwischen treiben sie und der Ehemann es schon seit Monaten, und Hannah wird mutig genug, mit ihm über seine Frau zu reden.

»Ganz einfach«, antwortet er. »Alles gehört ihr. Wenn ich das hier will und den Zugriff auf einen Haufen Geld auf der Bank, muss ich bei ihr bleiben. Obwohl sie ein verdammter Zombie ist.« Er schwenkt eine Hand durchs Zimmer, und Hannah betrachtet brav die hohe Decke, die aufwendigen Stuckarbeiten, den kürzlich aufgehängten italienischen Kronleuchter, die Teppiche, die Überwürfe, die Gemälde, die üppig bestückte Hausbar und den Fernseher.

Asche von seinem Joint fällt ihm auf das Bein. Er reibt sie in die Jeans ein. Als er ihr einen Zug anbietet, verneint sie stumm. Ihr ist neu, dass der Frau alles gehört. Das verändert die Lage.

»Komm schon«, sagt er. »Was ist denn dabei? Du wirst dich sexy fühlen.«

»Ich muss nach den Jungen sehen«, erwidert sie. Die Frau ist ausgeknipst für den Abend, daher waren sie so kühn, im Wohnzimmer zu vögeln. Sicherheitshalber hatte Hannah die Zimmertüren der Söhne abgeschlossen. Sie schlafen sehr verlässlich, da sie es ihnen nun antrainiert hat, aber sie sollte wirklich nach ihnen sehen. Der Jüngere hat manchmal Albträume, und dem Älteren hatte sie heute Abend drei Viertel einer Pille gegeben. Eine halbe half – er wurde eindeutig umgänglicher, und es schienen keine unangenehmen Nebenwirkungen aufzutreten. Aber sie hatte das Gefühl gehabt, dass er nach dem jüngsten Wachstumsschub mehr vertragen könnte.

Rasch steigt sie die Treppe hinauf. Der Ehemann war heute sanfter mit ihr gewesen. Neuerdings ist er weniger grob, netter. Auf halber Treppe blickt sie hinaus zum Atelier der Frau. Es ist vollkommen dunkel, was Hannah stutzig macht. Was ist, wenn die Frau eines Tages nicht mehr aufwacht? Nicht mehr durch den Garten in die Küche geschlurft kommt, nach Weihrauch und Terpentin riechend? Was ist, wenn ihr Körper gerade kälter und steifer wird? Was ist, wenn sie tot ist? Wer würde dann das Haus und das ganze Geld bekommen? Wer würde ihn bekommen?

VIRGINIA

Ich horche, bevor ich meine Schlafzimmertür öffne, weil ich wissen will, ob die Luft rein ist. Hannah kommt und geht zu allen erdenklichen Zeiten, und ich hasse es, nicht zu wissen, ob sie im Haus ist oder nicht. Da ich nichts höre, trete ich selbstbewusst auf den Flur – falls sie hier ist, soll sie nicht glauben, ich würde mich verstecken –, doch ich trete auf etwas, und der Fuß rutscht mir weg. Ich falle rückwärts und pralle mit der Schulter gegen den Türrahmen. Am Rahmen gleite ich ein Stück nach unten, kann mich aber noch abfangen, indem ich nach der Kante des Klapptisches neben der Tür greife. So verharre ich einen Moment, schwer atmend, bis ich sicher bin, dass nichts passiert ist.

Vorsichtig, weil meine Schwindelanfälle noch nicht ganz überstanden sind, bücke ich mich, um den Gegenstand aufzuheben. Es handelt sich um eines meiner Bücher, *Die Nacht des Jägers*. Ich hatte es Ruby geliehen. Hat sie es versehentlich hier fallen lassen, oder war es auf dem Bücherstapel, den Jocelyn aus meinem Zimmer geholt hat? Oder, und dieser Gedanke schmerzt wie ein fieser Insektenstich, hat Hannah es in der Hoffnung hergelegt, dass ich darauf ausrutsche? Könnte das sein? Würde sie das tun?

Ich lege das Buch auf den Tisch und achte auf meine Schritte, als ich nach unten gehe. Das Frühstück lasse ich ausfallen, um mich direkt ins Wohnzimmer zu begeben. Hier fühle ich mich sicherer, weil ich eher merke, ob jemand kommt oder geht.

Ich blicke durchs Fenster zum See.

Bei den meisten Dingen im Leben war ich auf der Gewinnerseite, denke ich, *bis ich Mutter wurde.*

Bevor ich Jocelyn bekam, war die Aussicht, Mutter zu werden, ein herzerwärmendes Sehnen, eine köstliche Vorfreude. Doch es wurde zu meinem größten Versagen. Kann sich jemand vorstellen, wie es sich anfühlt, wenn einen das eigene Kind voller Hass ansieht? Man hat das Gefühl, die Seele würde einem aus dem Leib geschabt. Ich hatte ihr so viel Liebe zu geben, und sie wollte keinen Krümel davon.

Alexander bot an, mir einen Psychiater zu bezahlen, damit ich mich aussprechen konnte, aber ich weigerte mich. Es war grausam genug, mit der Situation zu leben, da musste ich sie nicht auch noch vor einem Fremden ausbreiten. Er bot auch an, dass wir uns von Hannah trennten. »Stellt sie sich zwischen dich und Jocelyn?«, fragte er. Dasselbe fragte ich mich auch und war versucht, Hannah zu entlassen, doch letztlich hatte ich Angst, dass es ohne Hannah noch viel schlimmer würde, weil Jocelyn sie so vergötterte.

Wie sehr wünsche ich mir jetzt, ich hätte es getan. Ist es nicht wunderbar, dass man im Nachhinein immer klüger ist?

Ich muss die Zahlungen an Hannah arrangieren und versuche, es von Alexanders Laptop aus zu machen. Allerdings muss ich ein kafkaeskes Prozedere durchlaufen, um online auf unsere Konten zuzugreifen, und ich scheitere. Ich probiere es mit einem Anruf bei meiner Filiale, was nicht minder schwierig ist, denn ich finde mich in einem Teufelskreis elektronischer Ansagen wieder. Am Ende beschließe ich, die Bank persönlich aufzusuchen. Elizabeth bringt mich nach Marlborough.

»Lady Holt?«

»Ja?«

»Sie sind in Marlborough, in der Bank.«

»Selbstverständlich bin ich das.«

»Oh, es ist nur, weil Sie sagten ...«

Ich sehe die junge Frau an. Ihre Uniform ist zu eng. Habe ich aus Versehen einen Gedanken laut ausgesprochen? »Was habe ich gesagt?«

»Dass Sie herkommen mussten, um Geld zu überweisen.«

»Und deshalb bin ich hier. Das habe ich Ihnen bei meiner Ankunft gesagt.«

Wenigstens sieht sie besser aus, wenn sie lächelt, auch wenn es vielleicht weniger ein Lächeln als ein spöttisches Schmunzeln ist.

»Was ist so witzig?«, frage ich.

»Mr. Parfrey hat jetzt Zeit für Sie.«

Der Filialleiter ist ein anständiger Mann. Wir kennen ihn seit Jahren. Anthea erzählte mir, dass er eine Haartransplantation hatte. Ich sehe genau hin, als er den Kopf neigt, und glaube, dass sie recht hat.

»Ich kann hier keinen Hinweis finden, dass in letzter Zeit regelmäßige Zahlungen an eine Hannah Burgess vom Konto Ihres Mannes getätigt wurden«, sagt er. »Auf dem Konto ist alles normal gelaufen, aber ich bin froh, dass Sie hier sind, denn es gibt eine etwas delikate Angelegenheit, die ich gern mit Ihnen besprechen würde, wenn Sie gestatten. Ich wollte es bisher nicht erwähnen, aus Rücksicht auf Ihre Situation, doch leider verlangt die Angelegenheit nach baldiger Klärung.«

»Worum geht es?«

»Bevor Alexander starb, hatten er und ich darüber gesprochen, dass dringend eine größere Einzahlung auf sein Konto vorgenommen werden müsste. Es ist schon sehr viel länger als üblich überzogen.«

»Wie weit überzogen?«

Parfrey schwenkt den Monitor zu mir hin; darauf ist eine sechsstellige rote Zahl zu sehen. Es ist ein Schock. Alexander und ich haben oft Geldsorgen gehabt. Ich half ihm jedes Mal, eine Lösung zu finden, wie wir da wieder rauskamen, doch die tägliche Kontoführung überließ ich ganz ihm. Sein Stolz war zu groß, als dass er sie an mich hätte abtreten wollen. Jetzt sehe ich, dass es ein Fehler war.

»Verzeihen Sie«, sagt Parfrey. »Wie Sie wissen, hatten wir eine Vereinbarung mit Lord Holt, doch in der Bankenwelt haben sich unglückliche Entwicklungen ergeben, und ich habe nicht mehr die Befugnisse im Hinblick auf Privatkonten, die ich früher einmal hatte. Die Zentrale schaut mir dieser Tage sehr genau auf die Finger.«

Er sieht verlegen aus, obwohl ich ihm keinen Vorwurf mache. »Selbstverständlich.«

»Nun?«, fragt Elizabeth, als ich sie hinterher treffe. Sie hat eine Tragetasche mit fetter Ausbeute aus dem Geschäft für Künstlerbedarf.

»Ich muss nach London.«

JO

Es ist mein freier Tag. Mutters Stimme ertönt hoch vor lauter Bedürftigkeit und dringt jaulend aus dem ersten Stock nach unten. In meinem Kopf ist diese Stimme ein physisches Ding: die Ranke einer Kletterpflanze, die sich in Bereiche vordrängt, in denen sie nichts verloren hat.

»Was?«, brülle ich die Treppe hinauf.

»Das neue Mädchen darf nicht in mein Schlafzimmer.«

»Heißt das, du willst es selbst putzen?«

»Niemand betritt mein Schlafzimmer, ehe ich nicht weiß, ob ich der Person trauen kann.« Sie erscheint in einem Tweedrock und einem blassblauen Twinset oben an der Treppe. Mitsamt Perlenkette und schwarzem Samthaarreif. Das dick aufgetragene Rouge auf den Wangen verbirgt nicht, wie blass sie ist. Sie sieht erschöpft aus, besteht aber darauf, für einen Tag nach London zu fahren.

»Bist du sicher, dass du das schaffst?«, frage ich.

»Ziemlich sicher, danke. Elizabeth wird mir helfen, falls nötig.«

»Was ist das?«

Sie hat eine riesige Schachtel in der Hand. »Ein Hut. Die Federn müssen ersetzt werden. Ich dachte, ich bringe ihn zu Lock and Co.«

»Warum? Wann willst du den denn aufsetzen?«

»Ich wüsste nicht, inwiefern dich das etwas angeht.«

»Du bist jedenfalls wacklig auf den Beinen – warum nimmst du ihn ausgerechnet heute mit? Er ist so sperrig.«

»Elizabeth trägt die Hutschachtel.«

Mutter verbringt einige Zeit vor dem Dielenspiegel, dreht die Haarspitzen auf und glättet die Stirnlocke. Dann zieht sie ein Paar rote Lederhandschuhe an und sagt dabei so leise, dass ich es fast nicht höre: »Ich liebe sie sehr, musst du wissen. Ich liebe Ruby.«

Ich bin so überrascht, dass ich mich frage, ob ich sie richtig verstanden habe. Noch nie habe ich sie ihre Liebe zu irgendjemandem ausdrücken hören, außer zu meinem Vater. Besitz, Kunst, Theater oder Kleidung, solche Sachen *liebt* sie. *Bewundert* sie. Menschen: niemals. Mir hat sie nie gesagt, dass sie mich liebt, kein einziges Mal, und so weiß ich jetzt gar nicht, was ich dazu sagen soll.

Sie legt mir eine Hand im roten Handschuh auf den Unterarm. »Hör mir zu, Jocelyn. Ich warne dich: Hannah sollte nicht für Ruby sorgen.«

»Hast du über mich geredet, Granny?«, unterbricht Ruby uns. Sie ist eher für die Oper als für die Schule angezogen.

»Habe ich, Schatz.« Mutter umarmt sie, und Ruby erwidert es genauso innig, wie sie mich umarmt.

»Rubes, du weißt, dass du dich umziehen musst. Und nimm Grannys Ringe ab.«

»Sei ein braves Mädchen, Liebes«, sagt Granny. »Und pass auf dich auf heute.«

Sie küsst Ruby auf den Kopf.

»Jetzt!«, sage ich.

Auf der Fahrt zur Schule versuche ich, mit Ruby zu reden.

»Ist alles okay bei dir und Hannah?«

Da sie nicht antwortet, probiere ich es mit einer anderen Frage.

»Hast du neue Freunde gefunden, von denen ich nichts weiß?«

Sie schüttelt den Kopf. »Stan ist mein einziger Freund.«

»Keins von den Mädchen?«

»Die mögen mich nicht.«

»Was? Warum nicht?«

»Weil ich mit den Jungen Fußball spielen will.«

Fußball. Vor wenigen Monaten noch hätte sie von »Kicken« gesprochen. Sie wird zu einem richtigen englischen Mädchen. Natürlich bin ich froh, dass sie sich einlebt, aber es ist auch ein Zeichen dafür, dass unser Leben in Kalifornien weiter wegrückt.

»Tja, du musst Geduld haben«, sage ich. »Sie sind doch nicht gemein zu dir, oder?«

Sie zuckt mit den Schultern.

»Ruby?«

»Nein. Nicht gemein.«

»Was dann?«

»Nichts. Mir geht es gut! Bei dir hört es sich an, als wäre es schlimm, aber das ist es nicht.«

Mehr bekomme ich nicht aus ihr heraus. Als ich sie absetze, weist sie mich streng an, nicht weiter als bis zum Tor mitzugehen. Dort bleibe ich stehen und blicke ihr nach, bis sie sich umdreht und mir zu verstehen gibt, dass ich gehen soll.

Auf dem Rückweg zum Parkplatz ist eine Gruppe von Frauen vor mir. Stans Mum ist unter ihnen.

»Clare, hi, ich bin's, Jo«, sage ich. Sie bleibt stehen, und die anderen tun es ihr gleich. Clare lächelt nicht, stellt mich auch nicht vor, also strecke ich jeder von ihnen die Hand entgegen und mache mich selbst bekannt. Es sind alles Mütter aus Rubys Klasse.

»Ruby würde sich freuen, wenn Stan mal wieder zum Spielen kommen dürfte«, sage ich. »Sie hat jetzt eine Nanny, die auf sie aufpasst – vielleicht hast du sie schon gesehen oder kennengelernt. Jedenfalls wird es kein solches Durcheinander mehr geben wie beim letzten Mal.«

Die Frauen wechseln vielsagende Blicke.

»Was ist?«, frage ich.

»Nichts«, sagt Stans Mum. »Uns ist bloß aufgefallen, dass sie ziemlich altmodisch ist, falls du verstehst, was ich meine.« Es klingt wie eine Beleidigung, und zur Illustration verdreht sie auch noch die Augen. Eine der anderen Frauen kichert. Ich bin unsicher, wie ich reagieren soll, also sage ich: »Tja, dann könnte Stan vielleicht mal freitags kommen, da hole ich Ruby selbst ab. Es ist mein freier Tag.«

»Mir ist nicht wohl dabei, wenn Stan in Lake Hall ist. Tut mir leid«, antwortet sie. »Es ist keine sichere Umgebung, wenn die Kinder nicht anständig beaufsichtigt werden.« Sie sieht kein bisschen verlegen aus bei dem, was sie da sagt, und ihre Freundinnen genauso wenig. Ich möchte mir gar nicht ausmalen, wie sie hinter meinem Rücken über uns reden.

»Verstehe. Vielleicht möchte er ja mal nach der Schule oder am Wochenende mit uns schwimmen gehen, statt zu uns zu kommen.«

»Klar«, sagt sie, aber es klingt lau.

»Ich schreibe dir.«

Sie nickt, und die Frauen gehen weiter. Die Schwingungen, die ich empfange, geben mir nicht das Gefühl, als sollte ich mich zu ihnen gesellen. Den ganzen Weg zum Wagen bleibe ich einige Schritte hinter ihnen.

Ich überlege, in den Facebook-Chat zu sehen, was online gesagt wird, komme jedoch zu dem Schluss, dass ich es nicht ertrage.

Bei meiner Rückkehr treffe ich auf Hannah, die zu meiner Überraschung das neue Mädchen, Lottie, im Schlepptau hat, das zu seinem Probetag als Haushälterin erscheint. Ich dachte, Lottie würde allein kommen.

»Sie müssen nicht hier sein, wenn Ruby in der Schule ist«, sage ich.

»Schon gut. Ich habe gesagt, dass ich das für Sie organisiere, und das tue ich. Sie haben genug um die Ohren.«

Ich widerspreche nicht. Etwas Verantwortung abzutreten fühlt sich wie Luxus an. »Aber Sie sollten sich die Zeit an anderer Stelle freinehmen.«

»Oder Sie schreiben die Stunden einfach zu meinen anderen für die Woche, wenn das praktischer ist.«

Mir ist es unangenehm, über den geschäftlichen Teil unserer Beziehung zu sprechen. Ich weiß, dass Hannah dafür bezahlt wurde, meine Nanny zu sein, doch so hatte es sich nie angefühlt. Man muss ihr zugutehalten, dass ich früher nichts von ihrem finanziellen Arrangement mit meinen Eltern mitbekommen habe. Jetzt ist es aber unvermeidlich.

»Hannah, Sie sollten wissen, dass meine Mittel sehr begrenzt sind. Ich kann es mir nicht leisten, Ihnen zusätzliche Stunden zu bezahlen, tut mir leid.«

»Natürlich, das verstehe ich. Ich hätte gedacht, dass Ihre Mutter Ihnen vielleicht hilft, aber das geht mich nichts an. Trotzdem ist es ein Jammer, denn Sie brauchen Hilfe, um wieder auf die Beine zu kommen.«

»Ihre jetzige Hilfe ist schon Gold wert.«

»Das mache ich mit Freuden. Wer hätte gedacht, dass es einmal so kommen würde für uns? Ruby ist so entzückend.«

»Danke.«

»Sie haben eine Menge durchgemacht, Sie beide.« Sie hat eine Art, mich anzusehen, dass sich die emotionalen Schleusen so verlässlich öffnen, wie sie sich bei einem Wort von Mutter schließen. Es ist mir peinlich, dass mir die Tränen kommen, und ich wechsle das Thema.

»Was ist mit Ihnen? Was haben Sie so gemacht? War bei Ihnen alles gut?« Mir kommt in den Sinn, dass es vielleicht nicht so war, denn Hannah hat nichts von eigenen Kindern oder einem Partner erwähnt. Andererseits könnte sie auch willentlich auf beides verzichtet haben.

»Ach, dies und jenes. Ich habe für einige andere Familien gearbeitet, was sehr einträglich war. Dann musste ich mehrere Jahre meine Mutter pflegen. Ich habe ein ruhiges Leben geführt, wirklich. Trotzdem blieb lange Zeit das Gefühl, dass ich hier bei Ihnen sein sollte.« Ich merke, wie ich wieder den Tränen nahe bin. »Ach du liebe Güte«, sagt sie. »Ich wollte Sie nicht zum Weinen bringen. Es sind hoffentlich Freudentränen, weil wir wieder zusammengefunden haben.« Ich nicke, und sie nimmt mich in den Arm.

»Oh, ich sehe Probleme«, sagt sie, als sie mich wieder loslässt. Lottie ist hinten im Korridor, wo sie den Boden wischen soll, sieht jedoch auf ihr Handy. »Junge Dame!«, ruft Hannah und marschiert auf Lottie zu.

Seit Chris gestorben ist, habe ich mich nicht getraut, mich einem anderen Erwachsenen anzuvertrauen, aber ich denke, das könnte sich jetzt ändern. Hannahs Verständnis fühlt sich wie eine erste sanfte Berührung nach brutalen Prügeln an.

VIRGINIA

Nach wie vor ist Victor Ellison für unsere Konten bei der Bank in London zuständig. Er ist natürlich ein wenig gealtert, müsste kurz vor der Pensionierung stehen, was schade um den guten Mann ist. Er trägt anständige Anzüge und hat makellos weiße Zähne. Die meisten persönlichen Besprechungen hatte Alexander mit Victor gehabt, aber auch Victor und ich sind uns im Laufe der Jahre ein paarmal begegnet.

Er schenkt Tee ein und bietet mir einen Keks an, den ich ablehne, weil er zu groß ist. Heute bekommt man so gut wie nirgends mehr irgendwas in angemessener Größe angeboten, nicht mal bei Coutts.

»Ich müsste mir sämtliche monatlichen Zahlungen von Alexander ansehen«, erinnere ich ihn an den Grund meines Besuchs.

»Ja, und ich war so frei, eine Liste auszudrucken.«

Ich suche in meiner Tasche nach der Lesebrille, bis mir einfällt, dass ich sie heute an einer Kette um den Hals trage. Victor ist taktvoll und lächelt höflich, während ich suche. Ich möchte vor ihm nicht idiotisch wirken. Das hier ist geschäftlich, und Geschäftliches nehme ich sehr ernst.

Ich überfliege die Liste und finde die Zahlungen an Hannahs Konto. Es ist eine hohe halbjährliche Summe, und ich bin schockiert, sie schwarz auf weiß zu sehen. Ich zeige Victor den Posten. »Wie lange gehen diese Zahlungen schon?«

Er blickt auf den Monitor. »Auf jeden Fall, seit wir alle Daten elektronisch speichern. Wenn ich weiter zurückgehen soll, müsste ich in den Akten nachsehen.«

»Nein, das genügt mir. Ich muss den Betrag erhöhen, und dürfte ich bitte auch an meine Schließfächer?«

»Natürlich, Lady Holt. Doch vorher könnten wir vielleicht die Möglichkeit besprechen, dass Sie eine größere Einzahlung auf Ihr Konto vornehmen? Ihr Überziehungskredit ist schon seit Monaten überschritten, und wenn Sie wünschen, dass Überweisungen wie diese lückenlos fortgesetzt werden, müssten wir den Kredit vielleicht erhöhen.«

»Es wird eine erhebliche Summe eingehen, wie üblich.«

»Könnten Sie mir sagen, wann?«

»Nicht genau, aber ich rechne in ein oder vielleicht zwei Monaten damit.«

»Präziser könnten Sie es nicht angeben?«

»Leider nicht. Mein Wort ist so verlässlich, wie Alexanders es war.«

Victor grinst zufrieden, und mich würde nicht wundern, wenn er mit der Aussicht auf die Londoner Skyline hinter ihm im Fenster verschmelzen würde.

»Natürlich«, antwortet er. »Sollte sich die Situation allerdings ändern, seien Sie bitte so freundlich, es mich wissen zu lassen.«

Ich frage mich, ob er gewagt hätte, so mit Alexander zu reden. Wie dem auch sei, ich würdige seine Bitte keiner Antwort.

»Dann möchte ich nun gern zu meinen Schließfächern.«

Er tippt einmal mehr als nötig mit dem Kugelschreiber auf den Schreibtisch, als müsse er sich die Antwort überlegen.

»Wir können jetzt gleich nach unten gehen«, sagt er.

Victor bringt meine Kassetten in einen separaten Raum, wo er sie auf einen Tisch stellt. Er gibt mir zu jeder den Schlüssel und lässt mich allein.

Ich öffne die erste Kassette. Bevor ich etwas darin berühre, nehme ich ein Paar weiße Baumwollhandschuhe aus meiner Handtasche und streife sie über. Ich hatte mich beraten lassen, als ich diese Kassette packte, und spezielles Schutzpapier gekauft. Es enthält keine Säure, die den Zeichnungen schaden könnte, und die Handschuhe schützen sie vor meinen eigenen Körperflüssigkeiten.

Beim Entfernen der letzten Papierschicht schlägt mein Herz schneller. Das tut es jedes Mal. Obwohl ich sie so oft gesehen habe, bleibt es unvermindert aufregend, die brillanten, wichtigen Kunstwerke zu berühren. Dies sind nicht irgendwelche alten Zeichnungen. Sie würden das Herz eines jeden Auktionators oder Kunsthändlers vor Aufregung rasen lassen.

Insgesamt sind es über vierzig Zeichnungen. Unter den Künstlern, von denen sie stammen, finden sich Mantegna, Leonardo da Vinci, Tizian, Rembrandt und einige weniger berühmte Namen. Sie bilden unsere finanzielle Sicherheit, *meine*, jetzt, da Alexander tot ist.

Niemand außerhalb der Familie weiß genau, was alles zur Holt-Sammlung gehört. Ich wähle eine italienische Zeichnung aus. Sie wird der Schule von Leonardo zugeordnet. Eine solche Zeichnung bringt kein Vermögen, doch unerheblich ist ihr Wert auch nicht. Ich nehme sie aus der Kassette und lege sie in die Hutschachtel, die ich mitgebracht habe. Einer alten Frau wird auf den Straßen Londons vielleicht die Handtasche geraubt, aber keiner wird ihr eine Hutschachtel entreißen. Die Zeichnung passt genau auf den Boden der Schachtel, zwischen weitere Lagen Schutzpapier, die ich zuvor hineingelegt habe. Der Hut kommt später obendrauf.

Ich sehe auf die Uhr. Ich darf Elizabeth nicht vergessen, die um die Ecke in der Nationalgalerie ist. Sie wollte sich die Mantegna- und Bellini-Ausstellung ansehen und hatte einen Termin vereinbart, um in den Archiven stöbern zu können. Wahrscheinlich sitzt sie in diesem Moment an einem Tisch im Café der Nationalgalerie und genießt Kaffee und Kuchen ohne mich.

Ich schließe die zweite Kassette auf und schaue hinein. Sie enthält einige Schmuckstücke und ein Hauptbuch: der Holt-Katalog, jenes Wunderwerk aus Einzelheiten zu jedem Werk in der Holt-Sammlung, in Jahrhunderten sorgsam eingetragen. Ich nehme den Katalog heraus. Elizabeth wird darin nachschlagen wollen. Dann hebe ich die Zeichnung wieder aus der Hutschachtel und lege den Katalog ganz unten hinein.

Ich verschließe die Kassette und hole tief Luft. Wenigstens kann ich jetzt Hannah bezahlen. Ich glaube, das gibt mir einige Macht über sie. Ich nehme meine Tasche und mache mich bereit, mich wieder der Welt zu stellen.

Als ich mich von dem Tresorraum mit den Schließfächern entferne, läuft mir eine junge Angestellte nach.

»Lady Holt!« Sie hält meine Hutschachtel in der Hand. »Ist das Ihre?«

»Haben Sie vielen Dank, meine Liebe. Ich weiß nicht, was ich ohne die getan hätte.«

DETECTIVE ANDY WILTON

Der forensische Künstler bittet die Detectives in seine Werkstatt, in der er Gesichter von Toten anhand ihrer Schädel rekonstruiert. Drei Schädelabgüsse aus Gips stehen in einigem Abstand zueinander auf dem großzügigen Arbeitstisch, jeder in einem anderen Rekonstruktionsstadium. Andy und Maxine sehen einander an. Beide fragen sich, welcher ihre Jane Doe sein mochte.

An dem Schädel ganz vorn sind lauter kleine weiße Stifte auf dem Gesicht fixiert, allesamt nummeriert. »Um die Gewebedichte zu bestimmen«, sagt der Künstler. Sie gehen weiter. »Als Erstes bauen wir die Gesichtsmuskulatur auf«, erklärt er, als sie einen Schädel betrachten, bei dem Schichten aus weißem Ton einem Teil des Schädels schon Leben eingehaucht haben. Bei dem letzten Schädel liegt bereits eine glänzende, rotbraune, hautähnliche Schicht auf, und Plastikaugen sind eingefügt. »Wie es aussieht, war er oder sie zu lange in der Sonne«, sagt Andy.

»Das ist Ihre Jane Doe«, sagt der Künstler. »Sie ist beinahe fertig. Es fehlt nur noch die Hautstruktur.« Er nimmt ein kleines weiches Ledertuch auf, drückt es auf eine der Wangen und zieht es wieder ab. »Rehhaut«, sagt er. »Der Abdruck verhindert, dass die ›Haut‹ zu gespannt wirkt, sehen Sie? Versuchen Sie mal. Ich finde immer, dass sie in diesem Moment lebendig werden.«

Maxine probiert es aus. Andy will lieber nicht, sieht sich jedoch die zarten Linien und Konturen an, die der Abdruck hinterlässt. Ihre Jane Doe sieht zugleich starr und verletzlich aus. Ihre Augenbrauen sind mit einer Schraffur im Ton dargestellt, doch ansonsten ist sie kahl.

»Sie hat schöne große Augen und recht feine Züge, aber keine charakteristischen Merkmale«, sagt der Künstler. »Ich bin ziemlich zufrieden mit dem Ergebnis. Sie wachsen einem fast ein bisschen ans Herz, wenn man an ihnen arbeitet.«

»Könnten Sie sie dann fragen, was zur Hölle mit ihr passiert ist?«

»Haha! Tja, wäre das Leben nicht schön, wenn ich das könnte? Hier, sehen Sie sich das an. Ich muss sie noch fertigstellen, ehe ich sie einscanne, aber dies hier ist ein anderer Kopf, den wir gemacht haben. Damit Sie eine Vorstellung bekommen, was ich Ihnen schicken kann.«

Der Kopf erscheint dreidimensional auf dem Bildschirm und beginnt, sich zu drehen.

»Wir können problemlos Haar hinzufügen.« Mit wenigen Klicks wird der Schädel durch die Ergänzung von brünettem, schulterlangem Haar verändert. Der Künstler tauscht das brünette Haar erst gegen langes blondes, dann gegen kürzeres aus.

Andy bittet um das Profil und Frontalansichten seiner Jane Doe mit unterschiedlichen Haarfarben und Haarschnitten.

»Wir sorgen dafür, dass Sie auch Ansichten aus unterschiedlichen Perspektiven bekommen. Ich schicke sie gleich nächste Woche«, verspricht der Künstler.

»Danke. Dann können wir mit ihr losziehen und sehen, ob wir sie irgendwelchen alten Freunden vorstellen«, sagt Maxine.

»Oder Feinden«, fügt Andy hinzu.

VIRGINIA

Auf der Strand scheinen so viel mehr Leute zu sein als früher. Elizabeth und ich gehen Arm in Arm, kommen jedoch kaum voran vor lauter Touristen, die uns mit ihren Handys an langen Stöcken umschwärmen wie Insekten. Es macht das Gehen beschwerlich.

»Ich schaffe es nicht bis zum Courtauld«, sage ich. »Ich warte im Savoy auf dich.« Mir kommt eine Idee. »Kannst du Faversham für mich anrufen? Lade ihn ein, sich mit dir auf einen Drink in der American Bar zu treffen, aber verrate ihm nicht, dass ich dort sein werde.«

»Bist du sicher?«

»Er ruft mich nicht zurück.«

»Du wirst ihn nicht überreden können, Jocelyn zu entlassen.«

»Ich kann es versuchen.«

Das Savoy kommt mir wie eine sichere Zuflucht vor. Keiner vom Personal erkennt mich, was traurig ist, aber zu erwarten war.

Ich habe so viele Erinnerungen an Abende hier, aber die an ein besonderes Geburtstagsdinner ist mir die liebste. Ich trug ein rotes Abendkleid von Ossie Clark. Es war bodenlang, scharlachrot mit weiten, von Manschetten gerafften Ärmeln und einem tiefen Ausschnitt aus göttlichem, figurschmeichelndem Mooskrepp. Natürlich musste ich meine Brüste in Form kleben, damit es funktionierte, aber das wusste niemand außer dem Kleid und mir.

»Ein teuflisches Kleid«, sagte Alexander, als ich aus dem Ankleidezimmer kam. »Absolut teuflisch.«

»Du musst es ja wissen«, sagte ich.

Er strich mit den Fingern über den Ausschnitt. »Umwerfend, Liebling.«

Er bot mir seinen Arm, und wir gingen nach unten. Alle drehten sich zu uns um, als wir die Bar betraten. Wir hatten damals einen wunderbaren Abend, was schön war, denn so vielversprechend unsere Abende auch begannen, sie endeten nicht immer gut.

Ich sinke in einen bequemen Sessel und bestelle eine White Lady, meinen Lieblingscocktail. Warum nicht? Ich beobachte, wie die Kellnerin sich mit meinem Drink auf dem Tablett einen Weg zwischen den Tischen hindurch bahnt. Strasssteine funkeln am Ausschnitt ihres schmalen Kleides, und sie hat eine umwerfende Figur. Ein hinreißendes, katzenhaftes Geschöpf.

»Arbeitet Jack Brabbage noch hier?«, frage ich, als sie übertrieben kunstvoll die Serviette auf den Tisch legt und das Cocktailglas vor mir ausrichtet.

»Ich glaube nicht«, antwortet sie.

»Haben Sie ihn gekannt?«

Elegant schüttelt sie den Kopf.

»Er war eine Institution.«

Jack. Der gute Jack. Er half mir immer, meinen Mann nach oben zu bringen, wenn Alexander es übertrieben hatte. *Benötigen Sie ein Zimmer, Lady Holt? Gar kein Problem. Möchten Sie, dass ich Lord Holt begleite? Meinen Sie, es wäre Lord Holt recht, wenn seine Hose bis zum Morgen gereinigt wird?*

Falls Sie wünschen, rufen Sie einfach unten an, wenn er sich umgezogen hat, und ich lasse sie holen.

Alexander wurde sturzbetrunken und mit einem aufblühenden Urinfleck auf der Hose ins Bett verfrachtet. Aber, mein Gott, welche Diskretion Jack und dieses Hotel wahrten! Sie erlaubte mir, weiterhin erhobenen Hauptes durch diese Hallen zu schreiten, solange wir zahlen konnten.

Elizabeth ist hier. Zu früh.

»Was ist passiert?«

»Das verfluchte Archiv im Courtauld ist geschlossen!«

»Hast du ihnen erklärt, dass du einen Termin hast?«

»Ich konnte doch keine Szene machen.«

»Nein, natürlich nicht.«

»Was trinkst du? Das will ich auch.«

Ich bestelle, und sie entspannt sich ein klein wenig. Es ist, als würde man zuschauen, wie sich das Gefieder an einem aufgeplusterten Huhn legt. Sie blickt sich um. »Ich glaube, ich bin nicht so ganz passend gekleidet, oder?«

»Unsinn.« Ist sie wirklich und wahrhaftig nicht. War sie auch noch nie. »Öffnet das Archiv morgen wieder?«

»Anscheinend ja.«

»Wir könnten in meinem Club übernachten.«

Dort bin ich Mitglied, seit wir das Haus in Belgravia verkaufen mussten, und ich hatte mir bewusst einen Damenclub ausgesucht, weil ich einen Ort ganz für mich haben wollte. Ich war es leid, die Bonnie zu Alexanders Clyde zu mimen. Seit Jahren war ich nicht mehr in dem Club, aber ich gehe davon aus, dass Elizabeth dort sehr gut reinpasst. Normalerweise wimmelt es da von Blaustrümpfen und Frauen von der Royal Academy.

»Dann ginge noch ein Cocktail.« Sie hebt das Glas, und wir stoßen an.

»Und Dinner irgendwo, wo es lustig ist?«

»Abgemacht.« Sie kichert. »Ich komme mir vor, als würden wir zu einem Abenteuer aufbrechen.«

Faversham erscheint wie aufs Stichwort, elegant mit seinem üblichen Filzhut und dem langen Mantel, nach Zigarettenqualm riechend und die Wange kalt von draußen, als wir einander zur Begrüßung küssen.

»Virginia«, sagt er. »Was für eine entzückende Überraschung.«

»Du kannst mich nicht ewig meiden.«

»Offensichtlich nicht. Willst du mit mir schimpfen?«

»Du verdienst es.«

»Jocelyn wird sich sehr gut in ihrem Job machen. Sie ist ein Naturtalent, genau wie ihr Vater.«

»Ich verbiete dir, sie in den Verkauf eines deiner Gemälde zu verwickeln. Du musst sie entlassen, und sie darf nicht erfahren, dass wir miteinander gesprochen haben.«

Er beugt sich vor und flüstert: »Sie weiß nicht, dass das Vanitas-Stillleben eine Fälschung ist.«

»Das ist mir klar, denn sonst würde sie schreiend weglaufen! Sie wäre am Boden zerstört. Der Punkt ist, dass ich sie überhaupt nicht verwickelt haben will, egal ob sie weiß, dass sie etwas Illegales tut, oder nicht. Sie wird da rausgehalten.«

»Illegalität hat dich früher nie gestört.«

»Meine Tochter war auch noch nie davon berührt.«

»Ich kann sie nicht gehen lassen, bevor das Stillleben verkauft ist. Sie hat den Kunden kennengelernt und war brillant, da wäre sie entsetzt, wenn ich ihr jetzt sagen würde, dass ich sie nicht brauche. Und sie könnte misstrauisch werden. Danke, Schätzchen.« Er wartet, bis die Kellnerin gegangen ist, dann lässt er seinen Charme spielen. »Denk mal drüber nach, Ginny, Schätzchen. Wenn wir sie dabei behalten, könnte sie ein echter Gewinn sein.«

»Er hat recht«, sagt Elizabeth. »Wenn man es mal rein geschäftlich sieht.«

»Sie ist kein Geschäft! Sie ist meine Tochter! Du hattest kein Recht, ihr einen Job anzubieten, ohne mich zu fragen. Und tausend Dank auch, Elizabeth, dass du es möglich gemacht hast!« Mir rutscht das Cocktailglas aus der Hand, fällt auf den Boden, prallt vom Teppich ab und verursacht eine Pfütze und ein Sprühmuster. Elizabeth zieht gerade noch rechtzeitig die Hutschachtel weg, und alle drei seufzen wir vor Erleichterung.

»Jocelyn ist erwachsen«, sagt Faversham. »Du darfst ihr nicht so viel verheimlichen. Vielleicht möchte sie ja bei uns mitmachen. Hast du mal daran gedacht?«

»Hör auf, Jacob. Es geht dich nichts an, was ich ihr erzähle und was nicht. Tatsache ist, dass du sie hinter meinem Rücken eingestellt hast und sie täuschst. Du lässt sie ins offene Messer laufen.«

»Falls wir erwischt werden.«

»Werden wir nicht.« Elizabeths Zuversicht ist völlig deplatziert. Sie hält ihre Fälschungen für unerkennbar. Es ist die Arroganz der Schöpferin, aber wir alle machen manchmal Fehler.

Ich bin noch nicht fertig mit Faversham. »Du hättest das nicht tun dürfen, und das weißt du auch, sonst hättest du mich zurückgerufen. Alexander wäre außer sich, wenn er hiervon wüsste. Nein, nicht außer sich, er wäre am Boden zerstört.«

»Ist ja gut«, sagt Faversham. »Beruhige dich. Sobald dieser Verkauf abgewickelt ist, lasse ich sie gehen.«

»Danke.«

Wir schweigen, während die Kellnerin den Teppich säubert.

In meinem Club ist nur noch ein Zimmer frei; es ist ein Doppelzimmer, aber Elizabeth und mir macht das nichts aus. Wir haben uns wieder vertragen, nachdem Faversham gegangen ist. Ich glaube ihr, dass sie nichts von Favershams Plan wusste, Jocelyn einzustellen, als sie die beiden einander vorstellte.

Wir sitzen auf unseren Betten.

»Ich darf mich nicht hinlegen«, sagt Elizabeth, »sonst komme ich nicht wieder hoch. Wo wollen wir essen?«

»Ich habe keine Ahnung. Es ist so lange her, seit ich in der Stadt war.« Vor zwanzig Jahren, sogar noch vor zehn hätte ich genau gewusst, wo ich essen möchte, und dort auch einen Tisch bekommen. Inzwischen kenne ich mich nicht mehr aus.

»Zeigst du mir, was du geholt hast?«, fragt Elizabeth.

Die Hutschachtel liegt auf meinem Bett. Ich klappe den Deckel auf und nehme den Hut und das Schutzpapier heraus. Elizabeth holt ein Paar weiße Baumwollhandschuhe aus ihrer Handtasche und hebt die Zeichnung heraus.

»Oh, sie ist großartig.«

Das ist ein gutes Zeichen. »Bekommst du sie hin?«

»Selbstverständlich, aber du musst Faversham fragen, ob ihm wohl dabei ist, sie so kurz nach dem Stillleben auf den Markt zu bringen.«

»Er wird es tun, weil er mir was schuldet.« Wie abhängig wir drei voneinander sind. »Der Katalog ist auch da drin, wenn du hineinsehen willst.«

Sie nimmt ihn aus der Schachtel und blättert vorsichtig. »Gefunden«, sagt sie. »Schön. Es hilft mir immer, ein klareres Bild zu bekommen, sozusagen.«

Erschöpft lege ich mich hin. »Liebes, macht es dir etwas aus, wenn wir beim Zimmerservice bestellen und früh ins Bett gehen? Wir könnten im Bett essen und den Fernseher einschalten.«

»Ist alles in Ordnung?«, fragt Elizabeth. Einen Moment lang sehne ich mich danach, ihr alles zu erzählen. Doch man sollte nie einer Person all seine Geheimnisse anvertrauen. Nicht einmal der besten Freundin.

»Mir geht es gut. Ich bin nur müde. Entschuldige, dass ich so langweilig bin. Also, würde es dir etwas ausmachen?«

»Überhaupt nicht. Es war ein langer Tag.« Elizabeth stöhnt, als sie sich bückt, um die Schuhe auszuziehen. »Wir sind auch nicht mehr die, die wir mal waren, was?«

Wir bestellen Käsemakkaroni, Sommerpudding und eine gute Flasche Wein. »Ist das nicht wie in der Schule?«, fragt Elizabeth, als wir auf dem Bett sitzen, die Tabletts auf dem Schoß und die nackten Füße unter die Decke geschoben.

»Ja, stimmt.« Ich wackle mit den Zehen und empfinde beinahe so etwas wie Erleichterung, denn ausnahmsweise habe ich ein paar Stunden, in denen ich nicht wachsam sein muss. Die Momente, in denen ich aufhören kann, Lady Holt zu sein, und einfach ich sein darf, sind äußerst rar und daher umso kostbarer.

Dies ist kein Abend im Savoy, kein Vergleich dazu. Aber jene Zeiten sind vorbei, meine Kraft schwindet, und ich muss auf mich aufpassen. Ich habe eine Tochter und eine Enkelin zu schützen. Allein dieser Gedanke genügt, dass mein Essen wie Asche schmeckt und mich in der Nacht Albträume plagen.

JO

Ruby schlurft mir vollkommen erledigt entgegen, als ich sie von der Schule abhole. Sie ist geschafft, aber glücklich, weil sie ausgewählt wurde, über das Wochenende den Hamster zu versorgen. Wir schnallen den Käfig auf der Rückbank an und laden das Futter und sonstiges Zubehör in den Kofferraum.

Zu Hause bringen wir den Hamster nach oben. Ich habe zugestimmt, dass Ruby ihn in ihrem Zimmer hat, weil Boudicca nicht nach oben darf. Außerdem ist er dort Mutter nicht im Weg. »Tiere sollten nicht in Käfige gesperrt werden«, lautet ihr Mantra, seit ich ein Kind war.

Hannah ist noch im Haus.

»Danke, dass Sie heute hier waren. Wie hat Lottie sich gemacht?«

»Ich glaube, sie wäre wohl eher eine Belastung als eine Hilfe. Aber wir versuchen es weiter. Wir könnten im *Evening Advertiser* inserieren.«

»Ich weiß nicht. Dort sind mehrere Artikel über die Leiche erschienen. Wir würden Gefahr laufen, dass sich Leute nur bewerben, weil sie hier gaffen wollen.«

»Ja, da haben Sie vielleicht recht. Überlegen wir noch ein wenig.«

Sie nimmt ihre Tasche auf, doch ich will nicht, dass sie geht.

»Kann ich Ihnen wenigstens ein Abendessen kochen, zum

Dank für alles? Das heißt, wenn Sie nichts anderes vorhaben. Meine Mutter bleibt über Nacht in London.«

Ein Lächeln erstrahlt auf ihrem Gesicht. »Das wäre reizend.«

»Ich dachte, wir sind nur du, ich und Granny«, sagt Ruby, die an der Tür steht und mit dem Schuh über den Steinboden schabt.

»Sei nicht unhöflich! Entschuldigen Sie, Hannah. Ich glaube, sie ist müde.« Ich werfe Ruby einen strengen Blick zu, doch sie stolziert schon davon.

»Tut mir leid«, wiederhole ich.

»Muss es nicht. Ich weiß, wie Kinder sind.«

»Trotzdem.«

»Ruby trauert. Es ist eine sehr schwierige Zeit für sie. Sie lernt Ihre Mutter kennen, was vielleicht nicht einfach ist, und passt sich an eine neue Familienstruktur an. Es ist verständlich, wenn sie damit nicht immer so richtig gut zurechtkommt. Und dass sie sich an mich gewöhnen muss, ist noch eine Veränderung, jetzt, wo sie gerade erst anfängt, das Trauma und den Aufruhr hinter sich zu lassen. Ruby ist ein kleines Mädchen an einem fremden Ort. Und wie Ihre Mutter Sie vor ihr herunterputzt, hilft ihr sicher nicht, wenn sie vor allem Stabilität sucht.«

Das ist wahr, auch wenn ich so noch nicht darüber nachgedacht habe. Hannah durchschaut unsere Familie, wie es kein anderer könnte. »Danke für Ihr Verständnis.«

»Gern«, sagt sie. »Ich möchte es mir zur Aufgabe machen, Ihre rechte Hand zu sein, sodass Ruby weiß, auf wen sie sich verlassen kann. Sie wird bald zur Ruhe kommen, wenn wir es richtig anstellen.«

»Ja, schon, oder?« Hannah bietet mir einen so herrlich klaren Weg aus dem Mahlstrom, in dem wir stecken.

»Natürlich, und wo wir gerade bei Ruby sind, darf ich etwas anmerken?«

»Ja, selbstverständlich.«

»Fassen Sie es bitte nicht falsch auf, aber wissen Sie über alles Bescheid, was Ruby im Internet macht?«

»Das hoffe ich. Warum?«

»Ich glaube, es ist Teil eines größeren Problems. Sie benimmt sich ganz allgemein ein wenig hinterhältig. Oft schleicht sie durchs Haus und über das Anwesen, wie Sie wissen. Sie und ich haben schon Diskussionen wegen gefährlicher Dinge gehabt: Dass Ruby viel zu hoch auf Bäume klettert und auf der Obstgartenmauer balanciert, sind nur die jüngsten Beispiele, und ich habe gehört, dass sie und Stan in dem Kajak waren. Mit dem Handygebrauch ist es nicht anders. Da gibt es Gefahren, wie Sie wissen. Ich habe keinen Beweis, und ich habe auch noch nichts zu ihr gesagt, weil ich erst mit Ihnen reden wollte.«

»Mir ist nichts aufgefallen.« In dem Augenblick, in dem ich es sage, denke ich: *Aber weiß ich es eigentlich?* Zwar würde ich es Hannah gegenüber nicht zugeben, aber manchmal bin ich froh, wenn Ruby mit ihrem iPad oder Handy beschäftigt ist, weil es mir eine Pause verschafft, in der ich nicht für sie da sein muss. Natürlich weiß ich nicht immer *alles*, was sie tut, aber welche Eltern wissen das schon? »Glauben Sie, dass sie etwas verheimlicht?«

»Da möchte ich ungern spekulieren. Es könnte etwas sehr Geringfügiges sein oder gar nichts. Aber ich dachte, ich erwähne es, damit wir gemeinsam ein Auge darauf haben.«

»Danke.«

Hannah gähnt. »Verzeihung«, sagt sie. »Ich habe letzte Nacht nicht gut geschlafen.«

»Ist alles in Ordnung?«

»Einige Kleinigkeiten, die mir durch den Kopf gehen, aber nichts, weshalb Sie sich sorgen müssen.«

»Wie wäre es, wenn Sie sich hinsetzen und ich Ihnen eine Tasse Tee mache?«, frage ich. »Entspannen Sie sich.«

»Gleich, das ist nett.« Sie öffnet den Kühlschrank und holt eine Tüte mit Salatblättern heraus. »Ich möchte die hier erst noch nach oben zu Ruby bringen. Die werden ihrem Hamster schmecken.«

Der Korken knallt angenehm, als er aus der Flasche ploppt. Ich habe den Rotwein in Vaters Weinkeller gefunden. Ohne Mutter fühlt sich Lake Hall weniger bedrückend an als sonst. Es ist, als käme man aus einem stickigen Raum und könne wieder atmen.

»Nicht so viel für mich«, sagt Hannah. »Ich muss noch fahren.«

Ich schenke ihr wenig und mir viel ins Glas. Der Wein hat eine dunkle Brombeerfarbe, und das Etikett ist verstaubt. Ruby hatte ich bereits Essen gemacht, also sitzen Hannah und ich allein am Tisch.

»Wir trinken hoffentlich nicht etwas sehr Besonderes«, sagt Hannah.

»Oh, das hoffe ich doch! Warum nicht?«

Sie hebt das Glas. »Zum Wohl. Erzählen Sie doch mal, wie ist die Arbeit?«

»Läuft sehr gut. Und ich liebe es. Dabei fällt mir ein, erinnern Sie sich an ein Foto von mir im Esszimmer in Belgravia? Da muss ich noch klein gewesen sein.«

»Du meine Güte, das ist aber ein weiter Sprung zurück! Ich erinnere mich an ein schreckliches Theater eines Nachmittags, als Sie nicht in den Londoner Zoo konnten, weil Ihre Mutter ein Porträt von Ihnen machen lassen wollte. Da waren Sie ungefähr fünf oder sechs.«

»Sie zwang mich, ein Rüschenkleid anzuziehen, das ich hasste.«

»Nein, meine Liebe, das verwechseln Sie, fürchte ich. Sie liebten das Kleid. Sie sagten, mit den vielen Rüschen kämen Sie sich wie eine spanische Tänzerin vor. Aber Sie hassten den Haarreif, den Sie tragen mussten, weil Sie davon rote Druckstellen hinter den Ohren bekamen.«

»Dann war es wohl so«, sage ich, obwohl ich mir nicht sicher bin. So viele meiner Erinnerungen sind schemenhaft. Ich meine mich zu entsinnen, wie klein ich mich in dem Raum voller Erwachsener fühlte, wo der Kamerablitz weiß aufleuchtete und es dieses leise Pfeifen gab, wenn er sich wieder auflud, während mir »SITZ STILL!« befohlen wurde. Zischelnde Laute, wie sie entstehen, wenn man angefaucht wird. Als Kind hat man das Gefühl, dass sie sich um einen schlingen und sich zuziehen. Es fühlt sich genauso an wie die Angst vorm Dunkeln.

»Wenn es irgendwo ist, dann wahrscheinlich in einem der Alben«, sagt Hannah. »Ich weiß nicht, wo die jetzt sind, aber Ihr Vater hatte sie früher im Arbeitszimmer. Soll ich Ihnen suchen helfen?«

»Wenn es Ihnen nichts ausmacht.«

»Ich komme gleich.«

Ich finde die Alben auf einem der obersten Regale im Blauen Salon. Hier brennt schon ein Feuer im Kamin. Hannah muss es angezündet haben. Wie aufmerksam.

»Rubes!«, rufe ich die Treppe hinauf. »Möchtest du dir mit Hannah und mir alte Fotos ansehen?«

Sie erscheint oben.

»Darf ich an mein iPad? Stan hat gesagt, dass er vielleicht skypen darf.« Ich würde darauf bestehen, dass sie nach unten kommt, ginge es nicht um Stan. Diese Freundschaft sollte sie unbedingt wieder kitten. »Klar«, antworte ich. »Grüß Stan von mir. Ich zeige dir die Fotos ein andermal.«

»Noch etwas Wein?«, frage ich Hannah, als sie zu mir kommt. »Ich hätte gern noch ein Glas. Trinken Sie mit? Sie können hier übernachten. Ich leihe Ihnen alles, was Sie brauchen.«

»Nun, ich möchte nicht ...«

»Bitte, ich fände es schön.«

»Tja, danke, sehr gern.«

»Hervorragend! Ich hole den Wein. Nein, Sie bleiben sitzen! Ich gehe schon.«

Als ich zurückkomme, hat sie das Feuer geschürt, sodass die züngelnden Flammen das Zimmer orange färben. Sie blättert in einem der Alben. »Da kommen so viele Erinnerungen zurück«, sagt sie. »Sehen Sie sich Ihren Vater auf diesem Bild an.«

Er ist in Tenniskluft im Garten, sieht sehr jung aus und raucht eine Zigarette, während er sich am Netz mit Freunden unterhält. Mutter steht in einem umwerfenden Tenniskleid bei ihm.

»Ist das sein Zigarettenetui da in der Tasche?«, frage ich. Es ist ein Schwarz-Weiß-Foto, aber das außergewöhnliche Muster des Etuis ist klar zu erkennen, auch wenn es nur ein bisschen aus der Hemdtasche ragt.

»Das hatte er immer bei sich, oder?«, sagt Hannah.

»Ja, immer. Alles war damals viel glamouröser, finden Sie nicht? Sogar Tennis.«

»Sie waren auf jeden Fall in einer eigenen Welt.«

Wir sehen die Fotos durch. Einige sind vertraut, andere weniger. Nach meiner Geburt tauchen Hannah und ich gelegentlich auf, aber meistens sind meine Eltern zu sehen. Wir erscheinen hauptsächlich bei Geburtstagsfeiern oder auf Schnappschüssen vom ersten Schultag. Hannah zeigt auf ein Bild, auf dem sie mit mir auf einer Picknickdecke sitzt. In dem Kuchen vor mir stecken zwei brennende Kerzen, und ich bin vollkommen gebannt. Neben mir sitzt ein Kleinkind mit einer Frau, die zu alt ist, um seine Mutter zu sein, und am Rand sind die kleinen dicken Beine eines weiteren Kindes zu sehen.

»Der kleine Junge hieß Simon. Das ist seine Nanny, aber ihren Namen habe ich vergessen«, sagt Hannah.

Ein Stück von der Picknickdecke entfernt stehen Gartenstühle, und auf einem sitzt meine Mutter. Der Fotograf hat sie eingefangen, als sie sich verschwörerisch mit zwei Freundinnen unterhält. Sie haben Drinks und Zigaretten, sind in einer anderen Welt als wir auf der Decke. Keine von ihnen sieht zu ihrem Kind.

»Wer hat das Bild gemacht?«, frage ich. »War es mein Vater?«

»Oh nein. Er hat es nie zu Ihren Geburtstagsfeiern geschafft. Das muss Marion gewesen sein. Den Kuchen hatte ich übrigens gebacken, was Marion nicht gefiel. Die Küche war ihre Domäne, aber ich bestand darauf.«

»Wie nett.«

Es gibt seitenweise Fotografien von meinen Eltern, die schillernd vor exotischen Kulissen posieren, auch noch, als sie älter werden. Sie haben etwas von Filmstars, doch als wir weiterblättern, kann ich nicht umhin, an Faversham zu denken. An das, was er über meinen Vater gesagt hat, und an seine Wohnung, die nach moralischer Verderbtheit stank, als handelte es sich um einen Firnis, der in jede Oberfläche gedrungen war, an manchen Stellen poliert, an anderen in Staubkristalle zerfallen, die sich auf meine Haut zu übertragen schienen, als ich dort war. Ich glaube, das Leben meiner Eltern damals war ähnlich.

Die jüngeren Bilder aus meiner Teenagerzeit, als ich nur in den Ferien zu Hause war, bestätigen es. Sie erinnern mich an

Dinge, die mir unangenehm waren: ein Blick von einem ihrer Freunde, der zu lange und zu intensiv auf mir verharrte; ein Herzbube, den ich am Morgen nach einer Party auf dem mit Billardtuch ausgelegten Tisch fand, zerknickt und noch feucht an den Rändern, wo jemand Kokain von der Karte abgeleckt hatte; eine Mutter, die oft nicht vor dem Mittag aufstand; ein Vater mit dunklen Schatten unter den hübschen Augen und der Angewohnheit, sich ständig das Haar nach hinten zu streichen – wie ein Tic.

»Sie sind aber weit weg«, sagt Hannah.

»Entschuldigung, ich habe nur nachgedacht.« Diese Erinnerungen mit jemand anders zu teilen bin ich noch nicht bereit. Sie machen mich noch entschlossener, Ruby aus dieser Umgebung zu holen. Jenes Leben mag Jahre her sein, doch Verhaltensweisen und Einstellungen überdauern wie Staub, und ich erkenne sie bis heute an meiner Mutter, an ihrer Arroganz und den Urteilen, die sie über andere fällt.

Das Foto von mir vor dem Stillleben ist schwer zu finden, weil die Alben nicht chronologisch sortiert sind. Wir haben es schon beinahe aufgegeben, als wir beim letzten Album ankommen, in dem hauptsächlich Bilder aus den 1990ern sind, doch da steckt es lose zwischen zwei Seiten.

Auf dem Bild sitze ich in einem dunkelgrünen Samtsessel vor dem Kamin in Belgravia. Ich trage das Rüschenkleid, an das ich mich erinnere, sowie jenen Haarreif, von dem Hannah noch weiß, und starre mit leerem Blick in die Kamera. Es ist ein komisches Gefühl, wenn man von seinem eigenen Gesichtsausdruck verstört ist, aber das bin ich.

»Fräulein Mürrisch«, sagt Hannah.

»Ja, nicht? Erinnern Sie sich an dieses Gemälde?«

Auf dem Foto hängt *Vanitas* über dem Kamin hinter mir, so wie Faversham es beschrieben hat.

»Ja. Es gehörte nicht zu meinen Lieblingsbildern, muss ich gestehen. Zu düster.«

»Es steht zum Verkauf. Unsere Galerie bietet es an.«

»Was für ein Jammer.«

»Mein Vater hat es vor Jahren weggegeben, wie es scheint, aber der Kaufinteressent möchte einen Beweis, dass es vorher zu unserer Familiensammlung gehört hat.«

»Warum das denn?«

»Um Zweifel an der Echtheit auszuräumen.«

Wir sehen uns beide wieder die Fotografie an.

»Nun«, sagt Hannah nach einer Weile. »Es ist wohl Zeit, schlafen zu gehen.«

»Es war sehr schön, mit Ihnen in ein paar Erinnerungen zu schwelgen.«

»Es war eine glückliche Zeit, nicht wahr? Ich habe Ihre Eltern damals kein bisschen um ihr Jetsetleben beneidet. Sie und ich hatten hier in Lake Hall alles, was wir brauchten.«

»Das sehe ich ganz genauso. Und es war immer besser, wenn sie nicht hier waren.«

»Na ja, Sie haben sich sehr gefreut, wenn Sie Ihren Daddy sahen. Und Sie waren ganz schön besitzergreifend, erinnern Sie sich?«

»Ich weiß noch, dass ich mich auf ihn gefreut habe.«

»Sie haben sich zwischen ihn und Ihre Mutter gedrängt und sie weggeschubst, wenn die beiden sich umarmen wollten.«

»Wirklich? Daran erinnere ich mich gar nicht.«

Als wir das Geschirr zusammenräumen, denke ich darüber nach, wie sehr die Fotografien die Dinge in meinem Kopf wieder verschoben haben. Manches hatte ich nicht ganz richtig in Erinnerung, anderes vollkommen vergessen. Es ist ein seltsames Gefühl, sich selbst irgendwo etwas tun zu sehen, von dem man ohne das Bild nichts mehr gewusst hätte.

»Hatte ich immer so ein schlechtes Gedächtnis?«, frage ich.

»Nun, ich würde nicht erwarten, dass Sie sich an Dinge aus ihrer Kleinkindzeit erinnern, aber ich denke mal, Sie hatten ein schlechtes Erinnerungsvermögen. Meistens äußerte es sich darin, dass Sie dauernd Sachen verloren. Wissen Sie noch, als Sie die unterschriebene Erlaubnis für den Schulausflug zum Ballett nicht abgeben konnten, weil Sie die verloren hatten? Da müssen Sie ein wenig älter gewesen sein, ungefähr sechs. Sie riefen mich vom Schulsekretariat aus an und haben so geschluchzt, dass ich kaum verstand, was los war. Aber als ich es begriff, bin ich hingerast und habe einen neuen Zettel unterschrieben, damit Sie mit in den Bus durften. Ich sagte damals oft, wären Sie ein Hund, würden Sie Ihren eigenen Schwanz verlieren.«

Sie lacht, und ich lache mit ihr, obwohl mir nicht ganz wohl ist. Vielleicht bin ich ein wenig betrunken. Die Weinflasche ist fast leer, und ich glaube, ich habe mehr getrunken als Hannah.

Mit diesem Anflug von Unbehagen holt mich der Stress der letzten Woche mit Wucht ein. Es ist definitiv Zeit fürs Bett.

Vor dem Einschlafen öffne ich den Internetbrowser in meinem Handy. Ich bin neugierig, ob Hannah online irgendwo zu finden ist. Sie ist ziemlich schweigsam, was die Jahre nach ihrer Stellung hier angeht, und ich würde gern etwas über ihr Privatleben erfahren.

Aber ich habe kein Glück. Es gibt nichts über sie. Sie ist weder in irgendwelchen sozialen Medien noch sonst wo. Soweit ich es sehen kann, bevor mich der Wein in den Tiefschlaf zieht, ist Hannah online unsichtbar.

VIRGINIA

Das Wochenende war ruhig und herrlich frei von Hannah. London hatte mich ausgelaugt, also ruhte ich mich aus und spielte Brettspiele mit Ruby. Ich beobachtete sie aufmerksam, doch mit ihr schien alles in Ordnung, deshalb fragte ich nicht nach Hannah. Jocelyn soll mir nicht vorwerfen, dass ich Ruby gegen Hannah aufhetze. Ruby wollte wissen, wo in Lake Hall Wasserspeier zu finden wären, und so gingen wir nach draußen, um sie zu suchen, und Ruby fotografierte sie alle. Sie hat einen sehr guten Blick für so etwas. Und sie hat mir gezeigt, wie man ein »Selfie« macht.

Ich spornte sie an, als sie oben auf der Obstgartenmauer balancierte. »Sehr gut, Liebes! Nein, spring nicht da runter, wo du sonst springst. Geh noch weiter und sieh nach, ob du von dort in den Birnbaum steigen kannst. Ich wette, das kannst du!«

Mir ist klar, dass Jocelyn und Hannah einen Anfall bekämen, könnten sie es sehen, aber Ruby ist abenteuerlustig, und das sollte gefördert, nicht unterdrückt werden. Das Leben erfordert eine Menge Mut.

Heute Morgen war Hannah wieder hier, nachdem sie Ruby zur Schule gefahren hatte, und ich spürte ihre Anwesenheit wie eine dunkle Wolke über mir.

»Was machen Sie hier?«, fragte ich. »Ich hatte Ihnen bereits gesagt, dass Sie nicht hier sein sollen, wenn Ruby in der Schule ist.«

»Das Mädchen, das wir am Freitag ausprobiert haben, taugt nichts, deshalb suche ich immer noch nach einer neuen Haushälterin für Sie. Ich muss eine Anzeige schalten und habe zu Hause kein WLAN.« Ihr Tonfall ist makellos sachlich, wie ich ihn in Erinnerung hatte.

Die Verlockung ist groß, sie auf der Stelle aus dem Haus zu jagen, weil sie zu dreist ist, doch ich muss abwägen, welcher Streit sich lohnt und welcher nicht. Sobald sie ihr Geld hat, gibt es keinen Grund mehr für sie zu bleiben, also lasse ich sie bis dahin so tun, als gehöre sie zu diesem Haushalt. Und danach kann ich leichter jeden loswerden, den sie einstellt, falls es sein muss.

»Ende der Woche ist das Geld auf Ihrem Konto«, sage ich. »Es ist alles arrangiert.«

»Gut. Ich werde nachsehen.«

»Alles Weitere müssen Sie mit Ihrem Gewissen ausmachen.«

»Und was ist mit Ihrem Gewissen? Ich kann mir nicht vorstellen, wie es Ihnen ging, als der Schädel gefunden wurde. Als ich davon las, dachte ich, Lady Holt muss sehr nervös sein. Haben Sie sich da nicht besser gefühlt, als ich zurückkam und Sie wussten, dass nicht ich die Leiche bin? Obwohl es Sie überrascht haben muss. Und verwirrt.«

Es ist schwer, bei meiner Überzeugung zu bleiben, dass sie nicht Hannah sein kann. Oft ertappe ich mich dabei, wie ich von ihr denke oder mit ihr rede, als wäre sie es wirklich, und jetzt kann ich mich nicht bremsen. »Provozieren Sie mich nicht. Wir wissen beide, dass Sie Mühe hätten zu beweisen, was passiert ist.«

»Ach ja?«

»Es stünde Ihr Wort gegen meines.«

»Nein, mein Wort und Alexanders gegen Ihres.«

»Wie meinen Sie das?«

»Als ich Alexander zum ersten Mal kontaktierte, um ihn wissen zu lassen, dass ich überlebt hatte, nahm ich unser Gespräch auf, und Alexander beschrieb genauestens, was geschehen war. Ich habe das Ganze auf Band. Es war ihm noch so frisch im Gedächtnis, und es klang, als hätte er nur darauf gewartet, es sich von der Seele zu reden.«

»Ich glaube Ihnen nicht.« Aber sie sieht so ruhig und sicher aus, dass ich ihr im Innersten doch glaube, denn ich frage mich, wenn sie nicht Hannah ist, *wie kann sie all das wissen?* Wenn sie wirklich nicht Hannah ist, muss sie Hannah gekannt haben, denn diese Frau weiß so viel. Verwirrende Gedanken überlagern einander. »Sie werden gehen, wenn Sie Ihr Geld haben.« Meine Stimme zittert.

»Warten Sie es ab.«

»Ich will, dass Sie Ende der Woche weg sind. Sobald das Geld auf Ihrem Konto ist, bleiben Sie keine Minute länger.«

Ihre Antwort besteht aus einem grausamen, verbitterten Lächeln. Sie ist das hässliche Entlein, aus dem nie ein Schwan wurde. Die gefährlichste Sorte Gegner.

»Ich habe zu tun«, sagt sie. »Würden Sie mich entschuldigen?«

Ich kann nicht im Haus bleiben, solange sie hier ist. Geoff mulcht draußen die Rosen, und ich mache mit, obwohl ich nicht viel Elan aufbringe.

Geoff schaufelt den Mulch, und ich klopfe ihn zu kleinen Häufchen um jeden Rosenstängel herum fest.

»Sie werden nass«, sagt er nach einer Weile. Es hat zu regnen begonnen: ein feiner, kalter Nieselregen. Geoff bietet mir seinen Arm, und wir gehen den glitschigen Hang hinauf unter eine Eiche. Ihre Äste bilden einen beinahe perfekten Kreis, ein kompliziertes Geflecht aus Holz und Laub über uns.

»Eine himmlische Eiche«, sage ich.

»Ja, das ist sie wirklich«, pflichtet Geoff mir bei. »Zigarette?«

Vor Jahren, bevor ich mit Jocelyn schwanger war, schlich ich mich oft in den Garten, um mit Geoff eine Zigarette zu rauchen. Mit ihm zu reden erinnerte mich an meinen Vater, einen Mann, der das Land liebte und sich mit seiner Bewirtschaftung den Lebensunterhalt verdiente. Seit über fünfunddreißig Jahren habe ich nicht mehr mit Geoff zusammen geraucht, aber ich glaube, jetzt werde ich es tun.

»Warum nicht?«

Ich beobachte, wie er unsere Zigaretten vorbereitet: zwei dünne Blättchen und zwei sorgfältig ausgelegte Reihen Tabak. Er beugt sich darüber, um sie vor dem Regen zu schützen.

Als wir rauchen, sehen wir Hannah die Hintertür öffnen und einen Läufer ausschütteln.

»Früher hat sie nie geputzt«, sagt Geoff. »Dazu war sie sich viel zu fein.«

»Ja, Sie haben recht. Das hatte ich vergessen.« Hannah war völlig außer sich gewesen, als ich sie einmal bat, für unsere Haushälterin einzuspringen, und beharrte darauf, es sei unter ihrer Würde, Hausarbeiten zu verrichten, die nichts mit dem Kinderzimmer zu tun hätten. Wir schauen zu, wie sie an der Hintertür stehen bleibt, den Läufer in einer Hand, und zum See blickt, ehe sie wieder hineingeht. Sie sieht uns nicht.

»Darf ich Sie etwas fragen?«, sage ich.

»Immer raus damit.«

»Finden Sie, dass Hannah anders ist als früher? Ich meine, deutlich anders, nicht nur gealtert.«

Er zupft sich einen Tabakkrümel von der Zunge. »Ist mir

nicht aufgefallen. Aber ich habe auch nicht viel mit ihr zu tun gehabt. Früher mochte sie mich nicht, also schätze ich, sie tut es jetzt auch nicht. Wahrscheinlich sollte ich es nicht sagen, aber ich dachte immer, sie hätte es auf Lord Holt abgesehen.«

Er hat recht, doch ich bestätige es nicht. Eine Unterhaltung darüber möchte ich mit niemandem führen. Ich frage mich allerdings, was er sonst noch bemerkt hat.

»Ruby würde gern eine eigene Rose pflanzen«, sage ich.

»Wäre jetzt eine gute Zeit. Man kann sie direkt mit der bloßen Wurzel einsetzen.«

»Was meinen Sie, welche Sorte ihr gefallen würde?«

»An Ihrer Stelle würde ich sie aussuchen lassen.«

»Natürlich.«

Vom Rauchen wird mir schwindlig. Ich lasse die Zigarette fallen und trete sie mit dem Schuh aus. Geoff hebt den Stummel auf, bevor ich es kann. Wir gehen zurück den Hang hinunter, wobei ich mich wieder bei ihm einhake. Meine Füße sind durchgeweicht. Drinnen werde ich die Strumpfhose wechseln müssen. Ich wende mich zum Haus. Der Regen hat den Stein oben an den Brüstungsmauern und den Schornsteinseiten verdunkelt, als wäre Teer darüber gegossen worden.

»Lady Holt«, sagt Geoff.

»Ja?«

»Im Dorf wird über den Schädel geredet.«

»Ja, kann ich mir denken.«

»Zuerst haben die Leute gesagt, es wäre Hannah, und jetzt gehen andere Gerüchte um, aber die werden sich wieder legen. Nicht alle achten auf das Gerede. Ich wollte es Ihnen nur sagen, falls Sie etwas hören.«

»Danke, Geoff.« Ich bin ihm lächerlich dankbar. Mir war nicht bewusst gewesen, wie dringend ich mir einen Verbündeten wünschte.

Er beginnt wieder zu graben. Das schabende, rhythmische Gleiten seiner Schaufel ist verklungen, als ich den Hof erreiche. Ich will durch den Wirtschaftsraum hinten ins Haus gehen, aber die Tür ist abgeschlossen. Durchs Fenster kann ich niemanden sehen. Ich gehe nach vorn, aber dort ist ebenfalls abgeschlossen. Und der Wagen, den Hannah benutzt, steht nicht an seinem Platz. Sie muss weg sein. Die Nässe und Kälte dringen mir bis auf die Haut, und ich beginne zu zittern. Mein Klingeln ist vergeblich. Ich gehe zurück in den Rosengarten, doch auch Geoff hat zusammengepackt und ist gegangen.

Mir bleibt nichts anderes übrig, als vor der Haustür meines eigenen Zuhauses zu warten wie ein ausgesetzter Hund.

DETECTIVE ANDY WILTON

Andy muss sich ducken, um den Glyzinien auszuweichen, als er an die Tür des Cottage klopft. Es ist malerisch und ziemlich groß. Der Vorgarten ist dicht bepflanzt und teils überwuchert. Herbstblumen wetteifern mit den Resten der Sommerblüher um Platz.

»Elizabeth Fuller?«, fragt Andy, als die Tür geöffnet wird. Er weiß, dass sie eine alte Freundin von Lady Holt ist, weshalb er eine ähnlich schwierige, reizbare Frau erwartet hat. Elizabeth Fuller spricht mit demselben scharfen Akzent wie Virginia Holt, könnte sich ansonsten aber kaum deutlicher von ihr unterscheiden. Sie ist herzlich, mit dem großen Pullover und der gemusterten Hose eher nachlässig gekleidet, und hat einen sehr bunten Schal um den Hals und einen zweiten um das Haar geschlungen.

Sie führt Andy und Maxine durch einen schmalen Flur in einen lichtdurchfluteten Raum hinten im Cottage, der als Küche und Wohnzimmer in einem fungiert. An den Wänden hängen dicht an dicht Drucke und Aquarelle, die allesamt wahre Farbexplosionen sind.

Andy sieht hinten im Garten ein weiteres Gebäude.

»Das ist mein Atelier«, sagt Elizabeth. »Wo ich mich im Malen versuche. Setzen Sie sich. Entschuldigen Sie die Unordnung.«

Auf dem Tisch steht ein Korb mit Gemüse, das anscheinend frisch aus dem Garten kommt, umgeben von Kunstzeitschriften, den Resten eines Frühstücks und dem lebensgroßen Holzmodell einer Hand. Andy nimmt es auf.

»Das ist ein Künstlermodell. Ich benutze es zum Zeichnen. Max Klingers Handschuh nenne ich es«, erklärt Elizabeth. »Schieben Sie ihn ruhig zur Seite.«

»Max Klinger?« Andy versteht es nicht. Er bewegt die Finger an der Hand, sodass sie den Daumen reckt.

»Egal. Er ist ein Künstler. Das ist ein privater Scherz, den wohl nur ich witzig finde.«

Sie schiebt einige Sachen auf dem Tisch zur Seite, um Platz für eine Teekanne und Becher zu schaffen.

»Können wir über Ihre Freundschaft mit Lady Holt reden?«

»Ich kenne Virginia schon ewig, seit sie Alexander kennengelernt hat. Mit ihm bin ich aufgewachsen und zusammen durch die Gegend getollt. Sie und ich haben uns sofort angefreundet. Ihre Art lag mir.«

»Hatten Sie nach der Heirat viel mit den Holts zu tun?«

»Oh ja!«

Er holt sein Handy hervor. »Leider habe ich noch keinen guten Ausdruck hiervon, aber könnten Sie sich ein Foto von der Rekonstruktion des Schädels ansehen, den wir auf Lake Hall gefunden haben?«

Elizabeth sieht sich das Bild an und vergrößert es auf dem Display. »Es ist ziemlich schwer zu sagen, selbst mit Zoom. Sehr gute Arbeit. Ist es nicht genial, was die können? Ich glaube nicht, dass ich das Gesicht erkenne, obwohl … Nein, ich denke nicht.«

Andys kleiner Hoffnungsschimmer verpufft so schnell, wie er erschienen ist.

»Wir würden Sie auch gern zu einem Vorfall befragen, der

sich bei einer Jagdgesellschaft der Holts ereignet hat, im Winter 1984«, sagt Maxine.

»Danach dürfen Sie mich nicht fragen«, erwidert Elizabeth. »Ich schieße nicht. Das mag ich gar nicht. Dafür bin ich viel zu tierlieb.«

Sie blickt zu dem fadenscheinigen Sofa, auf dem eine schwarze Katze zwischen den Kissen in einem Sonnenstrahl liegt. Wie aufs Stichwort streckt sich das Tier und fährt die Krallen aus. Maxine streckt die Hand aus, um die Katze zu streicheln.

»Das würde ich lassen«, sagt Elizabeth. »Sie sieht schmusig aus, ist es aber überhaupt nicht.«

Sie setzt ihre Brille auf und sieht sich wieder das Foto von dem Schädel an.

»Müsste ich mich auf jemanden festlegen, den ich in Lake Hall gesehen habe, wäre es Nanny Hannah, aber wie Sie sicher wissen, ist sie gesund und munter und arbeitet noch für die Holts.«

Im Wagen sagt Maxine: »Was meinst du?«

»Eine harmlose alte Frau. Nett und freundlich, was mal etwas anderes ist als Virginia Holt.«

»Erstaunlich, dass man sich ›im Malen versuchen‹ und sich trotzdem solch ein Cottage leisten kann.«

»Diese Leute haben keinen Schimmer, welches Glück sie haben.«

JO

Paul Mercier, unser Interessent für das Stillleben, ist in die Galerie gekommen, um es sich anzusehen. Er ist froh, dass ich ihm das Foto zeige, das ich gefunden habe, und bittet um eine Kopie. Dann steht er einige Schritte von dem Bild entfernt und betrachtet es. Näher geht er nicht heran, dabei verlangen die Details geradezu danach, genau inspiziert zu werden, und er bleibt stumm, bis Clemency ihn so leise wie eine Bibliothekarin fragt: »Was sagen Sie?«

»Es ist vorzüglich. Ja. Ich bin sehr zufrieden. Es wird sich gut machen.« Mich überrascht, dass er sich wieder den Mantel anzieht. Das Ganze scheint mir zu beiläufig.

»Ist alles in Ordnung?«, fragt Faversham.

»Ja, sicher doch. Leider habe ich einen Termin. Kann ich Sie später anrufen und ein Treffen wegen der Formalitäten vereinbaren?«

Ich verkrampfe mich ein wenig. Bei den Verhandlungen muss ich dabei sein. Ich habe recherchiert: In den letzten Jahren brachten die Stillleben von Rachel Ruysch sechsstellige Summen ein. Meine Kommission ist fünfzehn Prozent. Und das Geld könnte ich sehr gut gebrauchen.

»Selbstverständlich«, sagt Faversham. »Selbstverständlich, mein Guter. Ganz wie Sie wünschen.« Ich spüre, dass er und Clemency genauso verwundert sind wie ich über Merciers plötzlichen Aufbruch. Ich denke, wir haben alle erwartet, dass er länger bleibt und sich seinen Neuerwerb ansieht. Faversham begleitet ihn höflich nach draußen.

Clemency und ich sehen ihnen durchs Fenster nach. »Was denken Sie, wie das gelaufen ist?«, fragt sie.

»Gut«, antworte ich. »Aber glauben Sie, er mag das Gemälde wirklich? Ich meine, es schien ihn für einen kurzen Moment zu bannen, aber ich hatte nicht das Gefühl, dass er sich verliebt hat. Er hat nicht einmal gelächelt.«

»Vielleicht kauft er es als Geldanlage.«

»Ich hatte den Eindruck, dass seine übrige Sammlung nicht so zustande gekommen ist. Faversham sagt, er spricht mit wahrer Leidenschaft über seine Bilder. Aber zu dem Stillleben hat er beinahe gar nichts gesagt. Das wundert mich wirklich.«

Clemency scheint verärgert. »Es steht uns nicht zu, die Gründe, warum er es will, infrage zu stellen. Ich hoffe, das haben Sie auch nicht vor.«

»Natürlich nicht!«

»Schön! Sie können nicht erwarten, dass die Kunden empfinden wie Sie. Es ist ein Geschäft.«

Abrupt verlässt sie den Raum, und ich fühle mich gemaßregelt. Dies hier ist neu für mich, keine Frage, und ich mag zu idealistisch sein, schätze die Situation vielleicht vollkommen falsch ein, aber dennoch fühlt sich etwas hieran ein bisschen unsauber an.

Faversham schickt mich früh nach Hause.

»Gehen Sie nur, meine Liebe. Wir müssen nicht alle drei den Rest des Tages hier sein.«

Die Zugfahrt verbringe ich mit meinen üblichen Tagträumen. Könnte ich doch nur die Zeit zurückdrehen und in meinem Zuhause sein. In unserem, gemeinsam mit Chris. Ich möchte ihn etwas sagen hören, das mich zum Lachen bringt, und eine stürmische, unkomplizierte Kleinkindumarmung mit Ruby erleben.

Als ich in Lake Hall ankomme, finde ich Mutter vor der Tür, gebeugt und bibbernd. Sie ist durchnässt. »Ich bin ausgesperrt«, sagt sie.

»Wie lange bist du schon hier draußen?«

»Ewig.«

»Was ist passiert?«

»Deine Frau, deine kostbare Hannah, ist verschwunden und hat alle Türen abgeschlossen. Sie wusste, dass ich im Garten war. Sie wusste es!«

»Ganz sicher hat sie es nicht gewusst. Du sagst nie, was du tust. Sie wird angenommen haben, dass du drinnen warst. Wo war Geoff?«

»Er war auch weg, als ich nach ihm suchte. Ruby und Hannah müssten längst zurück sein. Wo sind sie? Wo hat Hannah sie hingebracht? Die Glocken haben schon vor Ewigkeiten fünf geschlagen.«

»Mutter, entspann dich! Gehen wir rein. Ruby hat montags Schwimmen, das weißt du doch. Hast du geraucht?«

»Hör auf, mich auszufragen, als wäre ich ein Kind!«

»Dann hör auf, dich wie eins zu benehmen!«

Mutters Kleidung tropft, trotzdem geht sie kerzengerade und mit hocherhobenem Haupt nach oben. Sie versucht, unerschütterlich zu sein, aber jetzt klebt ihr der Rock hinten an den Beinen, und ich kann den Umriss ihres Hinterns sehen. Ihre Bluse ist vor lauter Nässe durchsichtig. Als sie sich auf halber Treppe umdreht, sehe ich den BH und die eingesunkenen Brüste.

Hannah ist zutiefst betrübt, als sie mit Ruby nach Hause kommt. »Es tut mir so leid. Ich dachte, Virginia ist im Haus. Sie hat mir erzählt, dass sie sich hinlegen wollte, deshalb habe ich abgeschlossen. Ich wollte das Haus nicht offen lassen, wenn sie schläft.«

»Sie ist selbst schuld, wenn sie nicht mit Ihnen kommuniziert«, sage ich. »Sie müssen kein schlechtes Gewissen haben.«

»Sie ist alt, und sie ist sehr nass geworden«, widerspricht Hannah. »Ich hoffe, dass sie sich keine Erkältung geholt hat.« Sie werkelt in der Küche, wärmt Suppe für Mutter, schneidet Brot ab und bestreicht es mit Butter. »Ich bringe ihr das und entschuldige mich«, sagt sie. »Und ich sehe nach, ob das Feuer bei ihr an ist.«

Als Hannah draußen ist, flüstert Ruby: »Ich mag sie nicht.«

»Wen magst du nicht?«

»Hannah.«

»Warum nicht?«

»Kann Granny auf mich aufpassen?«

»Was ist verkehrt mit Hannah?«

Sie stockt, als wisse sie nicht, was sie als Erstes sagen soll. »Sie lässt mich nicht an mein iPad.«

»Oh, du meinst, sie setzt Grenzen und möchte, dass du sie einhältst?« Ich lache. »Das ist gut für dich, ob du es glaubst oder nicht. Warte ein bisschen, Süße, du gewöhnst dich an sie. Es würde mir eine Menge bedeuten, wenn du es versuchst.«

Ruby sieht mich mit einem Blick an, der zu erwachsen für sie scheint, aber sie nickt. »In der Schule hatte ich Bauchweh.«

»So? Ist es denn jetzt besser?«

Sie nickt. »Können wir später Eis essen?«

»Na, dann kann das Bauchweh ja nicht so schlimm gewesen sein!« Aber sie begreift nicht, was daran witzig ist. »Ja, du darfst später Eis essen.«

»Gut. *Sie* hat nämlich gesagt, ich darf keins.«

»Weißt du was? Wir beide können nachher zusammen SpongeBob sehen und Eis essen. Ist das eine Idee?«

Rubys Nicken ist halbherzig. Sie holt ihre Hausaufgaben hervor und breitet sie auf dem Tisch aus. Ich rücke näher zu ihr, und sie lehnt sich an mich, bis es sich anfühlt, als wären wir eine Person.

So sitzen wir noch, als Hannah zurückkommt und in der Tür stehen bleibt. »Was für ein entzückender Anblick«, sagt sie. »Gott segne Sie beide. Ihrer Mutter geht es gut. Sie wärmt sich im Wohnzimmer auf.«

»Haben Sie vielen Dank.« Ich weiß nicht, was ich ohne sie machen würde. Sie ist so viel mehr als eine praktische Lösung für mein Betreuungsproblem. Sie kennt mich, kennt uns, und jemanden dazuhaben, dem ich vertrauen kann, fühlt sich großartig an.

»Ich möchte allerdings sagen, dass das nicht passiert wäre, würde Ihre Mutter sich nicht so sehr sträuben, mit mir zu kommunizieren«, sagt Hannah. »Es wäre hilfreich, wenn sie mir Bescheid geben würde, wenn sie rausgeht. Wir sollten alle an einem Strang ziehen, dann kann dieser Haushalt sicher und zuverlässig wie ein Uhrwerk laufen.«

Hannah zieht den Mantel an und nimmt ihre Tasche. Eigentlich sollte ich aufstehen und sie zur Tür begleiten, aber ich möchte mich nicht von Ruby lösen. Ich küsse meine Tochter auf den Kopf, da sie gerade in der Stimmung ist, es zuzulassen. Das ist sie dieser Tage nicht immer.

»Einen schönen Abend«, sagt Hannah.

»Danke, Ihnen auch«, antworte ich, während der Wind die Hintertür hinter Hannah zuknallt und meine Worte übertönt. Regen und durchnässtes Laub landen auf der Fußmatte. Für einen Moment frage ich mich, ob Mutter sie wütender gemacht hat, als mir klar ist.

Ich schaue zu, wie sich Rubys Stift über das Heft bewegt.

Was wäre, wenn Mutter nicht hier wäre? Wie wäre das?

Wenn ich alles so handhaben könnte, wie ich möchte, mit der Unterstützung von jemandem wie Hannah und ohne Mutter, würde ich dann mit Ruby in Lake Hall bleiben und uns hier ein neues Leben aufbauen wollen?

Ruby hört auf zu schreiben und sieht zu mir auf, als wäre ihr eben ein Gedanke gekommen. »Es ist Grannys Haus«, holt sie mich auf den Boden der Tatsachen zurück. »Sie kann machen, was sie will. Hannah darf ihr nichts vorschreiben.«

»Es ist besser, wenn wir alle zusammenarbeiten, meinst du nicht?«

»Wir müssen das machen, was Granny sagt, nicht, was Hannah sagt.«

»Du musst tun, was Hannah dir sagt«, erwidere ich. Sie antwortet nicht, beugt sich wieder für einige Minuten über die Hausaufgaben und sieht dann erneut auf.

»Wir haben heute vergessen, den Hamster wieder zurückzubringen.«

»Hast du ihn denn heute Morgen nicht mitgenommen?«

»Du hast Hannah nicht gesagt, dass wir ihn mitnehmen müssen.«

»Das hättest du ihr sagen können. Rubes, du musst anfangen, bei solchen Sachen selbst Verantwortung zu übernehmen. Genau darum geht es, wenn dir erlaubt wird, den Hamster zu versorgen.«

Sie schmollt majestätisch, und ich lasse es gut sein, weil ich uns den Abend nicht verderben will.

»Ich gehe und hole seinen Käfig nach unten«, sage ich. »Dann vergisst du ihn morgen nicht.«

Es führt eine Spur von Tropfen und Fußabdrücken die Treppe hinauf und den Flur oben entlang. Nur hört sie nicht bei Mutters Schlafzimmer auf, sondern geht weiter durch den Korridor und um die Ecke. Ich folge ihr in Rubys Zimmer. Dort endet die Spur vor dem Hamsterkäfig. Die Käfigklappe ist offen, und Twiglet ist nirgends zu sehen. Nach einigem hektischen Suchen finde ich den Hamster unter einer Kommode mit vorgewölbten Schubladen auf dem Flur. Ich kann seine glänzenden Augen sehen, erreiche ihn jedoch nicht, und die antike Kommode ist zu schwer, um sie zu verrücken.

Ruby und ich versuchen, ihn rauszulocken. Wir legen Futter auf den Teppich und warten. Es klappt nicht. Ruby läuft nach unten, um einen Besen zu holen, und ich halte Wache. Vorsichtig schieben wir den Besen unter die Kommode, und Twiglet flitzt los. Ruby will ihn fangen, aber er ist zu schnell. Er huscht an uns vorbei in Richtung Treppe, und dort ist Boudicca. Die Aufregung oben und unsere Versuche, den Hamster unter der Kommode hervorzuholen, haben sie nach oben gelockt. Sie hat die Ohren aufgestellt, macht einen Satz nach vorn und packt Twiglet beim Kopf.

»Boudicca!«, schreie ich. Mit Twiglet im Maul flieht sie so schnell nach unten, wie es ihre alten Beine erlauben. Ruby und ich stürmen hinter ihr her. Unten an der Treppe steht Mutter. »Was ist denn hier los?«

»Boudicca hat Twiglet!«, kreischt Ruby.

Mutter verengt die Augen, als Boudicca beinahe unten ist, und packt die Hündin erstaunlich schnell beim Halsband. »Boudicca, aus!«

Der schlaffe Hamster fällt ihr in die Hand. Mutter sieht ihn sich an und schüttelt den Kopf. »Es tut mir leid, Ruby«, sagt sie, dreht sich von Ruby weg und bricht dem Hamster mit einer kurzen Bewegung das Genick.

»So war es das Beste für ihn«, erklärt sie.

Ruby nimmt Mutter den toten Hamster ab, und ich lasse sie ihn noch ein wenig halten und seinen Kopf streicheln. Es ist

Blut an seinem Hals, wo Boudiccas Zähne die Haut durchbohrt hatten.

»Rubes, lass ihn mich bitte nehmen. Es tut mir so leid.«

»Warum? Noch eine Minute.«

»Nein, jetzt.« Ihre Schulbluse ist vorn blutverschmiert.

»Wo bringst du ihn hin?« Sie kämpft mit den Tränen.

»Lass sie ihn noch halten. Es ist doch nur ein bisschen Blut«, sagt Mutter.

Ich raste aus. Der Streit ist furchtbar. Mutter leugnet vehement, den Käfig angerührt zu haben, obwohl die nassen Fußspuren davor sind. Ich zwinge sie, mit mir nach oben zu kommen und es sich anzusehen.

»Versuch, das abzustreiten!«, schreie ich sie an. »Der Beweis ist vor deiner Nase!«

»Das war Hannah«, sagt sie, und ich koche vor Wut.

»Du meinst, die Hannah, die mir als Kind beigebracht hat, wie ich für meine Haustiere sorge? Die Hannah, die dir eben warme Suppe gebracht hat, weil du so blöd warst, dich auszusperren? Die Hannah, die mir gerade den Hals rettet? Kannst du nicht einmal von deinem hohen Ross herunterkommen und einsehen, dass du nicht perfekt und nicht besser als alle anderen bist?«

»Du hast keine Ahnung.«

»Nein, habe ich nicht! Weil ich nicht so schillernd oder egoistisch lebe wie du!«

Während wir streiten, sitzt Ruby auf der untersten Stufe und hält Twiglet, gierig beobachtet von Boudicca. Hinterher schäme ich mich, dass ich es so weit habe kommen lassen.

Ruby und ich begraben Twiglet im Rosengarten, im Licht meiner Handytaschenlampe und eines schmalen Streifens, der aus einem Fenster oben im Haus fällt.

»Rubes«, sage ich, als wir vor dem winzigen Grab stehen, auf dem sie ein selbst gemachtes Schild angebracht hat, »erzählen wir der Schule nichts von Boudicca.«

»Du meinst, dass sie Twiglet zerbissen hat?«

»Ich finde, deine Lehrerin muss nicht erfahren, dass das passiert ist. Wir können einfach sagen, dass wir Twiglet tot in seinem Käfig gefunden haben.«

»Wieso?«

Ich lege ihr den Arm um die Schultern und ziehe sie näher zu mir. »Weil es manchmal besser ist, wenn die Leute nicht die Wahrheit erfahren.«

»Hat Granny ihn wirklich aus seinem Käfig gelassen?«

»Weiß ich nicht, Schatz, aber falls sie es war, war es ein Versehen, und sie hat es vergessen. Sie ist momentan nicht ganz sie selbst. Wir beide und Hannah müssen auf sie aufpassen.«

»Kann der Doktor Granny wieder gesund machen?«

»Vielleicht. Ich rufe ihn an und frage ihn.«

»Ich will, dass es Granny besser geht.«

Ich auch.

Zumindest glaube ich, dass ich das will.

1979

Hannah schreibt einen Brief an Jean. Sie erzählt ihrer Freundin alles über die Affäre, die sie mit dem Ehemann hat, denn sie platzt vor Freude. Sie schreibt Jean, dass sie nicht mehr nur noch bumsen. Manchmal trinken sie ein Glas Wein zusammen oder, tagsüber, einen Kaffee. Einmal waren sie gemeinsam bei einer Schulaufführung des jüngeren Sohnes, und jemand hielt sie für ein Paar, was witzig war. Auf dem Heimweg hatten sie heimlich ein Curry gegessen. Die Frau war weg, und die Jungen übernachteten bei einem Freund. Sie hat das Gefühl, dass sie sich richtig kennenlernen.

Der Brief kommt mit einer harschen Nachricht von Arthur Wagner zurück. Jean hat ihn verlassen, sagt er. Er hat keinen Schimmer, wohin sie gegangen ist. Sie ist eine Lügnerin und ein Monster und war sowieso eine erbärmliche Ehefrau. Er will ihren Namen nie wieder hören, also solle Hannah bitte aufhören zu schreiben. Hannah ist erschrocken, aber auch froh, dass Jean von ihm weg ist. Der Mann hatte den Charme eines Frettchens. Sie hofft, dass Jean ihr schreibt, damit sie nicht den Kontakt verlieren.

Eines Tages erzählt der Ehemann Hannah, dass seine Frau meint, der ältere Sohn solle auf ein Internat.

»Er ist unglücklich«, sagt er und klingt betroffen, als wäre es seine Schuld.

»Ein Internat wird gut für Hugh sein«, sagt Hannah und denkt: Bin ich froh, wenn ich den los bin!

»Ein Internat ist kein guter Ort«, entgegnet er. »Ich war auf einem, das schrecklich war.«

»Die sind bestimmt nicht alle so.«

Sie jubiliert, als das Schuljahr beginnt und Hugh mitsamt seinem riesigen Koffer, seiner unfassbar teuren Schuluniform und seiner pampigen Art verschwindet. Er hat ein Gesicht wie ein geprügelter Hund, als er abgeholt wird. Hannah steht da und winkt ihm wild, zusammen mit seinem Bruder und seiner Mutter, und er starrt durch die Heckscheibe des Autos zu ihnen. Sein Gesicht ist ein blasser kleiner Mond.

Der jüngere Sohn ist immer noch entzückend und Hannah ergeben wie ein Welpe, und die Ehefrau verbringt so viel Zeit in ihrem Atelier zwischen wilden Malanfällen und lähmender Depression, dass sie kaum stört.

Hannah verwöhnt den Ehemann, backt ihm Kuchen, steckt selbst gemachte Lavendelsäckchen zwischen seine zusammengefalteten Sachen in der Kommode, serviert ihm Cinzano in einem Zofenkostüm. Gewagt, sagt er und nippt nur einmal an seinem Drink, ehe er über sie herfällt.

Auch der Ehefrau bringt sie Kleinigkeiten: einen kleinen Blumenstrauß aus dem überwucherten Garten, eine Tasse Tee, Biskuitkuchen. Es ist ihr Lieblingstee und ihr Lieblingskuchen, und die Frau hat einen guten Appetit. »Oh Gott, ich werde noch fett!«, sagt sie, wenn Hannah wieder mit Süßem auftaucht, verputzt aber trotzdem alles.

Sie bemerkt es nicht, als Hannah anfängt, ihr Tabletten in das Essen zu bröseln. Anfangs ist Hannah sehr vorsichtig, betrachtet es als Experiment. Sie war ziemlich gut darin geworden, Hugh ruhigzustellen, also warum nicht die Mutter? Warum nicht einfach mal sehen, was geschieht? Sie kann aller-

dings nicht einschätzen, wie viele Pillen die Mutter von sich aus schluckt. Das muss die Frau ja selbst wissen.

Eines Abends erscheint die Ehefrau den ganzen Abend nicht im Haus. Hannah sieht durchs Küchenfenster zum Atelier. Es brennt kein Licht, was ungewöhnlich ist, denn sie ist nicht ausgegangen. Hannah überkommt ein Anflug von Panik, doch sie reißt sich zusammen.

Ein Blick auf die Uhr sagt ihr, dass es spät ist. Der Ehemann ist unterwegs, sollte aber jeden Moment zurück sein, und der kleine Sohn schläft oben.

Sie hört, wie die Haustür aufgeschlossen wird, und will schon hinlaufen, um dem Ehemann zu sagen, dass sie sich sorgt, da vernimmt sie eine Stimme.

»Hast du ein riesiges Haus!« Es ist die Stimme einer jungen Frau, und Hannah ist wie versteinert.

»Pst«, macht der Mann, und die Frau kichert. Er muss sie vorgewarnt haben, dass sie leise sein soll, *denkt Hannah. Es ist das Kichern einer Frau, die weiß, dass sie ins Haus geschmuggelt wird.*

»Wir können in meinem Atelier etwas trinken«, flüstert er. »Dann zeige ich dir, woran ich gerade arbeite.«

»Sehr gern.«

Die Stufen knarzen, als sie nach oben gehen. Hannah schleicht in die Diele und hält sich außer Sicht. Die Frau wackelt beim Raufgehen mit dem Hintern. Sie hat so langes Haar, dass die Spitzen auf ihrem Po wippen. Der Ehemann ist hinter ihr, sieht sie verzaubert an. Was für ein Dreckskerl. Hannah hält sich den Mund zu und beobachtet starr, wie sie in sein Atelier gehen. Die Tür schließt sich hinter ihnen, und Hannah folgt ihnen lautlos hinauf.

Dort wartet sie regungslos und hört es schneller, als sie gedacht hätte: das rhythmische Quietschen der Federn in seiner

Chaiselongue, das schneller und schneller wird, begleitet von gedämpftem Stöhnen und Schreien. Sie wartet, bis es so schnell wird, dass sie weiß, jetzt tritt eine Ader an seiner Schläfe vor, dann wirft sie die Tür auf.

»Seb«, sagt sie mit funkelndem Blick. »Ich glaube, mit deiner Frau stimmt etwas nicht.«

Während der Mann und die Frau im Krankenhaus sind, packt sie ihre Sachen. Der kleinere Junge verschläft alles. Sie geht zu ihm und küsst ihn auf die Stirn. »Bezaubernder Junge«, flüstert sie. »Ich werde dich vermissen.«

Mit ihrer Tasche schleicht sie nach unten. Die Eltern der Frau sitzen in der Küche, bleich vor Schock. Hannah hatte ihnen Tee gemacht, aber keiner der beiden hat ihn angerührt.

Sie verlässt das Haus, ohne dass sie es bemerken.

Im Bus nach London sieht sie ihr Gesicht im Fenster und ist fasziniert von den Tränen, die auf ihren Wangen glänzen. Ihr Spiegelbild ist von den Lichtern und Umrissen draußen bunt gefleckt.

Sie hat ein Notizbuch auf den Knien. Normalerweise benutzt sie es, um Listen zu machen oder sich Wichtiges zu notieren. Nun schlägt sie eine neue Seite auf und schreibt so sauber, wie es die Bewegungen des Busses erlauben: Er muss mir treu sein. Ich muss für ihn an erster Stelle kommen. *Beide Sätze unterstreicht sie zweimal und rahmt sie mit einem Herzen ein.* Wer, *fragt sie sich, während das Motorbrummen sie einlullt und ihre Enttäuschung Gedanken an das weicht, was als Nächstes kommen wird,* wer wird mein Liebster sein?

Sie weiß, was er sein wird, nämlich reich. Aber wer wird es sein? Bilder scheinen in ihrem Kopf auf: Männer, die sie kennt; Männer, die sie im Alltag beobachtet hat; Männer, die sie im Fernsehen und im Kino gesehen hat. Sie formieren sich zu einer Collage aus Männern, von denen jeder genau der richtige für sie sein könnte. Lächelnd schläft sie ein. Erst am nächsten Tag, als sie sich in ihrer neuen Unterkunft einrichtet, erinnert sie sich an Jean und wird traurig, weil sie sich nun für immer aus den Augen verloren haben.

JO

Ich beginne, die Gesichter am Bahnhof zu erkennen. Jeden Morgen fühlt es sich an, als seien wir eine kleine Gruppe Verbündeter, die auf den Zug um 07:12 nach London warten. In unserer Citykleidung wirken wir deplatziert in dem kleinen Landbahnhof, der lediglich aus einem muffigen Wartesaal zwischen zwei offenen Bahnsteigen besteht.

Ein Stück weiter verläuft ein Kanal parallel zu den Gleisen und zieht morgens manche Blicke der schläfrigen Pendler auf sich. Normalerweise ist es ein malerisches Bild, doch eines Morgens schauen wir entsetzt mit an, wie eine Moorhenne erbarmungslos auf den Kopf ihres schwächsten Kükens einhackt, während die anderen um sie herumschwimmen.

Eine SMS von Hannah leuchtet auf, als der Zug in Paddington Station einfährt.

Nur eine Frage: Haben Sie daran gedacht, mit Ruby über ihre Internetnutzung zu reden?

Ups!, denke ich. Ich habe lose kontrolliert, was Ruby sich auf Instagram ansieht, und sie sporadisch nach ihrem Chat gefragt, aber mehr auch nicht, weil ich anderes im Kopf hatte.

Will ich dieses Wochenende.

Vergessen Sie es nicht!

Werde ich nicht!

Möchten Sie, dass ich Sie erinnere?

Das ist unnötig, denke ich und bin ein wenig verärgert. Doch um höflich zu sein, antworte ich.

Ja, bitte. Das wäre prima.

Sie haben ein Gedächtnis wie ein Sieb! Aber keine Sorge, ich passe auf!

»Sie sehen fröhlich aus.« Faversham sitzt auf Clemencys Platz hinten im Büro, als ich eintreffe. Er wirkt zu groß für ihren Schreibtisch.

»Ich bin auch fröhlich.«

»Hervorragend!«

»Wo ist Clemency?«

»Sie hat Migräne.«

Ich knöpfe meinen Mantel auf. »Behalten Sie ihn an!«, sagt Faversham. »Monsieur Mercier, unser geschätzter Kunde für die *Vanitas*, will mehr über das Gemälde wissen. Was ermüdend ist. Können Sie mir einen Gefallen tun und rüber zur Witt Library laufen? Sehen, ob Sie noch etwas finden?«

»Reicht das Foto denn nicht, das ich mitgebracht hatte? Ich dachte, wir sind schon beim Verhandeln.«

Er seufzt. »Ja und nein. Der Kunde möchte wissen, ob es Nachweise gibt, wo sich das Werk befand, bevor Ihr Großvater es gekauft hat. Ich bin gewillt, ihn noch ein wenig bei Laune zu halten, weil er nicht über den Preis meckert. Noch. Wenn er mehr Gewese macht, werde ich ihm sagen, dass ich einen anderen Interessenten habe, dem schon das Wasser im Mund zusammenläuft.«

»Ich war seit Jahren nicht in der Witt«, sage ich.

»Genießen Sie sie, Schätzchen. In all ihrer modrig-staubigen Pracht.«

Trotz aller fragwürdigen Eigenheiten bringt Faversham mich manchmal zum Lachen.

Die Witt Library befindet sich im Untergeschoss des Courtauld Institute of Art. Ich gehe den Weg aus dem Gedächtnis und denke wehmütig an meine Zeit dort zurück.

»Für welche Epoche interessieren Sie sich?«, fragt die Bibliothekarin, als sie mir einen Leserausweis ausstellt.

»Holland, achtzehntes Jahrhundert. Stillleben.«

»Sehr beliebt diese Woche«, sagt sie. Ich nehme an, dass es ein Bibliothekarswitz ist, und lächle. Sie sieht mich über den Rand ihres grellen Lesebrillengestells hinweg an. »Dritter Gang, am Ende der Reihe links. Wir schließen um vier.«

Die Bibliotheksgänge sind bis auf den letzten Zentimeter mit grünen Aktensammlern gefüllt, die zwar gleich groß sind, aber unterschiedlich stark ausgeblichen. Zu Rachel Ruysch gibt es einen Ordner, in dem sich an die vierzig Bilder befinden, größtenteils Schwarz-Weiß-Fotografien. Ich fange an, sie durchzublättern. Die Bilder sind chronologisch sortiert, und in der Mitte des Stapels entdecke ich das Stillleben. Mein Herz schlägt ein wenig schneller. Es ist ein kleiner Ausschnitt aus einer Kunstzeitschrift: eine Rezension zu einer Ausstellung in der Nationalgalerie im Jahr 1964. Unser Gemälde wird in dem Artikel erwähnt: »Ein beachtliches Vanitas-Stillleben von Ruysch, eine Leihgabe der Paul-König-Sammlung.«

Ich fotografiere den Ausschnitt und stelle den Ordner zurück. Nächster Halt: die Nationalgalerie. Auf dem Weg über den Trafalgar Square google ich »Paul König«. Bei Wikipedia gibt es einen kurzen Eintrag, dem zufolge König mit seiner

Sammlung begann, als sein Freund, ein jüdischer Kunsthändler namens Michael Roth, kurz vor der Flucht aus Deutschland seine Bestände an König verkaufte. Von Roth hörte man nie wieder. König, wird angedeutet, hat die Sammlung zu einem sehr guten Preis erworben.

Im Archiv der Nationalgalerie werde ich höflich, aber bestimmt abgewiesen, weil ich keinen Termin habe. Ich vereinbare einen für Montag.

»Nicht so schlimm«, sagt Faversham, als ich es ihm erzähle und ihm das Foto des Ausschnittes aus der Witt Library zeige. »Das allein ist eine wunderbare Entdeckung. Wie wäre es, wenn Sie sich später auf Drinks zu dem Kunden und mir gesellen, damit wir es ihm persönlich mitteilen können?«

»Sehr gern«, sage ich. Es ist einfacher, weil Clemency nicht hier ist. Nun darf ich zeigen, wie dringend ich diesen Verkauf will.

»Reiben Sie sich schon die Hände, Jocelyn?«, fragt Faversham. »Gestehen Sie Ihre Begeisterung fürs Geldverdienen?« Er zieht eine Augenbraue hoch.

»Ncin.«

»Lügnerin.«

»Wie können Sie es wagen? Ich lüge nie!«, erwidere ich mit gespielter Empörung. »Ich vergesse nur manchmal Dinge.«

Auf dem Heimweg halte ich beim Co-op in Pewsey an. Hannah hat mich gebeten, sie auf einen kurzen Drink im Pub zu treffen, weil sie etwas mit mir besprechen will. Der Co-op ist geschlossen, und auf dem Parkplatz stehen nur noch wenige Wagen. Die Beleuchtung ist dürftig weiß vor dem Nachtschwarz auf dem Land und lässt die Konturen der langen Gräser, deren Wurzeln an den bröseligen Asphalträndern nagen, nur umrisshaft erkennen.

Als ich auf die Straße gehe, sehe ich Hannah am Geldautomaten gegenüber.

Ich will schon nach ihr rufen, da lässt ihr Gesichtsausdruck mich innehalten. Sie starrt konzentriert auf ihren Kontoauszug. Ich halte mich im Hintergrund, als sie ihre Karte aus dem Automaten zieht und erneut hineinschiebt. Sie drückt einige Tasten, nimmt die Karte wieder heraus und geht. Natürlich sollte ich nicht hinsehen, als ich an dem Automaten vorbeikomme, aber ich kann nicht anders. Dort hängt ein Beleg aus der Maschine. Ich greife danach und lese: »Keine Auszahlung möglich.«

Sicherheitshalber betrete ich den Pub erst ein paar Minuten nach ihr.

»Darf ich Ihnen etwas holen?«, fragt sie.

»Nein, die Drinks gehen auf mich. Ich bestehe darauf.« Ich habe fast kein Geld, aber vermutlich im Moment mehr als Hannah.

»Wie läuft es?«, frage ich, als ich mich setze.

»Ich wollte mit Ihnen über die Geschichte mit dem Hamster sprechen. Mir ist bewusst, dass Sie und Ruby glauben, Ihre Mutter hätte den Käfig offen gelassen, aber ich finde, Sie sollten wissen, dass Ruby ihn am Abend davor nicht wieder zugemacht hatte. Es war nur ein Versehen, und es ist nichts passiert, weil Twiglet nicht ausgerissen ist. Ich hatte Ruby erklärt, wie wichtig es ist, dass sie aufpasst. Und ich behaupte auch nicht, dass sie die Käfigklappe ein zweites Mal offen gelassen oder gelogen hat, aber ich dachte, Sie sollten wissen, dass sie schon vorher unachtsam war.«

»Sie hat geschworen, dass sie es nicht war, und überall waren nasse Fußspuren. Es muss Mutter gewesen sein.«

»Auch wenn ich nicht sagen kann, was wirklich passiert ist, lügt Ruby hin und wieder, glaube ich, und das ist ja für ein

Kind in ihrem Alter auch normal. Doch ich denke, Sie und ich müssen das beobachten und verhindern, dass es zur Gewohnheit wird, und sei es nur, weil manche Dinge, die sie tut, gefährlich sind, wie das Herumklettern auf der Obstgartenmauer. Wie Sie wissen, ist sie bereits heruntergefallen und hat sich verletzt, und zum Glück waren es nur Schrammen. Aber es zieht sie zu dieser Mauer wie die Motte zum Licht. Anscheinend kann sie ihr nicht fernbleiben, obwohl ich sie vor der Gefahr gewarnt habe. In dem Alter glauben Kinder, sie sind gefeit gegen Verletzungen, aber wir alle haben unsere ungeschickten Momente, Ruby eingeschlossen.«

»Sie haben recht. Chris, ihr Dad, hat sie immer ermuntert, abenteuerlustig zu sein, und das strapaziert meine Nerven ab und zu schon arg.«

»Ein Ausrutscher ist alles, was es braucht.«

Bei dem Gedanken wird mir übel. Hannah legt mir eine Hand auf den Arm. »Sorgen Sie sich nicht zu sehr. Wir werden daran arbeiten, eine gewisse Stabilität in ihr Leben zu bringen und ihr ihre Grenzen verständlich zu machen. Sie und ich schaffen das gemeinsam, und es wird Ruby helfen, mit ihrer Trauer und ihrem Ungestüm zurechtzukommen. Ich glaube, das eine hängt mit dem anderen zusammen. Aber sie wird aufblühen, Sie werden schon sehen. Wenn Sie mich kurz entschuldigen, ich muss mal für kleine Mädchen.«

Ich sitze bei meinem Drink und denke über Ruby nach, als mir jemand auf die Schulter tippt.

»Anthea! Wie geht es Ihnen?« So entspannt habe ich sie noch nie gesehen.

»Das ist mein Mann, Alan«, sagt sie.

Ich schüttle dem gutmütig wirkenden Mann die Hand.

Anthea greift in ihre Handtasche. »Die hier wollte ich schon längst zurückgebracht haben.« Sie gibt mir ein dickes Schlüsselbund. »Die Hauptschlüssel für alle Räume. Tut mir leid, dass ich sie nicht dagelassen habe, als ich ging.«

»Kein Problem. Danke.« Ich stecke die Schlüssel ein.

»Weiß die Polizei schon, wessen Leiche das ist?«, fragt sie.

»Ich habe nichts gehört.«

»Der See ist jetzt auf jeden Fall befleckt«, sagt Alan. »Da will man nicht mehr in die Nähe kommen, geschweige denn rausfahren. Nicht mal für Geld und gute Worte würde ich da auch nur den Zeh reintauchen.«

Ein Mann an der Bar hat offenbar gelauscht. »War sicher nicht der Erste und nicht der Letzte, der da drin gestorben ist«, mischt er sich ein. »Die Holts sind keine nette Familie. Waren sie nie und werden sie nie sein. Wir alle wissen, dass du deshalb da weg bist, Anthea. Wahrscheinlich hast du um dein Leben gebangt. Ihr Holts findet in dieser Gegend keine neue Haushälterin.«

Anthea schüttelt den Kopf. Hannah kommt von der Toilette zurück und wird langsamer, als sie den Mann hört.

»Ich muss doch sehr bitten!«, sagt sie. »Was wollen Sie damit sagen? Haben Sie etwas Respekt vor dieser jungen Frau, die übrigens ganz wundervoll ist, und auch vor ihrer Familie, die so viel für die Leute hier getan hat. Und wo Sie schon dabei sind, wollen Sie vielleicht auch ein wenig Respekt vor der armen Seele haben, die gestorben ist. Es ist eine Schande, dazuhocken und sich über Leute das Maul zu zerreißen. Was haben Sie denn getan, worauf Sie stolz sein können?«

Anthea und Alan sind verlegen, und der Mann an der Bar dreht sich wieder zu seinem Pint um. Als Anthea und ihr Mann gehen, nicken sie und Hannah sich nur sehr knapp zu.

Ich räuspere mich. »Danke«, sage ich.

»Gern geschehen. Solcher Tratsch bringt mich auf hundertachtzig. Das hat keiner verdient.«

»Nein«, stimme ich zu. »Und es fällt schwer, sich davon nicht angreifen zu lassen. Aber wie geht es in Hillside Cottage?«

»Ich genieße es sehr dort, doch leider gab es heute schlechte Neuigkeiten für mich. Aber damit sollte ich Sie wahrlich nicht belasten.«

»Warum nicht? Erzählen Sie!«

»Die Besitzer wollen, dass ich ausziehe, weil sie früher als geplant mit der Renovierung anfangen. Die Sache ist die, dass ich nicht weiß, ob ich etwas anderes in der Nähe finde, und ich bin nicht sicher, ob ich mein Auto behalten kann. Es kostet mich ein Vermögen.«

»Heißt das, Sie können eventuell nicht mehr für uns arbeiten?«

»Ich fürchte fast, ja. Weiß der Himmel, wo ich lande.«

Ich habe eine Idee. Eine verrückte Idee, und ich bin unsicher, ob ich sie aussprechen soll. Es könnte zu viel, zu früh sein, doch was habe ich zu verlieren?

»Was würden Sie davon halten, nach Lake Hall zu ziehen? Sie könnten mietfrei wohnen, und ich würde Ihnen dasselbe zahlen wie bisher, mit dem einzigen Unterschied, dass Sie hier und da vielleicht einige Stunden zusätzlich arbeiten, als Ausgleich für die Miete. Es würde mir enorm helfen, eine fähige Erwachsene bei uns wohnen zu haben.«

»Aber ich würde nicht putzen.«

»Nein, das verstehe ich. Mutter wird immer noch eine Haushaltshilfe einstellen wollen. Es wäre nur eine Erweiterung Ihrer Aufgaben als Nanny, und Sie können unseren Wagen nutzen, wann immer Sie wollen. Was sagen Sie? Es wäre schön, wenn Sie es sich überlegen. Sie könnten Ihre alten Räume ganz oben bekommen oder sich welche im ersten Stock aussuchen.«

»Das ist ein viel zu großzügiges Angebot. Ich habe das

Gefühl, dass ich finanziell etwas beisteuern sollte, nur bin ich ehrlich gesagt nicht sicher, ob ich das kann.«

Ich freunde mich minütlich mehr mit dem Gedanken an. Sie ist pleite, und ich bin pleite. Dies könnte die perfekte Lösung sein. »Daran dürfen Sie nicht einmal denken. Sie würden mir helfen, meine Tochter auf die bestmögliche Art großzuziehen. Eine schönere Gegenleistung kann ich mir gar nicht wünschen.«

»Darf ich fragen, was Ihre Mutter dazu sagt?«

»Sie weiß nichts davon, es ist mir eben erst eingefallen, aber sie wird es akzeptieren müssen.«

»Ich möchte keinen Unfrieden zwischen Ihnen stiften.«

»Wenn überhaupt, halten Sie mich eher davon ab, sie umzubringen. Es würde das Leben so viel leichter machen.«

Hannah lächelt verhalten. Was hoffentlich bedeutet, dass sie beinahe überzeugt ist.

»Sie würden mir das Leben retten. So wie immer.«

»Dann wüsste ich nichts, was ich lieber täte. Es wäre so wunderbar, wieder Teil der Holt-Familie zu sein. Eine neue Chance, zur nächsten Generation beizutragen.«

»Großartig. Ich wäre Ihnen dankbar, wenn Sie es Mutter gegenüber vorerst nicht erwähnen. Nur bis ich den richtigen Moment gefunden habe, es ihr zu sagen.«

VIRGINIA

Elizabeth ruft an und erzählt mir, dass die Polizei bei ihr war. »Mir ist fast das Herz stehengeblieben, als ich die Tür geöffnet habe«, sagt sie. »Aber sie wollten bloß über euren Schädel reden. Es gibt natürlich nichts, was ich sagen könnte. Aber ich hatte gerade Skizzen für unser kleines Projekt geübt, die ich unter einem Berg Gemüse verstecken musste, und der Detective nahm sogar das Handmodell hoch, mit dem ich arbeite. Stell dir diese Ironie vor! Ich kam mir ganz Roald-Dahl-mäßig vor. Und da ist noch etwas. Sie haben mir Fotos von der Schädelrekonstruktion gezeigt. Hast du die schon gesehen?«

»Nein.«

»Sie hatte ein wenig Ähnlichkeit mit Hannah. Jedenfalls soweit ich mich an sie erinnere. Außergewöhnlich!«

»Bist du sicher?«

»Nicht hundertprozentig. Nicht mal sechzigprozentig, würde ich sagen. Aber da war etwas. Vielleicht lag es daran, wie sie das Gesicht haben altern lassen, an der Kopfform oder so. Albern, nicht? Sie kann es ja nicht sein.«

»Nein«, antworte ich. Nach dem Telefonat überlege ich. Elizabeth könnte sich irren, aber was, wenn nicht? Ich muss die Fotos selbst sehen, kann indes schlecht bei der Polizei anrufen und darum bitten. Es würde verdächtig wirken. Ich muss warten, bis die Detectives sie mir bringen.

Ich bin niedergeschlagen, und der Anruf hat es um nichts besser gemacht. Die Geschichte mit dem Schulhamster geht mir nicht aus dem Kopf. Wie kann Jocelyn es wagen, mir vorzuwerfen, ich hätte den Käfig geöffnet? Ich habe nichts dergleichen getan.

Es muss Hannah gewesen sein. Ich halte mich möglichst viel in meinem Schlaf- oder meinem Wohnzimmer auf, wenn sie im Haus ist. Die Situation ist verwirrend, weil ich nicht weiß, ob ich hoffen soll, dass die Frau wirklich Hannah ist, oder lieber nicht. Sie soll nur aus unserem Leben verschwinden. Ich rufe die Bank an, um zu fragen, ob die Überweisung an sie rausgegangen ist, und sie versichern mir, dass sie inzwischen bei ihr eingegangen sein müsste. Dennoch sagt sie nichts. Sie kreuzt weiter auf und vermeidet es, allein mit mir zu sein.

Ich denke viel an die Vergangenheit.

An dem Morgen, nachdem Hannah gestorben war – oder eventuell auch nicht –, diskutierten Alexander und ich, ob wir Jocelyn wecken oder warten sollten, bis sie von allein aufwachte. Ich war unbedingt dafür, sie zu wecken, weil ich als Erste erfahren wollte, an wie viel sie sich vom Vorabend erinnerte. Alexander jedoch bestand darauf, dass wir sie lieber schlafen ließen. Es wäre normaler für sie, von selbst aufzuwachen, sagte er. Würden wir sie wecken, könnte sie glauben, dass etwas komisch wäre, noch ehe sie entdeckte, dass Hannah fort war, und Marion könnte bemerken, dass wir uns nicht normal verhielten. Wir sollten uns lieber wie immer benehmen und auf das Beste hoffen.

Ich war einverstanden, doch mir war speiübel, während wir warteten, dass Jocelyn wach wurde. Wir mussten Zeit mit unseren Gästen verbringen, konnten jedoch das Zittern der Hände und die misslungenen Konversationsversuche glücklicherweise auf den Kater schieben, denn auch die Gäste hatten eindeutig einen Brummschädel.

Letztlich hatte Alexander recht. Seine Taktik funktionierte bestens. Jocelyn wachte von selbst auf, stellte fest, dass Hannah weg war, und zeigte sich tatsächlich so geschockt wie jemand, der sich an nichts vom Vorabend erinnerte. Sie plagte Marion damit, ehe sie zu uns kam. Über den vorherigen Abend sagte sie nichts. Sie erinnerte sich nicht. Es war ein verdammtes Wunder.

Ich bereue nur, wie harsch ich ihr die Neuigkeit von Hannahs Fortgang mitteilte. Ich sagte ihr, Hannah wäre gegangen, weil sie so ein schreckliches Kind wäre. Es war improvisiert und gar nicht gut, denn es hinterließ eine Narbe. Aber es half, Hannahs Fortgang endgültig zu machen.

Ich wünschte nur, ich hätte in dem Moment nicht das Leuchten in den Augen meiner Tochter verschwinden sehen. So etwas vergisst man nicht. Und man hört nie auf, es zu bereuen.

Wir verließen Lake Hall und reisten in unser Haus in London, sobald unsere Gäste fort waren. Jocelyn nahmen wir mit. Ich hatte Angst, dass Lake Hall doch noch Erinnerungen wecken könnte.

Jocelyn bekam entsetzliche Trotzanfälle, kaum dass wir in London waren, weil ihr Hannah fehlte. Sie hatte eine Million Fragen, die zu beantworten ich zu erschöpft war. Und so zog ich mich in mein Zimmer zurück, schloss die Tür und die Vorhänge, hängte das Telefon aus und legte mich ins Bett.

Ich musste nachdenken.

Hannahs Tod durfte mich, durfte uns nicht zerstören. Während ich in meinem Schlafzimmer lag, fragte ich mich, wie es geschehen war und warum und was ich bei alldem empfand. Vor mir selbst würde ich nie leugnen, was passiert war, dachte ich, oder versuchen, es kleinzureden. Ich würde mutig genug sein, der furchtbaren Tatsache ins Auge zu sehen, aber das täte ich stumm und stoisch, während ich so gut wie möglich weitermachte, denn wir hatten getan, was wir taten, da *uns keine andere Wahl geblieben war*.

Man muss seine Familie schützen.

Nach einigen Tagen verkündete Alexander in seiner Verzweiflung, dass er sich zu mir legen und da genauso lange bleiben würde wie ich, wenn ich nicht aufstehen und ihm mit Jocelyn helfen würde. Und er hielt sich an sein Wort. Zwei Tage blieb er an meiner Seite und stand nur hin und wieder auf, um nach Jocelyn zu sehen, ehe er wieder ins Bett zurückkehrte.

Jocelyn erschien immer wieder an der Schlafzimmertür, die Augen wie dunkle Pennys und seltsam still. Alexander rückte ihr Puppenhaus auf den Korridor vor meinem Schlafzimmer, und sie spielte stundenlang damit. Ich lauschte den Geschichten, die sie sich ausdachte. Das Baby in dem Puppenhaus hatte eine Nanny, die es liebte, und eine Mutter, die nicht sehr nett war. Sie sagte nichts von irgendjemandem, der auf einer Treppe verletzt wurde.

Unten läutete das Telefon in einem fort, und auch an der Tür klingelte es. Alexander ignorierte beides, um bei mir zu sein. Am dritten Tag hörte mein Körper auf zu zittern, und meine Gedanken wiederholten sich. Es zeichneten sich keine neuen Erkenntnisse ab, jedenfalls nicht, solange ich im Bett lag. Meine Lage war, wie sie war, und es wurde Zeit, dass ich versuchte zu leben. Ich hatte eine Tochter, für die ich sorgen musste.

Ich stand auf, zog die Vorhänge zurück und sah, dass London unverändert war. Die Stadt hatte nichts von unseren Qualen mitbekommen; sie brodelte vor Leben, und es war an der Zeit, dass wir uns wieder in den Trubel stürzten.

»Ich glaube, ich hätte gern Frühstück«, sagte ich. Im Zimmer müffelte es säuerlich. Meine Beine knickten ein. Seit Tagen hatte ich nur minimalst gegessen. Alexander stützte mich auf dem Weg nach unten. Er machte mir gebutterten Toast und Tee, und ich blickte hinaus in unseren kleinen Garten, dessen Mauern weiß getüncht waren, sodass der Efeu an ihnen besonders dunkel wirkte. Während ich hinschaute, ließ ich meinen Tränen freien Lauf. Alexander bereitete mir hinterher ein Bad und wusch mir den Rücken. Wir sprachen sehr wenig.

Im Laufe der nächsten Woche versuchten wir, so gut es ging, zu unserer alten Form zurückzufinden, testeten vorsichtig unsere Fähigkeit, in der Öffentlichkeit zu bestehen und Freunde zu treffen. Wir hielten uns recht gut. Es half, dass wir zusammen in dieser Geschichte steckten. Jocelyn beobachtete uns still und ging nie unaufgefordert auf einen von uns zu. Indem wir sie beschützten, hatten wir sie uns entfremdet. Hatte ich einst die Fantasie gehegt, ich könnte sie für mich gewinnen, wenn Hannah fort war, wurde mir nun klar, dass es nichts als eine Fantasie war. Jocelyn zog sich noch mehr von mir zurück, und ich konnte nichts dagegen tun. Ich sagte mir, dass es der Preis war, den ich zu zahlen bereit war, um sie vor der Wahrheit zu schützen.

Ruby und ich backen Kekse. Wenigstens sind mir noch hin und wieder ein oder zwei Stunden mit Ruby gestattet, obgleich ich vermute, dass Jocelyn und Hannah sich per SMS rege über meine Kompetenz austauschen. Ich frage mich, wie es geschehen konnte, dass ich um Erlaubnis bitten muss, Dinge in meinem eigenen Haus zu tun.

Ruby weiß, was sie tut. Natürlich nennt sie Kekse anders, weil sie in Nordamerika ein anderes Wort dafür gelernt hat, aber es gefällt mir im Grunde. So klingt es ein bisschen exotischer. Wir konnten keine Schokochips finden, deshalb backen wir Anzacs mit Haferflocken und Kokosraspeln, die wir auch sehr mögen.

Ruby plappert nett, und ich beobachte, wie sie den Teig knetet. Es erschreckt mich fast, wie vertraut mir das Zusammensein mit meiner Enkelin vorkommt. Eine solche Nähe habe ich nicht mehr erlebt, seit ich selbst ein Kind in der Geborgenheit meiner Familie war.

»Ich erwarte Ihre Kündigung innerhalb der nächsten vierundzwanzig Stunden«, hatte ich zu Hannah gesagt, als sie vorhin ging. Ich war ihr nach draußen in die Einfahrt gefolgt. Sie war mir aus dem Weg gegangen, und nun sah sie mich seltsam triumphierend an, als wisse sie etwas, das ich nicht weiß.

»Ich denke darüber nach«, sagte sie, doch ihre Miene war purer Spott. Sie spannte ihren Regenschirm auf, und ich wich rasch aus, bevor sie mich damit traf. Sie brauchte keinen Schirm. Der Wagen stand nur Meter entfernt. Und ich wäre fast hingefallen.

»Ich kann nicht glauben, dass Sie immer noch diesen alten Land Rover fahren«, sagte sie. Er stand in der Einfahrt. »Hängen Sie den Erinnerungen an Alexander nach? Ich hoffe, Sie fahren ihn sicherer als er.«

»Was soll das heißen?«

»Alle im Dorf haben sich früher beschwert, wie er durch die engen Straßen raste. Aber wahrscheinlich sagen sie dasselbe über Sie. Den Holts gehört die Straße, nicht?«

»Ich weiß nicht, was Sie meinen.« Obwohl sie recht hat. Alexander fuhr zu schnell.

»Sie sollten aber vorsichtig sein«, sagt Hannah. »Alte Land Rover können sehr gefährlich sein, wenn sie nicht anständig gewartet werden. Sehr unzuverlässig. Bei einem Wagen wie diesem kann so leicht etwas passieren. Was, wenn die Bremsen versagen? Und übrigens: Wer würde Sie vermissen, wenn Sie nicht mehr unter uns wären?«

Es war eine unmissverständliche Drohung. Sofort fiel mir das Buch ein, über das ich vor meiner Zimmertür gestolpert war. Bei nächster Gelegenheit bat ich Geoff, sich den Wagen anzusehen. Er versicherte mir, alles sei in Ordnung, dennoch war mein Vertrauen zutiefst erschüttert, und ich kann es nicht vergessen.

Doch irgendwann habe ich mich beruhigt. Natürlich habe ich immer noch Angst, aber ich muss vernünftig bleiben und mich an meinen Plan halten. Was bleibt mir auch anderes übrig?

Geld besitzt eine mächtige Überzeugungskraft, und ich glaube, die beste Strategie ist, Hannah auf diese Weise loszuwerden, selbst wenn es mich in den Bankrott treibt. Lieber verliere ich alles, als Hannah in unserem Leben zu haben. Ich habe bezahlt, und jetzt ist sie am Zug. Ich frage mich immer wieder, was sie noch von uns wollen könnte, wenn sie das Geld hat. Hier gibt es sonst nichts für sie, nicht nachdem Alexander nicht mehr lebt.

Ruby legt kleine Teigkugeln auf dem Blech aus, und ich passe auf, als sie das Blech in den Ofen schiebt.

»Granny«, sagt sie. Zwischen uns steht die Rührschüssel, und wir haben jeder einen Löffel in der Hand, mit dem wir die Reste herauskratzen.

»Ja, Schatz?«

»Kannst du mir ›A sailor went to sea‹ beibringen? In der Schule haben alle gelacht, weil ich es nicht kenne.«

Es ist ein simples Kinderspiel, bei dem beide singen und sich im Takt gegen die Hände klatschen, mal gerade, mal überkreuzt. Ruby hat es binnen Sekunden heraus, denn es ist nicht schwierig. Wir machen es immer schneller, bis ich zu sehr lache, um noch mit Ruby mitzuhalten. Ihre Ärmel sind nach oben gerutscht, und ich sehe etwas.

»Das sind aber schlimme blaue Flecken innen an deinen Armen, Liebes. Woher hast du die?«

Sie verschränkt die Arme und kneift die Lippen zusammen. Offenbar überlegt sie, was sie sagen soll. Ich warte. Dieses Kind werde ich nicht bedrängen. Ihr Vertrauen ist ein Funke, den ich nähren möchte. Bevor sie entscheiden kann, was sie antworten soll, hören wir Jocelyn aus der Diele »Hallo!« rufen. Blitzschnell legt Ruby einen Finger an die Lippen und zieht die Ärmel herunter, ehe Jocelyn bei uns ist.

Jocelyn kommt hereingestürmt wie Poseidon persönlich. Sie ist wütend, weil ich Ruby nicht rechtzeitig bettfertig gemacht habe. Ihr Gesichtsausdruck ist so finster, und sie strahlt eine solch dunkle Stimmung aus, dass sie ebenso gut mit Blitz und Donner um sich werfen oder das Meer zum Tosen bringen könnte.

»Was soll das, um diese Zeit Kekse zu backen? Du solltest sie zu Bett bringen, Mutter. Hast du Hausaufgaben gemacht, Ruby?«

Solch ein scharfer Ton und so viele Fragen. Sie vertreiben die Wärme aus dem Raum, und der Teig in der Schüssel, der eben noch so vielversprechend war, scheint auf einmal klebrig und eklig. Ruby sieht aus wie früher Jocelyn, wenn ich ein Zimmer betrat: Sämtliche Freude ist aus ihr gewichen. Es bricht mir das Herz.

»Das ist meine Küche«, sage ich. »Ich halte mich hier auf, wann ich will.«

Ruby rückt auf die Kante ihres Stuhls, sodass ihr Bein gegen meines drückt. »Ich habe Granny gefragt, ob sie mit mir Kekse macht«, sagt sie zu Jocelyn. »So wie wir früher.«

»Tja, Granny darf sich nicht überanstrengen, und du darfst nicht so lange aufbleiben.«

»Ich gehe in mein Wohnzimmer«, sage ich. Wie freudlos meine Tochter manchmal sein kann. »Ruby?«

»Ja, Granny?« Sie sieht traurig aus, doch diese Sache können nur sie und Jocelyn untereinander regeln.

»Kommst du mir noch gute Nacht sagen, bevor du ins Bett gehst?«

In meinem Wohnzimmer ist heute kein Feuer gemacht worden, also schalte ich das elektrische ein und lege mir eine Wolldecke über die Knie. Ich muss wie eine echte Pensionärin aussehen. Was hätte Alexander gelacht! Wenig später kommt Ruby zu mir. Sie gibt mir einen Kuss auf die Wange und schiebt ihre Hand unter meine.

»Ist das ein Diamant an deinem Ring?«, fragt sie.

»Ja, ist es. Siehst du, wie er funkelt? Es liegt am Schliff. Und erkennst du, dass er ein klein wenig gelb ist? Das macht ihn besonders selten. Er hat mal Grandpas Mutter gehört. Und eines Tages wird er dir gehören.«

Lächelnd fährt sie die Schliffkante mit dem Finger nach. Sie sieht müde aus.

»Ruby! Zähneputzen! Komm jetzt!«, brüllt Jocelyn aus dem Flur.

»Du musst dir die Zähne putzen, Liebes«, sage ich. »Sonst bekommen sie Löcher.«

»Mache ich immer.« Das ist geschwindelt. Ich weiß, dass sie es nicht tut. Ihre Zahnbürste ist oft trocken, wenn sie feucht sein sollte. Doch ich kann sie nicht gehen lassen, ohne sie etwas zu fragen. Deshalb wollte ich sie vorm Schlafengehen noch einmal sehen.

»Ruby, woher sind die blauen Flecken an deinem Arm?«

Sie blickt zum Flur. Jocelyn ist irgendwo anders hingeeilt.

»Es bleibt unser Geheimnis«, verspreche ich.

»Das war Hannah«, sagt sie.

»Ruby, das musst du deiner Mummy erzählen.«

»Will ich nicht.«

»Warum nicht?«

»Du hast versprochen, dass du es auch nicht verrätst.«

»Aber das muss sie wissen.«

»Es war nicht Hannah. Es war ein Unfall, als ich von der Mauer gefallen bin.«

»Wann bist du von der Mauer gefallen?«

»Als Hannah auf mich aufgepasst hat. Mom weiß das schon. Hannah hat es ihr geschrieben.«

Wieder ruft Jocelyn, und Ruby verlässt das Zimmer, wobei sie mich ansieht. Sie versucht einzuschätzen, ob ich ihr glaube, dass es ein Unfall war.

Tue ich nicht.

JO

Ein freier Vormittag. Ich bringe Ruby selbst zur Schule, und sie ist sehr still. Wir haben uns bereits gestritten, weil sie ein langärmliges Top in ihren Turnbeutel gepackt hat. »Ist das nicht viel zu warm?«, fragte ich. »Warum ziehst du kein T-Shirt zum Turnen an?«

»Es ist kalt in der Turnhalle.«

Fang keine Diskussion an, die nichts bringt, denke ich. »Na gut, aber kann ich dich etwas fragen?« Das wollte ich schon, seit Hannah es erwähnt hat.

»Was?«

»Hast du mal aus Versehen Twiglets Käfig offen gelassen? Nicht an dem Abend, als er entwischt ist, sondern vorher?«

»Nein.«

»Bist du sicher?«

»Habe ich nicht! Ich lüge nicht!«

»Okay, reg dich nicht auf. Es ist in Ordnung, wenn du es mal vergessen hast. Sicher war es ein Versehen. Du kannst es mir ruhig erzählen.«

»Es war kein Versehen, weil ich es nicht getan habe! Nur du hast gelogen wegen Twiglet, weil du der Schule gesagt hast, dass er in seinem Käfig gestorben ist, und keiner in der Klasse glaubt mir. Sie fragen mich immer wieder, ob ich ihn umgebracht und in den See geworfen habe!«

Ich biege auf den Schulparkplatz und halte den Wagen an. »Wie furchtbar, so etwas zu sagen. Soll ich mit reinkommen und mit der Lehrerin reden?«

»Nein. Das haben sie nur an dem einen Tag gemacht.«

»Na schön«, sage ich. »Es tut mir leid. Tut mir leid, dass ich das mit dem Käfig gesagt habe, und ich glaube dir. Warten wir einfach ein paar Minuten, damit du dich beruhigen kannst, ehe du reingehst.« Ihre Brust hebt und senkt sich noch dramatisch. »Ich habe übrigens gute Neuigkeiten, falls das hilft.«

»Welche?«

»Ich habe Hannah gebeten, zu uns zu ziehen und bei uns zu wohnen. Es wird das Leben für uns alle viel leichter und ruhiger machen.«

»Das will ich nicht!«

»Warum nicht?«

»Ich mag sie nicht.«

»Ich glaube, es hilft, wenn sie bei uns einzieht. Für dich ist es besser. Dann ist immer jemand für dich da.«

»Ich mag Granny! Sonst brauche ich niemanden!«

»Granny ist zu gebrechlich, um richtig für dich zu sorgen. Ich weiß, dass es nicht so aussieht, dass sie ziemlich stark wirkt, aber es ist noch nicht lange her, da konnte sie nicht mal aus dem Bett. Wenn dir irgendwas passiert, solange sie auf dich aufpasst, und sie dem nicht gewachsen ist, würde ich mir das nie verzeihen. Ich habe Hannah gebeten, zu uns zu ziehen, weil ich sicher sein will, dass für dich genauso gut gesorgt wird wie früher für mich.«

Ruby sackt tiefer in den Sitz. »Du bist immer bei der Arbeit.«

»Und du weißt, dass ich keine andere Wahl habe. Wir brauchen Geld.«

Sie hat die Arme fest vor dem Bauch verschränkt und sieht

jetzt eher wütend als traurig aus. Hätte ich doch bloß Hannahs Einzug nicht erwähnt! Ich hätte einen günstigeren Moment wählen sollen, aber ich hatte gehofft, dass sie sich freut. Mir ist unverständlich, warum sie so sehr dagegen ist.

»Mir geht es nicht gut«, sagt Ruby.

»Was ist?«

»Ich bin richtig müde.«

»Ruby, ich bin auch müde! Wir sind alle müde! Das ist keine Entschuldigung, nicht zur Schule zu gehen.«

Jetzt habe ich sie zum Weinen gebracht. Es ist ein blödes Gefühl. Ich löse meinen Gurt, steige aus und öffne die Tür hinten. »Rutsch mal rüber«, sage ich, setze mich zu ihr und nehme sie in die Arme. Sie zuckt zurück, doch ich ignoriere es. »Tut mir leid, dass wir uns gestritten haben. Fühlst du dich gut genug, um reinzugehen und es zu versuchen? Wenn es dir in einer Stunde oder so immer noch nicht gut geht, kannst du zur Schwester gehen, und ich hole dich ab.«

Sie nickt, hält den Kopf aber geneigt. Ich küsse ihr Haar. »Okay, dann mal los. Ich hab dich lieb.«

Ich blicke ihr nach, bis sie durchs Schultor ist. Sie dreht sich kein einziges Mal um.

Bei meinem nächtlichen Austausch mit befreundeten Müttern in Kalifornien lese ich, dass ihre Mädchen ähnlich schwierig sind. Man ist sich einig, dass sie heute zu früh groß werden. Die Hormonveränderungen gehen los, und das kann die Spitze einer Klinge sein, die nach und nach das Band zwischen Müttern und Töchtern kappt. Ich denke an Hannahs Rat, nicht zu vergessen, dass Ruby noch trauert. Natürlich weiß ich das, aber es ist nicht immer einfach, meine eigene Stimmung unter Kontrolle zu behalten.

Ruby geht mir den ganzen Vormittag nicht aus dem Kopf. Ich beschließe, etwas für uns zusammen zu planen. Einen Ausflug vielleicht. Mir wird bewusst, dass wir uns in letzter Zeit wenig schreiben, also schicke ich ihr eine Nachricht:

Hi! Ich hab dich lieb bis zum Mond und zurück. Und der Pinguin auch. Wollte ich dir nur sagen. 🌜🐧❤
xxxxooooooxxxxx

Sie antwortet nicht, nicht mal in der Pause. Ich hoffe, das bedeutet lediglich, dass sie in der Schule streng sind, was Handys angeht.

Dann sehe ich mir ihren Instagram-Account an, um herauszufinden, was sie zuletzt gepostet hat. Hannah drängt mich häufiger, mehr auf diese Dinge zu achten. Der letzte Post ist ein Foto von einem der Wasserspeier von Lake Hall. Ich grinse, weil es ein tolles Foto ist, doch mir vergeht das Lächeln, als ich die Bildunterschrift lese: »Wenn deine Nanny so übel aussieht und sich noch schlimmer benimmt.« Das Hashtag ist »#evilnanny«.

DETECTIVE ANDY WILTON

Andy legt die Fotos eins nach dem anderen aus. Lady Holt und ihre Tochter betrachten sie aufmerksam, aber keine der beiden zeigt irgendeine emotionale Reaktion. *Die sind beide eisenhart,* denkt er und kann sich nicht entscheiden, ob in ihren Adern blaues Blut fließt oder Frostschutzmittel.

Lady Holt nimmt eins der Fotos auf, setzt ihre Lesebrille auf und mustert es eingehend. Andy beobachtet sie.

»Wer sie auch sein mag, sie hat ein sehr nichtssagendes Gesicht«, stellt sie fest.

»Bitte entschuldigen Sie«, sagt die Tochter. »Meine Mutter besitzt kein Taktgefühl.«

»Ist schon gut«, antwortet Andy. »Habe ich auch nicht. Erkennen Sie sie?«

Die Tochter sieht nochmals auf das Bild, das ihre Mutter hält, und schüttelt den Kopf. »Nein, ich glaube nicht. Sollte ich ihr je begegnet sein, erinnere ich mich nicht.«

VIRGINIA

Das rekonstruierte Gesicht war nicht Hannah Burgess.

Die Züge waren ähnlich, aber sie war es nicht. Das Kinn stand nicht weit genug vor, die Augenform war falsch, und die Nase war zu schmal.

Was bedeutet, dass wirklich Hannah Burgess in meinem Haus ist und sich um meine Enkelin kümmert. Es besteht kein Zweifel mehr.

Hannah ist eine Intrigantin. Ihre Motive waren nie rein finanzieller Natur. Sie wollte damals auch meinen Ehemann.

Sie will nach wie vor Geld, so viel steht fest, aber was noch?

Es muss mehr geben, denn warum sonst sollte sie ein Kind so verletzen, wie sie es mit Ruby tut?

Geht es ihr um »Auge um Auge«?

»Zahn um Zahn«?

Ein neues kleines Mädchen in ihrer Macht, um das zu ersetzen, das sie verloren hat?

Um einen anderen Körper, der so schnell im See versinkt wie ihrer damals?

Mein Plan, sie auszuzahlen, zerrinnt mir wie Sand zwischen den Fingern.

1979

Einen Job in London zu finden ist schwieriger, als Hannah gedacht hätte. Die Größe und das Tempo der Stadt verwirren sie, und sie erkennt bald, dass die vornehmeren Nanny-Agenturen sie nicht nehmen, weil sie keine echte Qualifikation vorweisen kann. Ihre Referenzen und ihre Erfahrung reichen ihnen nicht. Man könnte meinen, jede andere Nanny wäre diese blöde Mary Poppins, so wie die den Kopf schütteln und sie ansehen, nachdem sie ihren Lebenslauf gelesen haben.

Mit ihren Ersparnissen von der Stelle in Bristol mietet Hannah sich ein Zimmer in Vauxhall und findet stundenweise Arbeit auf dem Blumenmarkt von Covent Garden. Dort muss sie um drei Uhr morgens anfangen, aber es macht ihr nichts aus, Blumen auszupacken, bevor der Rest von London aufwacht. Sie mag das Leben auf dem Markt: die täglichen Neckereien, den kochend heißen, wässrigen Kaffee, die Baconbrötchen, von denen ihre Finger fettig werden. Hannah passt sich trotzdem nicht gut ein, weil ihr die Kollegen zu ungehobelt vorkommen. Sie erinnern sie an ihre Familie. Doch sie lernt einige der Floristen kennen, die regelmäßig kommen, scherzt mit ihnen und achtet auf jede noch so kleine Zuckung in ihrer Mimik, wenn sie verhandeln.

Am meisten freut Hannah sich auf die Brautpaare. Die nobleren Floristen bringen sie mit auf den Markt, damit sie sich ihre Hochzeitsblumen aussuchen. Die glücklichen Paare sind immer verschlafen, aber strahlen vor Liebe. Arm in Arm schlendern sie herum, und ihre Atemwölkchen vermischen sich, wenn sie sich küssen. Hannah liebt es, das zu sehen. Sie liebt es, wie sie träumen und alles perfekt haben wollen für ihren großen Tag. Neid und Verlangen regen sich in ihr, wenn sie die Paare beobachtet. Sie träumt davon, sich ihren eigenen Brautstrauß auszusuchen, und weiß genau, welche Blumen sie darin will.

Manchmal bekommt Hannah Blumen umsonst, die nicht verkauft wurden und sich nicht bis zum nächsten Tag halten. Sie arrangiert sie vor dem zugigen schmalen Fenster in ihrem Zimmer, wo sie den Blick auf die Hauptstraße versperren. Ihr fehlen die Aussicht auf die Clifton Downs in Bristol und der weite Himmel.

Doch sie bleibt bei dem Marktjob, weil er nicht unangenehm ist und die Miete deckt. Es gefällt ihr, dass die Schicht um elf Uhr vormittags endet, denn es lässt ihr genügend Zeit, nach einer Nanny-Stelle zu suchen.

In ihrer Freizeit wandert Hannah durch die Straßen von London und nimmt alles mit dem unnachgiebigen Blick einer Katze in sich auf. Sie macht sich nach und nach mit den Vierteln vertraut, achtet darauf, wer wo und wie wohnt. Oft zieht es sie in die vornehmeren Gegenden zurück, wo sie durch die Straßen mit den wunderschönen weißen Häusern spaziert, die blanken schwarzen Geländer davor bewundert, die makellosen Blumenkästen und die Lorbeerbäume, die wie aufrechte Lollys die prächtigen Haustüren flankieren. Sie liebt es, wie solide, verlässlich und elegant die Häuser aussehen.

An schönen Tagen geht Hannah in den Hyde- oder den Holland-Park und schaut den Norland-Nannys mit ihren Schützlingen zu. Sie schaukelt neben den Kindern auf dem Spielplatz, fühlt den Wind in ihrem Haar, wenn sie höher und höher steigt, und belauscht die Nannys bei ihren Unterhaltungen. Meistens lästern sie über ihre Arbeitgeber und Kinder. Eine von ihnen ist ein wenig älter als die anderen und erinnert Hannah an Nanny Hughes, weil sie so gern Ratschläge erteilt. »Man sollte nie aufhören zu lernen«, hört Hannah sie eines Tages sagen, und Hannah empfindet ein freudiges Kribbeln. Genau das tue ich, wenn ich dir zuhöre. Obwohl ich noch nicht als Nanny arbeite, lerne ich.

Bis Hannah endlich eine Stellung angeboten bekommt, sind ihre Hände rau von der Arbeit auf dem Markt. Es ist keine Festanstellung, nur eine Vertretung für eine Nanny, die sich einer Operation unterziehen muss. »Aber so haben Sie schon mal einen Fuß in der Tür«, sagt Petra von der Agentur. Alles an der Agentur und auch Petra selbst wirkt leicht verlebt und sieht nach Fünfzigerjahren aus, dabei beginnen in London gerade die 1980er.

Die Agentur befindet sich über einem Eckladen in einer heruntergekommenen Straße in Pimlico. An den Fassaden blättert der Putz ab, und die Fenster sind schmutzig. Hannah hatte bei ihnen unterschrieben, weil es die einzige Agentur mit einer anständigen Adresse war, die sie nehmen wollte. Und so chaotisch, wie es dort zuging, glaubte Hannah, dass sie bei den Referenzen auch nicht allzu genau hinschauen würden. Nicht dass sie kein glänzendes Zeugnis von dem Ehemann in Bristol bekommen hätte (unser jüngerer Sohn war am Boden zerstört, als Hannah wegging; sie war ein Fels in der Brandung und hat unseren Haushalt außergewöhnlich effizient organisiert), aber Vorsicht zahlt sich immer aus.

Von dem Moment an, in dem sie ihren neuen Job antritt, mag Hannah den Jungen nicht, für den sie zuständig sein soll. Er heißt Caspar, ist fünf Jahre alt und praktisch immer kurz vorm Weinen. Wenn die Tränen in einen Trotzanfall münden, wird seine Stimme so schrill, dass sie Hannah durch Mark und Bein geht. Ihr ist klar, dass es sinnlos ist, ihn umerziehen zu wollen, weil sie nicht lange genug bleibt, also beschließt sie, dass sie ihn eben so ertragen muss, wie er ist, und ihn vielleicht nur ein klein wenig in Form bringen kann.

Caspars Mutter arbeitet nicht, sodass sie ihre Tage zu dritt, eingepfercht in der kleinen Wohnung, verbringen. Den Ehemann sieht Hannah nie. Er arbeitet im Ausland, erzählt die Mutter ihr. Jedes Mal wenn Hannah versucht, den Jungen ein wenig zu disziplinieren, schaltet sich die Mutter ein und sagt, Caspar solle tun, was er will, weil er sich frei ausdrücken müsse. Und sie sagt Hannah, dass sie das Wort »Nein« ungern hört. »Ja, Mrs. Deacon«, antwortet Hannah. Es juckt sie in den Fingern, sowohl der Mutter als auch dem Sohn einen Klaps zu verpassen.

Zwei Tage vor dem Ende der Vertretung reißt Hannah der Geduldsfaden. Die Mutter ist ausgegangen, und Hannah sitzt in dem engen Bad auf dem Toilettendeckel, während Caspar badet. Normalerweise würde sie sich auf die Badematte knien und sich mit dem Kind beschäftigen, vielleicht spielen oder den Jungen zum Kichern bringen. So hatte sie es mit dem jüngeren Jungen in Bristol getan. Nun starrt sie auf den Rücken mit den schmächtigen Schultern und fühlt sich leer. Sie zählt die Stunden, bis ihr Vertrag hier endet.

Caspar fischt eine große Wasserpistole aus dem Badewasser. Umständlich befüllt er sie, und vor Konzentration geht sein Atem schwer. Als die Pistole voll ist, schießt er auf Hannah, und der Wasserstrahl ergibt ein Muster vorn auf ihrer Bluse, als hätte ein Hund drauf gepinkelt.

»Caspar! Nein!«, sagt sie, aber er macht weiter. »Das reicht!«

Nun malt der Wasserstrahl ein Muster auf ihr Gesicht. Sie öffnet den Mund, um ihn zurechtzuweisen, doch er schießt er-

neut, und Seifenwasser füllt ihre Mundhöhle. Während sie hustend spuckt, schießt der Junge wieder. Hannah steht auf. Er zielt erneut auf sie, doch es kommen nur noch ein paar Tropfen aus dem Lauf. Die Pistole ist leer. Hannah lächelt. Sie legt eine Hand auf Caspars Kopf und drückt ihn unter Wasser. Als er sich wehrt, drückt sie mit der anderen Hand seine Schulter nach unten. Der Kleine ist verblüffend stark. Hannah zählt bis fünf, ehe sie ihn loslässt.

»Oh, das tut mir leid, mein Süßer«, sagt sie, als er aufhört zu weinen und sich sein kleiner Brustkorb nicht mehr ganz so heftig bewegt. »Hast du Shampoo in die Augen bekommen? Wollen wir das Haar nochmal ausspülen?« Sie streckt die Hand nach ihm aus.

»Nein! Nein, nein, nein, nein!«

Sie kann nicht umhin zu schmunzeln, dass »Nein« auf einmal zu seinem Lieblingswort geworden ist. »Erzähl deiner Mummy nicht, dass du unter Wasser gerutscht bist, ja? Denn wenn du es tust, wird die Polizei es erfahren und sagen, dass sie eine schlechte Mummy ist. Dann kommt sie ins Gefängnis, und du siehst deine Mummy und deinen Daddy nie wieder. Okay? Caspar? Caspar! Es ist höflich zu antworten.«

Caspar nickt und schüttelt gleich den Kopf, verzweifelt bemüht, die richtige Antwort zu geben. Sie ist froh, dass er solch ein dummes Kind ist, denn ein hellerer Fünfjähriger hätte ihr womöglich widersprochen. Später sieht sie nach ihm, als er längst im Bett ist, und selbst im Schlaf sieht er noch verängstigt aus.

In den letzten achtundvierzig Stunden ihres Dienstes bei der Familie ist Caspar kreuzbrav, und Hannah ist froh, dass sie die Zeit ohne weiteren Zwischenfall hinter sich bringt. Es hat sie ein bisschen erschreckt, wie sehr die Wut mit ihr durchgegangen ist und wie kurz davor sie war, den Kopf des Jungen weiter unter Wasser zu drücken, bis die letzte silbrige Blase aus seinem Mund aufstieg und das Licht in seinen Augen erlosch. Es bringt sie ein oder zwei Nächte um den Schlaf, und sie denkt: Ich muss aufpassen. Ich muss vorsichtiger sein, damit so etwas nicht wieder passiert.

Doch bei weiterem Nachdenken kommt sie zu dem Schluss, dass die Erfahrung mit Caspar sie etwas Wichtiges gelehrt hat. Künftig muss irgendwas für sie drin sein, wenn sie eine Stelle übernimmt. Mehr als ein Gehaltsscheck. Sie muss das Kind oder wenigstens einen Elternteil mögen, und sie will nicht noch einmal so beengt und schlicht wohnen oder für eine Mutter arbeiten, die immerzu in der Nähe ist.

Zu Hause unter ihrem Bett liegen einige Zeitschriften, die sie aus Ärztewartezimmern gestohlen hat. Wenn sie nicht schlafen kann, greift sie nach ihrem Lieblingsheft: Tatler. *Sie liebt es, den Klatsch über den Adel zu lesen und sich die Fotos anzusehen. Manchmal sind auch ihre Häuser abgebildet.*

Das brauche ich, *denkt sie, als sie die Seiten zum zigsten Mal umblättert und ihr Blick auf den schönsten Bildern verharrt.* Ich brauche eine Familie mit Klasse; Leute, die sich zu benehmen und zu leben wissen. *Es ist beinahe Erregung, die sie überkommt, wenn sie die wunderschön gekleideten Männer und Frauen sieht, auf edlem Mobiliar posierend oder aufeinander, mit ihren besonderen Doppelnamen und Titeln.*

Wie gern hätte sie einen von diesen Männern für sich!

JO

Die Arbeit ist zu einer Erholung von zu Hause geworden, während ich die Tage zähle, bis Hannah einzieht.

Meiner Mutter mitzuteilen, dass ich Hannah gebeten habe, nach Lake Hall zu ziehen, ging ungefähr so gut wie bei Ruby.

»Nur über meine Leiche!«

»Das ist nicht fair! Ich brauche die Hilfe.«

»Ich habe dir Hilfe angeboten.« Ihre Hände zittern, aber ich empfinde kein Mitleid, sondern nichts als Wut, dass sie mal wieder nur an sich selbst denkt.

»Das schaffst du nicht, Mutter! Es ist keine Teilzeitverpflichtung. Ruby braucht Beständigkeit, und ich brauche eine verlässliche Regelung. Du hattest nichts dagegen, dass Hannah mich großzieht.«

»Ich überstimme dich«, entgegnet sie.

»Kannst du nicht. Es wird so sein. Aber nicht lange, hoffe ich, denn Ruby und ich verschwinden von hier, sobald wir es uns leisten können.«

»Ein Familienmitglied sollte sich um Ruby kümmern.«

»Ach, dann ist das, was gut genug für mich war, nicht gut genug für sie? Du bist unglaublich.«

Ich rechne damit, dass der Streit eskaliert, und wappne mich, doch sie holt tief Luft und sieht mich seltsam ernst an.

»Jocelyn, du musst mir zuhören.«

»Was ist?« Ich bekomme ein wenig Angst.

»Ich muss dir etwas erzählen, was Ruby mir im Vertrauen gesagt hat: Hannah tut ihr weh.«

»Hannah tut Ruby weh?« Es ist das Unfassbarste, was Mutter je gesagt hat. Wie tief will sie noch sinken, um ihren Willen durchzusetzen? »Ich glaub's nicht, dass du so etwas sagst. Hannah würde keiner Fliege etwas zuleide tun. Sie hat in meinem ganzen Leben nie die Hand gegen mich erhoben. Und Ruby hätte etwas gesagt, wenn es so wäre.«

»Schatz, ich schwöre, dass es wahr ist, bei meinem Leben. Es passiert.«

»Du bist verwirrt.«

»Du musst handeln. Wenn du es nicht tust, tue ich es.«

»Stopp. Es reicht. Was für eine unglaubliche Anschuldigung. Das hätte ich dir nicht zugetraut. Ich muss jetzt zur Arbeit, aber wir reden heute Abend. Bis dahin gewöhn dich lieber daran, dass Hannah hier wohnen wird.«

Im Zug denke ich über das nach, was Mutter gesagt hat. Ich kann nicht glauben, dass es wahr ist, aber man bekommt so etwas auch nicht so leicht aus dem Kopf. Ist es einmal ausgesprochen, lässt es sich nicht mehr rückgängig machen.

Dennoch glaube ich es nicht. Von Hannah und meiner Mutter hat mich nur eine in meiner Kindheit grob behandelt, und das war nicht Hannah. Mutter versucht, Hannah schlecht zu machen. Es ist widerlich, und ich weiß, dass Ruby etwas gesagt hätte, wenn da irgendwas dran wäre.

Bei der Arbeit stürze ich mich erneut in die Suche nach Herkunftsbelegen für das Stillleben. Ich komme mir wie eine Mischung aus Detektivin und Schatzsucherin vor, und es ist wunderbar! Ich frage mich, an wie vielen Wohn- oder Esszimmerwänden das Gemälde über die Jahre gehangen hat und wie viele menschliche Dramen es in diversen Häusern bezeugt hat. Es wäre faszinierend, alle Einzelheiten zu erfahren, doch ich gebe mich damit zufrieden zu finden, wonach ich suche. Als ich erst einmal im Archiv der Nationalgalerie bin, dauert es nicht lange.

Das Dokument findet sich im Katalog zur Ausstellung. Dabei handelt es sich nur um eine schmale Broschüre, in der die Gemälde mit kleinen Schwarz-Weiß-Fotografien daneben aufgelistet sind, aber sie enthält doch eine vollständigere Aufstellung zur Provenienz der *Vanitas*. Vor meiner Familie und der Paul-König-Sammlung gehörte das Bild anscheinend der Johannes-Hofkes-Stiftung. Womit ich meine Nachforschungen hübsch ergänzen kann. Ich fotografiere es und verlasse das Archiv lächelnd. Die Verkaufsprovision scheint in greifbare Nähe zu rücken.

Und ich beginne mich zu fragen, ob ich es nicht noch besser hinkriege. Vielleicht sollte ich die Spur zur Hofkes-Stiftung weiterverfolgen. Eine kurze Internetsuche ergibt, dass die Stiftung bis heute existiert, und ich hoffe, dass sie Aufzeichnungen hat.

Mit diesem Gedanken kehre ich zur Galerie zurück. Im Sonnenschein sieht London schön und klar aus. Schatten legen ein Muster über Piccadilly. Die Bäume hinter der St. James' Church haben ihr Laub verloren, und milchiges Sonnenlicht fällt durch das Gewirr von Ästen auf die Markthändler und ihre Buden darunter. *Bald werden die Läden ihre Weihnachtsdekoration anbringen,* denke ich, und ich frage mich, ob ich mit Ruby einige Tage verreisen kann, wenn ich erst mein Geld habe. Vielleicht möchte Hannah ja mit uns kommen. Es wäre so schön, könnten wir ein wenig Zeit zu dritt verbringen. Ich versuche, nicht an das zu denken, was Mutter über Hannah gesagt hat oder wie ich damit umgehe.

In der Galerie putzt Clemency das Rahmenglas.

»Ich habe den Ausstellungskatalog gefunden!«, verkünde ich.

Sie poliert weiter, ohne sich umzudrehen. »Sehr gut.«

»Ist Faversham da?«

»Nee.«

»Oh.« Ich bin enttäuscht von ihrer lauen Reaktion und Favershams Abwesenheit, bemühe mich aber, nicht gekränkt zu sein. »Ich habe überlegt, ob ich die Stiftung kontaktiere, der das Stillleben gehört hat, bevor die Paul-König-Sammlung es gekauft hat. Je mehr wir wissen, desto besser, oder?«

Nun dreht Clemency sich zu mir um. Ihre Hände sind schwarz von dem Zeitungspapier, mit dem sie das Glas poliert. »Ich denke, das ist nicht nötig. Warten wir ab, ob der Kunde mit dem zufrieden ist, was Sie bereits haben.«

»Ist irgendwas?«

»Nein, nichts.«

Sie geht weiter zum nächsten Bild, sprüht Glasreiniger auf einen Lappen und verreibt ihn behutsam auf dem Glas. Ich weigere mich aufzugeben, weil ich es wichtig finde. »Ich frage Faversham, denn ich denke wirklich, dass wir dem Kunden alles geben sollten, was wir finden können. Ich meine, das hier ist Geschichte, Kunstgeschichte. Wenn wir jetzt die Provenienz des Gemäldes nachweisen können, wird sie für immer Teil seiner Geschichte sein.«

Clemencys Schultern sinken herab. »Ist Ihnen eigentlich klar, wie anmaßend Sie sich anhören?« Der Schock muss mir anzusehen sein, denn sie schlägt einen sanfteren Ton an. »Können wir uns kurz setzen? Ich denke, da ist etwas, das Sie wissen sollten.«

Sie sieht so ernst aus, dass ich fürchte, ich bin im Begriff, meinen Job zu verlieren. Also setze ich mich und sage: »Tut mir leid, falls ich eine Grenze überschritten habe. Ich versuche nur, mein Bestes zu tun.«

Clemency sitzt mir gegenüber. »Tut mir leid, das zu sagen, sehr leid, aber hier ist nicht alles, wie es scheint. Faversham handelt mit Fälschungen, und das schon seit weit über zehn Jahren.«

»Was?« Ich hatte mit allem Möglichen gerechnet, aber nicht mal im Traum hiermit. »Wie?«

»Sie nutzen unterschiedliche Methoden. Es ist kompliziert, und ich kann es nicht ganz genau erklären, aber Sie müssen wissen, dass Faversham mit Ihren Eltern und mit Elizabeth Fuller zusammenarbeitet, der Freundin Ihrer Mutter. Elizabeth fertigt die Fälschungen. Die Kunstsammlung Ihrer Eltern wird genutzt, um den Bildern einen Kontext zu geben. Favershams Ruf als Kenner bedeutet, dass die Fälschungen parallel zu den Originalwerken auf den Markt kommen, die er verkauft. Ihre Lieblingsmethode ist, neue Zeichnungen anzufertigen, vorzugsweise italienische Renaissance, und zu behaupten, die Holt-Sammlung genüge als Provenienz.«

Ich bin beinahe sprachlos vor Schock, habe aber gleichzeitig so viele Fragen. »Was ist mit Ihnen? Stecken Sie da mit drin?«

»Deshalb möchte ich Ihnen ja davon erzählen. Sie haben mich in diese Fälschungsgeschichte verwickelt, ohne dass ich es wusste. Die haben eine Kriminelle aus mir gemacht, und dasselbe tun sie mit Ihnen. Die Dokumente, die Sie in den Archiven ›entdeckt‹ haben? Die wurden dort von Elizabeth platziert. Gemälde sind nicht das Einzige, was sie fälschen kann. Sie ist sehr, sehr gut in dem, was sie macht. Eine der besten Fälscherinnen aller Zeiten, würde ich behaupten.«

Anscheinend ist alles, was ich zu wissen geglaubt habe, falsch. Alles. Einschließlich meiner Meinung von Clemency. »Und ich habe gedacht, Sie mögen mich nicht.«

Sie schüttelt den Kopf. »Es liegt nicht an Ihnen. Es liegt an dem, was sie mit Ihnen tun.«

»Und das Foto von mir als Kind vor dem Vanitas-Stillleben? Ist das echt, oder haben sie das auch gefälscht?« Dass sie mit meiner Erinnerung gespielt haben, ist besonders verstörend. Habe ich in einem Kartenhaus gelebt?

»Von dem Foto weiß ich nichts, und es tut mir leid, dass ich Ihnen das alles sagen muss. Ich weiß, dass es für Sie ein gewaltiger Schock ist, aber Sie haben meiner Meinung nach ein Recht zu wissen, was Sie hier tun und worauf Sie sich einlassen.«

»Und ich dachte, dass ich lauter verblüffende Sachen entdecke.«

»Es kann so toll sein, Dinge zu entdecken, ich weiß. Genauso ging es mir. Und jetzt wird mir schlecht, wenn ich mich daran erinnere, wie aufgeregt und begeistert ich war.«

»Warum arbeiten Sie immer noch hier?«

»Als ich raushatte, was läuft und zu was für einer Handlangerin sie mich gemacht hatten, blieb mir die Wahl zwischen drei Alternativen: gehen und kein Wort sagen, gehen und es der Polizei melden, womit ich auch dran wäre, oder bleiben und profitieren. Ich hatte kein Geld, war verschuldet und deshalb machte ich mit. Aber Sie müssen das nicht. Ich erzähle Ihnen das, weil ich Ihnen eine Chance geben möchte, da rauszukommen, bevor Sie zu sehr verstrickt sind.«

»Was macht Sie so sicher, dass ich nicht zur Polizei gehe und Sie alle anzeige?«

»Es ist Ihre Familie.« Sie ist sich so sicher, dass sie es mit einem resignierten Lächeln ausspricht. Aber sie kennt mich nicht so gut, wie sie glaubt. Ich brauche Zeit zum Nachdenken.

»Können Sie Faversham sagen, dass ich nach Hause gefahren bin?«

»Natürlich. Und rufen Sie mich an, falls Reden hilft.«

»Danke«, sage ich. »Es war unglaublich mutig von Ihnen, mir das zu erzählen.«

»Tut mir leid, dass Sie es so erfahren mussten, und ich bedaure, dass ich es sein musste, die es Ihnen sagt. Ich hoffe, ich habe das Richtige getan.«

»Haben Sie.«

Ich verlasse die Galerie und entferne mich rasch von der Cork Street. Schließlich finde ich mich im Green Park wieder. Ich fühle mich erstickt, beschmutzt und bin sehr wütend. Wütend auf Faversham, aber vor allem auf Mutter und Elizabeth. Wie können sie es wagen, mich so zu manipulieren? Ich musste nach Lake Hall zurückkommen, weil ich eine Zuflucht brauchte, und ich wollte so wenig wie möglich mit Mutter zu tun haben. Trotzdem habe ich hingenommen, dass sie ihre Klauen in Ruby versenkt, und mich um der beiden willen bemüht, obwohl mich die Trauer innerlich zerfraß. Zu hören, dass ich von meiner eigenen Mutter in etwas Illegales verwickelt wurde, lässt mich kochen vor Zorn. Würde ich ertappt, könnte ich mein eigenes Kind nicht mehr großziehen. Es ist ein unfassbarer Verrat.

Mit einer Mordswut im Bauch gehe ich zur Paddington Station.

1980

Hannah beschließt, dass es Zeit ist, sich eine Führung durch den Buckingham Palace zu gönnen. Sie hat genug Geld gespart, und sie freut sich irrsinnig.

In Piccadilly steigt sie aus der U-Bahn und genießt den Spaziergang zum Palast und einen Blick in die Läden, doch sie alle scheinen voller Männer und Frauen, die Hannah verächtlich beäugen. Ihr seid nicht besser als ich, *denkt sie,* ihr seid bloß Verkäufer. *Dennoch geben sie ihr das Gefühl, klein zu sein.*

Trotz all ihrer Bemühungen hat sich ihr Leben nicht so entwickelt, wie sie es wollte. Sie arbeitet immer noch auf dem Markt, weil es so gut wie keine Stellen für sie als Nanny gibt. Sie fängt an, diese Stadt zu hassen, die mit Reichtum und Erfolg protzt, Hannah aber beides verwehrt.

Auf dem Weg zur Mall bemerkt sie ein Schild auf der anderen Straßenseite und bleibt abrupt stehen.

»JENNIFER MIRREN: EINE RETROSPEKTIVE«

Es muss eine Ausstellung von Gemälden der Mutter aus Bristol sein. Hannah kann es nicht glauben. Sie überquert die Straße und betritt die Galerie. Als sie die Tür öffnet, bimmelt eine Glocke, doch niemand kommt. Der Raum ist erst zur Hälfte mit Bildern behängt. Viele stehen noch in Luftpolsterfolie gewickelt auf dem Boden. Die bereits aufgehängten Ge-

mälde sind so schlecht, wie Hannah sie in Erinnerung hat: als hätte jemand Shampoo auf eine Leinwand gesprüht.

»Hallo?«, ruft sie, erhält jedoch keine Antwort. Sie nähert sich dem Schreibtisch, auf dem Karten und Umschläge ordentlich aufgestapelt sind und darauf warten, dass man sich mit ihnen befasst. Sie nimmt die Karte oben von dem Stapel. Es ist eine Einladung zu einer privaten Ausstellungsbesichtigung in zehn Tagen. Die Karte ist adressiert an »Lord und Lady Alexander Holt«. Hannah möchte eine Einladung, aber diese nimmt sie lieber nicht. Die Leute klingen bekannt. Sie geht den Stapel durch und stößt auf eine Einladung an eine Charlotte Phillipson. Nicht ganz so vornehm. Da sie Schritte hört, steckt sie die Karte in ihre Handtasche und verlässt die Galerie.

Zehn Tage lang geht ihr die Privatbesichtigung durch den Kopf. Sie stellt sogar fest, dass sie sich darauf freut, den Ehemann aus Bristol wiederzusehen. Aufmerksamer denn je blättert sie in ihren zerlesenen Tatler*-Ausgaben, sieht sich besonders die Gesellschaftsfotos an und dort vor allem die von Ausstellungseröffnungen. Sie schaut sich an, was die Frauen tragen, und findet auf dem Camden Market ein Kleid, das ihr passend erscheint. Dazu klaut sie einen Schal von Liberty. Sie erinnert sich an das selbstbewusste Auftreten der Ehefrau in Bristol, diese Schickeria-Autorität. Hannah zieht ihr Outfit an und übt vor dem Spiegel, sich selbstbewusst zu geben.*

Am Abend der Ausstellung nähert sie sich klopfenden Herzens der Galerie, dabei ist ihre Nervosität unbegründet. Die Frau an der Tür ist so damit beschäftigt, vor einem schönen Paar zu buckeln, dass sie nicht mal den Namen auf Hannahs Einladung überprüft. Sie steckt sie bloß zu den Karten in ihrer Hand und winkt Hannah hinein.

Der Ehemann aus Bristol ist sturzbetrunken, erkennt Hannah aber sofort.

»Mein Gott! Hannah! Lange nicht gesehen!«, ruft er. Er löst die Hände von der Taille einer anderen Frau und legt sie tief auf Hannahs Rücken, als er sie umarmt. »Du siehst zum Anbeißen aus!«, sagt er. »Hat dir jemand eine Einladung geschickt? Wie wunderbar, dass du hier bist!«

Er steht zu nahe bei ihr, während er ihr das Neueste mitteilt: Den kleineren Sohn hat der Tod seiner Mutter schwer getroffen, er hatte einige Probleme, und der größere war am Boden, doch ihm geht es besser, und er ist wieder zu Hause. Sie haben eine neue Nanny. Mit seiner eigenen Malerei läuft es sehr, sehr gut.

»Was ist mit dir?«

»Ich bin gerade zwischen zwei Jobs«, antwortet Hannah.

»Ah, was für ein sagenhafter Zufall. Meine Cousine sucht jemanden. In London und Wiltshire. Virginia!«

Eine Frau dreht sich um. Sie ist schwanger, schon ziemlich weit, und sieht fantastisch aus in ihrem hauchdünnen Kleid mit Seidenakzenten über einem hautfarbenen Bodystocking. Die Kombination betont ihren Babybauch und macht ihn gleichzeitig dezenter. Es ist etwas völlig anderes als die Umstandskleider, die Hannah bei anderen Frauen gesehen hat. Sie ist groß und sehr elegant, jedoch nicht auf konventionelle Weise hübsch. Dafür ist ihr Gesicht zu streng. Trotzdem ist Hannah krank vor Neid.

»Meine Cousine«, flüstert der Mann aus Bristol. »Ich wäre sehr versucht, wäre sie es nicht, sage ich dir.«

Virginia ist nett und überhaupt nicht so streng, wie sie aussieht. »Ich war nicht sicher, ob ich eine Nanny will«, sagt sie und streicht sich über die Kugel. Männer beobachten sie. »Eigentlich habe ich mich dagegen gesträubt, weil ich sie selbst großziehen wollte, und nachdem Alexander mich endlich überzeugt hat, eine Hilfe einzustellen, ist es so spät, dass ich unmöglich jemanden Gutes finde.«

»Woher wissen Sie, dass es ein Mädchen wird?«, fragt Hannah.

»Weiß ich nicht, aber ich wünsche mir sehnlichst eine Tochter.«

Wie erstaunlich, so sicher zu sein, dass man sich nur etwas wünschen muss, und schon wird es wahr, *denkt Hannah.* Was für Leute glauben das?

»Zufällig bin ich früher frei als gedacht«, sagt sie. »Die Familie, für die ich arbeite, geht ins Ausland.« Es ist eine Lüge, doch mit den Folgen wird sie sich später befassen. Sie will diesen Job unbedingt, denn diese Leute sind vornehm, keine Frage, und sie haben einen Landsitz. Es ist mehr, als sie sich zu erträumen gewagt hat.

»Vielleicht ist es Vorsehung!«, fügt sie hinzu, weil sie denkt, Virginia Holt gefällt die Vorstellung, dass hier etwas Fantastisches passiert. Im Geiste dankt sie Nanny Hughes, dass sie ihr dieses Wort beigebracht hat.

Virginia lacht. »Ist es vielleicht! Nun, hätten Sie Zeit, diese Woche mal zu uns zu kommen, damit wir uns unterhalten können? Wir wohnen nicht weit von hier.«

»Natürlich!«, antwortet Hannah. »Es ist so wichtig, vorher zu klären, ob wir uns mögen und zusammenarbeiten können.« Auch für dieses kleine Juwel dankt sie Nanny Hughes stumm.

»Wunderbar! Obwohl ich glaube, wir werden uns bestens verstehen. Wie wäre es, wenn ich Sie meinem Mann vorstelle? Alexander!«

Könnten das Lord und Lady Holt sein?, *fragt Hannah sich. Ihr Herz schlägt noch schneller, als würden winzige Finger in ihrer Brust trommeln. Alexander Holt löst sich aus einem*

Gespräch, als seine Frau ihn ruft. Er ist absolut umwerfend. So gut aussehend, wie Hannah es nur aus Zeitschriften oder dem Kino kennt. So schön, dass sie es kaum aushält, ihn anzusehen, als sie miteinander bekannt gemacht werden.

»Hannah ist Nanny und hat vielleicht Zeit, uns mit dem Baby zu helfen. Sie hat sich um Sebs Jungs in Bristol gekümmert.« Virginia neigt sich zu ihm, als sie mit ihm spricht, und ihre Lippen streifen beinahe seine Wange.

»Hannah ist absolut fantastisch!«, sagt Seb.

»Haben Sie Erfahrung mit Säuglingen?«, fragt Alexander.

»Ich war schon mal für Zwillinge zuständig.«

»Wie lange?«

Virginia legt ihrem Mann eine Hand an die Brust, und Hannah überkommt eine unangenehme Eifersucht. »Liebling, ich werde einen Termin mit Hannah für diese Woche vereinbaren, dann können wir mit ihr reden. Verderben wir ihr nicht die Party. Kannst du ihr unsere Adresse geben?«

Er greift in seine Innentasche und holt ein schmales, goldblaues Zigarettenetui und einige Karten hervor. Das Etui gleitet wieder zurück, und er behält eine Karte in der Hand. Dann leiht er sich von dem Mädchen am Empfang einen Stift und schreibt Hannah die Adresse sowie die Zeit auf, zu der sie zum Vorstellungsgespräch kommen soll.

Für den Rest des Abends und sogar während des Beischlafs mit einem Jungen aus der City, auf den sie sich eingelassen hat und der so betrunken war, dass er Mühe hatte, seine Wohnung zu finden, nachdem das Taxi sie in der King's Road abgesetzt hatte, kann Hannah an nichts anderes denken als an Alexander. Sie hält die Karte in der Hand, während der Junge seine Hände überall auf ihr hat. »Lord Alexander Holt«, steht da. »Privatsekretär. The Burlington Club.« Er ist der eine, *denkt sie.*

Jeder Muskel in ihrem Leib sehnt sich schon nach ihm, und ihr Körper sagt ihr, dass sie es gar nicht besser hätte treffen können als mit ihm.

Er ist der Mann, den sie will.

VIRGINIA

Hannah zieht wieder nach Lake Hall, um für Ruby zu sorgen. Die Geschichte wiederholt sich. Ich weiß nicht, wie ich Jocelyn überzeugend warne, dass ich ein Ende in Gewalt befürchte. Gewalt gegen wen, weiß ich noch nicht, aber ich vermute, Hannah weiß es. Sie hat von jeher gründlich geplant.

Ich möchte heute weg, weil ich es kaum ertrage, hier zu sein, scheue mich jedoch, den Land Rover zu benutzen. Mehr als eine kleine Runde in der Einfahrt, um die Bremsen zu testen, traue ich mich nicht. Sie scheinen in Ordnung, aber was ist, wenn Hannah etwas anderes manipuliert hat, seit Geoff den Wagen überprüft hat? Ich kann ihn nicht bitten, ihn sich schon wieder anzusehen. Er würde denken, dass ich verrückt geworden bin. Also trotte ich wie ein Hund mit eingezogenem Schwanz zurück ins Haus.

Als Jocelyn von der Arbeit kommt, will ich noch einmal mit ihr über Rubys Blutergüsse reden, doch sie will nichts davon hören. Sie tobt vor Wut.

»Ich rede selbst mit Ruby«, sagt sie. »Und kein Wort mehr von dir darüber. Wir haben etwas anderes zu besprechen.«

Clemency hat geplaudert.

»Ich wollte dich nicht da mit reinziehen«, beteuere ich. »Das war nicht meine Idee.«

Ich möchte ihr erklären, dass es ihr Vater war, der uns diesen

Mist überhaupt erst eingebrockt hat, und dass Faversham sie ohne meine Erlaubnis rekrutiert hat, doch sie hört nicht zu. Ihr Gezeter ist nicht zu stoppen und richtet sie allein gegen mich. Ich bin die böse Saat, aus der alles Hässliche und Schreckliche in ihrem Leben entsprungen ist, und dies ist bloß ein weiterer Beweis.

Mir schwirrt der Kopf.

Es war nicht meine Schuld. Ich wurde zur Komplizin, das gebe ich zu, aber Alexander hat damit angefangen.

Erstmals erfuhr ich von unserer finanziellen Situation eines Abends, als Alexander und ich im Garten saßen. Wo die Eichenkronen den dämmrigen Himmel erreichten, war er tiefblau. Ich sah die Silhouette einer Eule auf einem Zaunpfosten. Sie blickte über die Stoppelfelder. Hin und wieder war ein Platschen im Teich zu hören, und Fetzen eines Wiegenliedes wehten aus dem Dachfenster zu uns, hinter dem Hannah Jocelyn zu Bett brachte.

Alexander verzog das Gesicht. »Ist sie nicht zu alt, dass ihr jeden Abend vorgesungen wird?«, fragte er.

»Hannah besteht darauf, dass es Teil von Jocelyns festem Ablauf ist. Sie sagt« – und an dieser Stelle konnte ich nicht widerstehen, unsere Nanny in einem fiesen Tonfall nachzuäffen – »ein Lied und eine Geschichte sorgen für einen glücklichen Schlaf.«

»Ich nehme an, wir können Hannah nicht bitten, Gesangsunterricht zu nehmen?«

Ich lachte leise. Alexander hatte uns starke Gin Tonics gemixt, und Alkohol beflügelte seinen Humor immer.

»Oder wenigstens das Fenster zu schließen?«, ergänzte er, aber das war nicht witzig.

»Es ist zu heiß, Liebling.«

»Das war nur ein Scherz.«

»Entschuldige.«

Ich war empfindlich, wenn es um Jocelyn ging, und von einem pathetischen Drang getrieben, meine mütterlichen Instinkte zu demonstrieren, wann immer ich konnte. Es war sinnlos, denn mittlerweile traf Hannah die meisten Entscheidungen, und ich hatte begriffen, dass meine Tochter mich nicht leiden konnte. Demgegenüber konnte ich längst nicht mehr die Augen verschließen, lieferte doch jeder Tag neue Exempel dafür. Inzwischen glaubte ich selbst schon, dass ich abscheulich war. Wie sollte ich es nicht sein, wenn mich mein eigenes Kind so sehr hasste?

Alexander blickte hinauf zu Jocelyns offenem Fenster.

»Machen wir einen Spaziergang«, sagte er.

»Jetzt?«

»Jetzt.«

»Wo gehen wir hin?« Ich streifte die Schuhe ab und folgte ihm barfuß über den Rasen.

Alexander schob die Bootshaustür auf. Das hölzerne Dingi wippte in der Vertäuung, und die Ruder lagen ordentlich drinnen. Ein Streichholz flammte auf, mit dem Alexander eine kleine Petroleumlampe anzündete. Er holte Decken aus einer Truhe und schüttelte sie aus, bevor er sie neben dem Boot auf dem Steg auslegte. Mir war, als würde sich mein ganzer Körper zusammenziehen. Seit vielen Monaten waren wir nicht mehr intim gewesen. Der Lampenschein war gütig zu Alexander, verbarg die Schatten unter seinen Augen. Er hatte lange Wochen voller Partys und Arbeit hinter sich, und wir waren aufs Land gekommen, um uns zu erholen.

Er setzte sich, und ich kniete mich neben ihn. Dort rückte ich so nahe an ihn heran, dass sich unsere Schenkel berührten. Ich wandte mich zu ihm, legte ihm eine Hand an die Wange. Er bedeckte meine Hand mit seiner. Ich drehte ihm das Gesicht zu und schloss die Augen, doch es war nicht Intimität, was er im Sinn hatte. »Ginny«, sagte er und zog meine Hand von seiner Wange. Ich öffnete die Augen. »Ich muss dir etwas erzählen.«

Ich war maßlos enttäuscht. Was könnte man sich mehr von einer Ehe wünschen, zumal von einer solch hochriskanten wie unserer, als dass wir einander immer noch begehrten, nach all den Jahren, so stark wie ein gemeinsamer Herzschlag? Rasch fing ich mich wieder. Am besten lässt man sich seine Enttäuschung nicht anmerken. Männer mögen das nicht.

Alexander schob das Boot mit den Zehen vom Steg weg und fing es wieder ab, als es zurückschwappte. Das Geräusch füllte den Raum, und das Wasser warf flackernde Lichtwellen auf die Wände und an die Decke.

Dies war der Rhythmus, zu dem ich erfuhr, dass wir Gefahr liefen, alles zu verlieren.

Alexander erzählte mir eine klassische Geschichte von wachsenden Schulden und Krediten, die ihm geschniegelte und gestriegelte junge Banker anboten, ekstatisch, an einen Tisch im Burlington Club mit Lord Holt eingeladen zu werden, indes weniger erpicht darauf, mit ihm per Du zu sein, nachdem sie erst ihre Mitgliedschaft hatten und die Kredite, die sie Alexander gewährten, nicht bedient wurden.

Alexander eröffnete mir, dass unsere Konten leer und alle seine Kreditkarten ausgereizt seien. Er sagte, dass er eine Zeichnung aus der Sammlung seines Großvaters bei einer Auktion verkauft und erst im Nachhinein entdeckt habe, wie erbärmlich niedrig der Erlös war. Es war Faversham, sein alter Schulfreund, der den Verkauf mitbekommen und Alexander zur Rede gestellt hatte. Sowie er hörte, was geschehen war, bestand er darauf, dass Alexander mich über unsere Situation aufklärte.

Und hier waren wir nun. Zum Ende seiner Geschichte würgte Alexander, als steckte ihm die Scham einem Haarball gleich in der Kehle. War ich versucht, ihn zu verlassen? Niemals. Gemeinsam waren wir so weit gekommen, und wir hatten ein Kind. Ihr Gesicht mochte sich angewidert verziehen, wenn sie mich sah, aber ihren Daddy liebte sie sehr.

Ich wählte andere Lösungswege. Als Erstes ging ich zum Arzt.

»›Mutters kleine Helfer‹«, sagte Eric, als er das Rezept ausstellte.

»›Der Ehefrau kleine Helfer‹ wäre wohl die bessere Beschreibung«, entgegnete ich, wollte es jedoch sofort zurücknehmen, denn Eric sah mich seltsam an.

Ich nahm nicht allzu viele von den Pillen, nur genug, um es durch die ersten harten Wochen zu schaffen. Und dann teilte ich Alexander mit, dass ich mit Elizabeth gesprochen hatte und wir eine Idee hätten.

Faversham, Alexander, Elizabeth und ich tüftelten den Plan mit den Fälschungen aus, um Lake Hall und die Kunstsammlung für Jocelyn zu retten und gleichzeitig genug Gewinn zu machen, damit alle zufrieden waren. Der Plan funktionierte wunderbar, bis Faversham es übertrieb und Clemency mit hineinzog. Jetzt hat er auch noch Jocelyn in die Sache verwickelt, und ich bin schuld.

Jocelyn beendet ihre Schmährede mit der Erklärung, ich sei Gift für Ruby. Sie hätte beobachtet, wie nahe wir uns seien, sagt sie, und es sei ungesund für Ruby, weil ich unehrlich sei. Bei ihr klingen all meine Versuche, mit meiner Enkelin zu kommunizieren, wie nichts als eine befremdliche Zauberei, in einem Kessel zusammengebraut, um wie ein Fluch zu wirken. Ihre Worte treffen mich so tief, dass ich fürchte, sämtliche Kraft könne aus mir weichen und eine Pfütze zu meinen Füßen bilden wie kontaminiertes Seewasser. Ich neige den Kopf und warte, bis die Tür hinter ihr zuknallt, als sie geht.

In der Stille, die zurückbleibt, kämpfe ich mit den Tränen. Jocelyn denkt sich nichts dabei, mir jeden Tag einen neuen Dolchstoß zu verpassen, und mit jedem Mal fühle ich mich geschwächter. Dennoch muss ich versuchen, ihre Vergangenheit und ihre Zukunft zu verteidigen, und hiermit muss Schluss sein.

JO

Zur Schlafenszeit rede ich mit Ruby, außer Hörweite von Mutter. Es ist ein Gespräch, das man am liebsten nie mit seinem Kind führen würde. Ich vertraue Hannah blind, und was ich jetzt tue, will ich eigentlich nicht, aber ich muss, für alle Fälle. Als Ruby mit ihrem Buch im Bett liegt, setze ich mich zu ihr.

»Kann ich mit dir über etwas reden, was du zu Granny gesagt hast? Du hast ihr erzählt, dass Hannah dir wehgetan hat. Granny sagt, dass du einen Bluterguss am Arm hast.«

Sie zieht den Ärmel hoch und enthüllt zwei Blutergüsse. Sie sehen wie Fingerabdrücke aus und sind wahrscheinlich einige Tage alt.

»Kannst du mir sagen, woher du die hast?«

»Es war ein Unfall.«

»Was für ein Unfall?«

»Weiß ich nicht.«

»Sind das die einzigen, oder hast du mehr?«

Sie schüttelt den Kopf und zieht auch den anderen Ärmel hoch. Dort ist nichts zu sehen.

»Ich muss wissen, was passiert ist, Spatz. Das ist wichtig.«

»Warum?«

»Weil du Granny erzählt hast, dass Hannah dir wehgetan hat, und wenn man so etwas sagt, ist das eine sehr ernste Sache.«

»Das habe ich nicht gesagt.«

»Hast du nicht?«

»Ich weiß nicht, warum Granny das sagt. Sie hat es vielleicht verwechselt.«

»Und woher sind die blauen Flecken?«

Sie zuckt mit den Schultern. »Weiß ich nicht mehr. Vielleicht aus der Schule. Wir haben Brennball gespielt, und einige von den Jungen hatten einen kleinen Ball, den sie richtig doll geworfen haben. Dafür wurden sie ausgeschimpft.«

Behutsam frage ich noch ein wenig nach, doch sie bleibt dabei, und es ist plausibel, denke ich. Deshalb höre ich auf, ehe ich sie zu sehr beunruhige. Trotzdem geht es mir nicht aus dem Kopf. Weil die Blutergüsse an der Innenseite ihres Armes sind.

Wie bei so vielem, was momentan passiert, bin ich unsicher, was oder wem ich glauben soll.

Ich liege im Bett. Es ist zu früh, um zu schlafen, aber ich meide Mutter, die unten im Haus umhergeht, und versuche zu lesen, kann mich aber nicht auf meinen Roman konzentrieren. Die Blutergüsse an Rubys Arm lassen mir keine Ruhe. Ich sehe sie vor mir, und dann erscheint vor meinem inneren Auge jedes Mal das Bild eines anderen Armes, eines anderen Mädchens. Es ist mein Arm, und auch auf ihm sind solche Flecken.

Diese Erinnerung kommt unvermittelt und ist mir wenig vertraut. Ich erkenne sie auf dieselbe Weise, wie wenn man einen alten Gegenstand entstaubt, um ihn dann richtig zuordnen zu können. Ich weiß, dass es die Party meiner Eltern an dem Abend ist, nach dem Hannah verschwand, weil ich das Kleid trage, das ich als blau in Erinnerung habe, obwohl Hannah mir versichert hat, dass es apfelgrün war. In meiner Erinnerung ist das Kleid ganz klar blau, deshalb frage ich mich, wie verlässlich diese Erinnerung ist. Die Antwort weiß ich nicht, aber verlässlich oder nicht, dieses Bild ist lebendig und sehr eindrücklich.

Ich bin mit Mutter, ihrem Freund Rory und einigen anderen Leuten im Garten. Sie alle haben Drinks. Mutter sieht wunderschön aus. Mir ist heiß, und ich schwitze, weil Rory mich herausfordert, alles Mögliche so schnell zu machen, wie ich kann.

»Nein!«, sagt Mutter, als er mich auffordert, ein Rad zu schlagen. Ich bin nicht sehr sportlich. Mutter steht von ihrem Stuhl auf der Terrasse auf. Sie kniet sich neben mich, und der Rauch ihrer Zigarette bringt mich zum Husten. »Wir zeigen unseren Gästen nicht unsere Unterwäsche«, zischt sie mir ins Ohr. »Hör auf, so viel Aufmerksamkeit auf dich zu ziehen.«

»Sei keine Spielverderberin, Ginny!«, ruft Rory. »Komm schon, Kleine, schlag ein Rad, bitte! Oder vielleicht einen Rückwärtssalto?«

Mutter schüttelt den Kopf, aber ich bin trotzig. Ich kann ein Rad schlagen, und ich genieße Rorys Beachtung. Ich gehe von Mutter weg und gebe mein Bestes.

»Jocelyn!«, warnt sie mich.

»Großartig! Mehr bitte!« Rory klatscht in die Hände.

Ich schlage noch ein Rad und noch eins, und mir wird immer heißer, während die Räder immer schiefer werden. Nach fünf oder sechs bin ich außer Atem, bleibe stehen, um nach ihrer Reaktion zu sehen, aber sie haben aufgehört zuzuschauen, sogar Rory. Ich rufe nach ihm, und mir ist egal, dass es unhöflich ist.

»Jocelyn!« Mutter dreht sich um. »Hör auf zu schreien! Geh wieder rein, sofort!«

Ich renne so schnell, wie ich kann, und schlage noch drei Räder in Folge vor Mutter und Rory, aber beim letzten rutsche ich aus und schlittere über das Gras in einen riesigen Hundehaufen am Rande eines Blumenbeetes. Mutter merkt nicht, dass ich in einem Haufen gelandet bin, bis sie mich hochhebt. Sie rümpft die Nase und erstarrt, aber es ist zu spät. Die Hundekacke ist überall auf ihr, in die gelben und orangefarbenen Falten ihres Kleides geschmiert und in die schöne Perlenkette an ihrem Hals.

Rory lacht. Er hat den Kopf in den Nacken gelegt und lacht richtig laut. Ich weiß, dass Mutter sehr böse ist, weil sie ihre Kleider liebt, aber sie lacht auch und sagt: »Ach, tja, es war sowieso die Wahl zwischen diesem und dem karierten Galliano-Kleid. Nun trage ich eben beide heute.«

»Oh Gott!«, ruft eine ihrer Freundinnen. »Ich bin so neidisch! Wie hast du das denn in die Finger bekommen? Du bist uns allen immerzu voraus.«

»Wir sind mit John befreundet«, antwortet Mutter. »Na komm, Jocelyn. Es ist Zeit, nach drinnen zu gehen.«

Drinnen packt sie mich am Arm und schlägt mir hinten auf die Beine, einmal, zweimal, dreimal, richtig fest, und ich schreie, weil es wehtut, und ich denke, dass mehr kommt, aber Hannah erscheint, und Mutter hört auf. »Was ist denn hier los?«, fragt Hannah, und Mutter schubst mich auf sie zu.

»Wo waren Sie?«

»Lord Holt brauchte Hilfe, er hat etwas gesucht.«

»Na, da hätte er sich wirklich mal beeilen können. Ich komme mit ihr allein nicht klar. Sorgen Sie dafür, dass es nicht wieder vorkommt.«

Meine Beine sind hinten gerötet, aber das verblasst schnell. Wo Mutter meinen Arm gepackt hat, bleiben ihre Fingerabdrücke, und die sehen genauso aus wie die an Rubys Arm.

Die Erinnerung ist verstörend, genau wie die Male an Rubys Arm, und beinahe ebenso beunruhigend ist, dass ich mich zuvor nie an jene Begebenheit erinnert habe.

VIRGINIA

Jocelyn hat sich den Tag freigenommen. Sie sagt, dass sie Faversham nicht gegenübertreten kann, ehe sie Zeit zum Nachdenken hatte. Meine Machtlosigkeit quält mich. Ich warte den ganzen Vormittag auf sie, weil sie nicht wieder auftaucht, nachdem sie Ruby zur Schule gebracht hat. Wir sind jenseits des Punktes, an dem wir aus Höflichkeit kommunizieren, wer wohin will, und sie geht nicht an ihr Handy.

Später am Vormittag unternehme ich einen Gang nach draußen. Boudicca trottet gemächlich neben mir her. Ich bemerke, dass Jocelyn heute Morgen den Land Rover genommen hat. Was, wenn Hannah sich daran zu schaffen gemacht hat und Jocelyn einen »Unfall« hat, der eigentlich mir passieren sollte? Ich gehe zum Ende der Einfahrt, doch das einzige Fahrzeug, das vorbeikommt, ist ein Traktor. Langsam gehe ich wieder zurück und wandere um die Nebengebäude herum.

Die Obstgartenmauer ist für mich zu »Rubys Mauer« geworden, weil sie die so gern hinaufklettert. Beim Gehen streiche ich mit den Fingern an der Mauer entlang, ertaste die vorstehenden Steine, die Ruby als Steighilfen nutzt, bis ich den Vorsprung erreiche, von dem sie meist herunterspringt.

Er ist ungefähr anderthalb Meter hoch, breit und solide aus hübschem goldenen Stein, und war gleich beim Bau in die Mauer eingesetzt worden. Bombenfest.

Ich berühre die Kante oben und lächle bei der Vorstellung, wie Ruby mutig abspringt, als ich merke, dass sich der Stein bewegt. Erschrocken greife ich die Kante mit beiden Händen und stelle fest, dass ich sie leicht hin und her schieben kann. Es ist eine Todesfalle. Ich sehe nach unten. Auf dem Boden ist eine feine Mörtelschicht. Habe ich die verursacht, als ich an der Kante geruckelt habe, oder hat jemand absichtlich den Mörtel herausgekratzt? Schwer zu sagen, doch ich bekomme schreckliche Angst. Es ist eine Sache, wenn Hannah mir droht, doch was ist, wenn sie es auf Ruby abgesehen hat?

Ich höre den Kies vorm Haus knirschen und gehe eilig hin. Das hier muss Jocelyn sofort erfahren. Sie hat den Land Rover rückwärts vor die Haustür gesetzt und ignoriert mich, als sie aussteigt. Hinten im Wagen sehe ich einen Koffer und einige Taschen.

»Was ist los?«, frage ich.

»Hannah zieht heute ein.« Sie wirft mir einen Blick zu, als solle ich nur wagen, Einspruch dagegen zu erheben. Tue ich nicht, auch wenn mich Wut und Angst überkommen. *Mach die Augen auf!*, will ich schreien. *Ich liebe dich. Nicht ich bin hier die Bedrohung!*

Hannah steigt auf der Beifahrerseite aus, ehe ich etwas sagen kann. Ich muss die Nerven behalten, bis ich allein mit Jocelyn reden kann.

»Nun, ich nehme an, das macht das Leben für euch beide leichter«, sage ich. »Ich helfe euch mit dem Gepäck.« Ich greife nach dem Koffergriff.

»Nein, nein!« Jocelyn legt mir eine Hand auf den Arm, als wäre ich eine Art Hooligan, der zurückgehalten werden muss. »Der ist zu schwer.«

»Nimm deine Hand von mir!«

»Er ist zu schwer für dich!«

»Ist er nicht!« Ich weigere mich aufzuhören, da ich einmal angefangen habe. Es ist erniedrigend. Ich zerre an dem Griff, und Jocelyn hat recht. Der Koffer ist zu schwer für mich, doch ich habe ihn schon zu weit vorgezogen, und er fällt zu Boden, ehe ich den Griff loslassen kann, sodass er mich umreißt. Ich strecke die andere Hand vor, um mich abzufangen.

Es ist nichts zu hören, als mein Handgelenk bricht, aber ich fühle, dass etwas fehlt, und es tritt ein Moment intensiver Stille ein, bevor mir ein brennender Schmerz in den Arm schießt.

Hannah und Jocelyn helfen mir zur Bank, und ich sinke darauf. Sie sind über mich gebeugt, verdecken das Licht. Ich ziehe das Handgelenk zu mir heran, weil ich nicht will, dass sie es sich ansehen, oder auch mich. Es ist mir peinlich.

Hannah gibt sich gespielt mitfühlend und besorgt, während meine Tochter mich mit einem Blick voller Verachtung bedenkt. Für sie bin ich eine alte Närrin.

Wie sehr sie sich irrt, denke ich, während der Schmerz zunimmt, und beuge mich über meine Hand. Jocelyn muss die Wut hinter sich lassen, die sie schon seit ihrer Kindheit nährt, und den Schleier der Falschheit durchschauen, in den Hannah uns hüllt. Sie muss so viel mehr sein als das hier. Es ist unsere einzige Hoffnung.

DREI

Die zweijährige Jocelyn steht in ihrem Kinderbett, als Hannah zu ihr kommt. Das kleine Mädchen freut sich, seine Nanny zu sehen. Es wippt auf und ab, die Finger an den Gitterstäben. »Vorsichtig«, warnt Hannah. »Stoß dir nicht den Kopf!«

Hannah hebt Jocelyn aus dem Bett und legt sie auf die Wickelunterlage. Nachdem sie die Kleine gewickelt hat, fasst sie sie unter den Armen und schwingt sie durch die Luft. »Hoch!«, sagen sie und Jocelyn dabei im Chor. Jocelyn lacht.

Hannah beschließt, etwas auszuprobieren. Nicht zum ersten Mal. Sie macht es schon seit Jocelyns Babyzeit mit ihr. Hannah lächelt das Kind strahlend an, und Jocelyns Lächeln wird breiter, bis sie ebenfalls strahlt. Dann wechselt Hannah den Ausdruck, zieht die Mundwinkel nach unten, lässt die Wangen erschlaffen und blickt traurig. Jocelyn reagiert sofort. Sie starrt Hannah an, während ihr Lächeln erstirbt. Hannah bleibt vollkommen still, blickt das Kind an, bis Jocelyns Kinn zu beben beginnt und ihr die Tränen kommen.

»Oh, Jocelyn!«, sagt Hannah und lächelt wieder. »Entschuldige! Nanny Hannah war für einen Moment traurig, aber du hast mich aufgemuntert, weil du mich magst.« Sie übersät das Kind mit Küssen, bis Jocelyn wieder kichert. »Na, was meinst du?«, fragt Hannah. »Wollen wir dir ein Kleid anziehen und zur Feier gehen?«

Jocelyn lächelt niedlich, als sie sich auf den Weg nach unten machen. Hannah lässt sie auf ihrer Hüfte wippen. »Wipp, wipp«, sagt Jocelyn. Sie hat ein blassrosa Cord-Trägerkleid an, und Hannah hat ihr das seidige Haar gekonnt um das Gesicht drapiert. Wie eine kleine Puppe sieht sie aus. Alle werden entzückt von ihr sein. Hannah blickt auf die Uhr. Die Ballons werden erst in einer Stunde kommen, wie sie weiß. Sie kennt den Plan genauestens, was wichtig ist, denn Jocelyn hasst Luftballons, seit einer direkt vor ihrem Gesicht geplatzt ist.

Das Sommerfest hat soeben begonnen. Leute strömen in Scharen herbei, um zu sehen, was hinter den uralten Mauern von Lake Hall ist. Lord Holt und der junge Geoff, der im Garten aushilft, dirigieren die Wagen zu einer Wiese, auf der sie parken sollen. Auf dem Rasen servieren Frauen aus dem Dorf Tee und Saft und füllen leere Eiscremeschalen mit Kleingeld. Auf Tischen und an Ständen werden hiesiges Kunsthandwerk, Aquarelle und selbst gebackene Kuchen angeboten. Unter einer Markise seitlich der Scheune finden sich Setzlinge aus dem Garten von Lake Hall zum Verkauf.

Hannah überwacht Jocelyn genau, als sie an den Ständen entlanggehen. Sie behält auch Virginia Holt aufmerksam im Blick. Virginia ist ganz die Gutsherrin mit dem gegürteten Tweedrock, der ihre schmale Taille betont, der weißen Bluse mit dem aufgestellten Kragen und dem Tweedhut mit den Federn an der Krempe. Sie hat eine Platinkette mit einem herzförmigen Medaillon angelegt, auf dem Diamanten und Smaragde glitzern, obwohl die Sonne gerade hinter den Wolken verschwindet. Es ist ein Erbstück, das Hannah auf einem Porträt einer früheren Lady Holt gesehen hat. Sie weiß, dass es ein Vermögen wert sein muss, und würde es zu gern selbst tragen.

Um halb vier stehen Hannah und Jocelyn am Rand und klatschen, als Lady Holt bei der Hundeschau den Preis für den hübschesten Mischling verleiht. Um vier geht Virginia wie geplant zur improvisierten Bühne, die auf Strohballen steht und auf der eine Blaskapelle eine zu langsame Fassung von »Jerusalem« spielt. Der böige Wind fegt die Melodie in Richtung Kornfelder. Nachdem die letzte Note patriotisch lange gehalten wurde, steigt Virginia auf die Bühne, wo ein Mikrofon für sie aufgestellt ist. Sie tippt dagegen, und es fiept schrill. »Hallo? Können Sie mich hören?« Ihre Stimme hallt, und die meisten Besucher drehen sich zu ihr. »Sehr gut!«, sagt sie. »Bitte, kommen Sie her.« Ihr Lächeln ist vornehm.

»Sieh mal, deine Mutter«, sagt Hannah zu Jocelyn.

»Mutter«, wiederholt Jocelyn. Es ist eine Feststellung, mehr nicht. Sie ist rundum zufrieden damit, auf Hannahs Arm zu bleiben.

Hannah drängelt sich mit ihr durch nach vorn. Dort müsste Jocelyn nur einen Arm ausstrecken und könnte die Stiefel ihrer Mutter berühren. Einige Frauen stehen zu beiden Seiten von Virginia. Jede hat einen prallen schwarzen Müllsack in der Hand und trägt ein Sweatshirt mit dem Logo eines örtlichen Kinderhospizes.

»Vielen Dank, dass Sie heute hergekommen sind«, sagt Virginia. Hannah schaut sich über die Schulter um, ob Alexander seine Frau beobachtet, und tatsächlich entdeckt sie ihn hinten in der Menge, die Arme vor der Brust verschränkt und vollkommen entspannt, als hätte er alle Zeit der Welt, seinen sehr hübschen Besitz zu bewundern. Hätte Hannah doch nicht hingesehen! Ihre Gefühle wallen so schnell und heftig auf, und sie brauchen jedes Mal so lange, bis sie sich wieder gelegt haben. Die Eifersucht auf Virginia und das Verlangen, Alexander Holt ganz für sich zu haben, sind ein stechender Schmerz, den sie im ganzen Körper spürt.

»Wir sind sehr dankbar für die Hilfe der vielen Freiwilligen,

ohne die dieses Fest nicht annähernd so schön wäre«, sagt Virginia. Die Menge liebt sie. Jocelyn wird schwer auf Hannahs Hüfte, und sie verlagert das Kind auf die andere Seite.

»Und nun haben wir etwas ganz Besonderes zu feiern. Noch bevor wir heute die Tore von Lake Hall geöffnet haben, hat unser Women's Institute das Spendenziel erreicht, um einen Anbau mit dringend benötigten Familienzimmern für Eltern kranker Kinder im Joseph Cares Hospice zu finanzieren. Bitte applaudieren Sie mit mir, um ihnen zu gratulieren!«

Das Klatschen ist laut genug, um Jocelyn zu erschrecken, und Hannah bemerkt, dass sich die Damen mit den Müllsäcken regen. Es wird Zeit.

»Möchtest du zu Mutter?«, fragt sie Jocelyn. »Und all die hübschen Instrumente ansehen?«

Sie greift nach vorn und tippt Virginia ans Knie. Virginia zieht ihr Bein ein wenig zurück. Hannah tippt wieder, und diesmal sieht Virginia zu ihr, worauf Hannah ihr Jocelyn entgegenhebt. Virginias Lächeln gefriert. Beinahe unmerklich schüttelt sie den Kopf. Hannah hält Jocelyn noch höher. Das Kind wirkt unsicher, aber Hannah sagt: »Sei ein braves Mädchen für Hannah! Lass Mutter dich nur eine Minute halten, dann holen wir dir ein Eis.« Jocelyn ist nun so hoch in der Luft, dass Virginia keine andere Wahl bleibt, als ihre Tochter zu nehmen. Ein »Aaahhh!« erklingt aus der Menge.

Virginia kann nicht klatschen, weil sie Jocelyn hält, doch sie lächelt wieder strahlend. Sie sieht wie ein Covermodel von Country Life *aus. Jocelyn starrt nach unten zu Hannah, die sie aufmunternd ansieht. Es hilft nicht. Jocelyn streckt die Arme nach ihrer Nanny aus. Virginia hebt ihre Tochter höher, sodass sich Falten in ihre Bluse drücken. »Und nun«, sagt sie, »lasst die Ballons aufsteigen!« Mit der freien Hand zeigt sie gen Himmel, und Hannah tritt einige Schritte zurück in die Menge, als die Frauen auf der Bühne die Müllsäcke aufreißen und zwei Dutzend rosa Ballons in die Luft aufsteigen.*

Jocelyns Schrei klingt nach blanker Panik. Sie zappelt wild, um den Ballons und den Armen ihrer Mutter zu entkommen. Beinahe lässt Virginia sie fallen. Hannah beobachtet, wie sie das Kind zu ermahnen versucht, doch nun gibt es keine Rettung mehr für Virginia. Jocelyn ist hysterisch, und mit ihr zu schimpfen macht es nur noch schlimmer. Virginia sieht nervös und zutiefst beschämt aus.

Hannah zählt bis zehn, ehe sie wieder vortritt und der Mutter das verzweifelte Kind abnimmt. Virginia ist mittlerweile gründlich gedemütigt, und Jocelyn will dringend von ihr weg. Alle bezeugen es.

VIRGINIA

Jocelyn fährt mich im Land Rover ins Krankenhaus. Jedes Schlagloch ist brutal, obwohl Jocelyn vorsichtig fährt. Mein Handgelenk schmerzt höllisch, und mir pocht der Schädel. Ich habe Angst, dass wir in diesem Wagen von der Straße abkommen, wage jedoch nicht, Hannahs Drohung zu erwähnen. Jocelyn würde mir ohnehin nicht glauben.

Außerdem gibt es etwas Dringenderes.

»Hannah hat die Steinkante gelöst«, sage ich. »Die an der Obstgartenmauer, von der Ruby abspringt. Sie kann sich schwer verletzen, wenn sie es das nächste Mal versucht. Du musst Geoff sagen, dass er es ausbessern soll.«

»Lass es.«

»Hör mir zu!«

»Willst du mir erzählen, dass Hannah es auch war, die dich eben umgestoßen hat? Ist alles ihre Schuld?«

»Sieh dir einfach die Mauerkante an.«

Ungläubig schüttelt sie den Kopf.

»Ich meine es ernst, Jocelyn. Du musst mir versprechen, dass du nachsiehst, sobald wir zu Hause sind.«

»Okay, ich verspreche es, wenn du mir versprichst, dass du höflich zu Hannah bist, wenn wir wieder zu Hause sind.«

Ich halte den Mund.

»Mutter!«

»Niemals.«

Ich sehe ein weiteres Schlagloch kommen, und diesmal geht Jocelyn nicht vom Gas. Mein ganzer Leib erbebt, als ich mich wappne. Hat Jocelyn es gesehen oder nicht?

Ich wage nicht, über die Antwort nachzudenken. Alles, was ich weiß, ist, dass es mir nach wie vor nicht gelingt, uns zu schützen.

DETECTIVE ANDY WILTON

Andy flucht, als sich die Tür hinter ihm schließt. Er schüttelt die Schultern, als müsse er einen übel riechenden Umhang abwerfen, und blickt sich um.

Der Polizeiarchivar hat ihm endlich die Originalakten zu dem Jagdvorfall geschickt. Sie waren enttäuschend. Größtenteils stand da nur, was Andy bereits wusste. Das einzig Nützliche, was sie hergaben, war eine unvollständige Liste der Gäste, die bei der Jagdgesellschaft dabei waren. Und soeben hatte Andy frustrierende zwanzig Minuten damit verbracht, bei einem von ihnen auf Granit zu beißen. Es war Zeitverschwendung.

Rechts von ihm taucht eine in Form geschnittene Eibe aus einem tiefen Nebel auf, der sie schon auf der Fahrt in dieses Tal gepiesackt hatte. Zu seiner Linken reicht der Blick jenseits des Tennisplatzes mit dem durchhängenden Netz meilenweit über das Land. Krähen krächzen aus ihren Nestern in den Baumkronen.

»Irgendwas stimmt mit diesen Leuten nicht«, schimpft er. »Die leben in einer beknackten Zeitschleife! Man kann uns auch sagen, dass man sich nicht an diese Frau erinnert, ohne dass es von oben herab klingt. Ich wette, der hat das Blaue vom Himmel heruntergelogen. Den würde ich gern mal in Form stutzen!«

»Ihn oder den gesamten Adel? Viel Spaß dabei. Und übrigens glaube ich, dass er die Wahrheit gesagt hat.« Maxines Handy klingelt. Sie nimmt das Gespräch an und geht einige Schritte auf Abstand.

Andy steigt in den Wagen. Er will dringend hier weg und beschließt, dass er den Wagen schon mal wendet, solange er auf Maxine wartet. Er setzt zurück und hört einen Rumms. Andy steigt aus, um es sich anzusehen. Er ist gegen eine der niedrigen Säulen gestoßen, die einen Torbogen tragen. Ein Stück Stein ist herausgebrochen, und die hintere Stoßstange ist eingedellt.

Er blickt zu Maxine. Sie hat nichts mitbekommen. Andy steigt zurück in den Wagen und fährt vorwärts. Sollte sich in den nächsten ein, zwei Minuten niemand im Haus rühren, wird er nichts sagen. Er kann behaupten, dass die Stoßstange von jemandem eingedellt wurde, als sie irgendwo parkten. Unter anderen Umständen würde er die Verantwortung übernehmen, aber diese Leute verdienen es nicht, und er wird ihnen keine weitere Chance geben, ihn herablassend zu behandeln, wenn er es vermeiden kann.

Maxine kommt zum Wagen gelaufen. Andy greift hinüber und öffnet ihr die Beifahrertür von innen. Seine Kollegin ist aufgekratzt.

»Gute Neuigkeiten«, sagt sie. »Sie haben eine DNS-Ähnlichkeit zu unserer Jane Doe gefunden. Vielleicht kannst du das Establishment doch noch stürzen.«

1985

»Na, sieh mal, wer da ist!«

Hannah schreckt zurück. Die Frau ist in einer furchtbaren Verfassung: vermutlich obdachlos, hat ein gerötetes und von Schrunden übersätes Gesicht und ist allem Anschein nach betrunken. Hannah spürt, wie Jocelyn ihre Hand fester umklammert, und aus dem Augenwinkel sieht sie, wie das kleine Mädchen unsicher zu ihr aufschaut.

»Erkennst du mich nicht? Ich bin's, Jean! Jean!«

Ja, sie ist es.

»Wie geht es dir, Jean?«, fragt Hannah. Sie versucht, nicht allzu angeekelt zu wirken. Jean stinkt. Sie hat fettiges Haar und trägt einen furchtbaren, schmutzigen Parka, dessen orangefarbenes Futter eingerissen ist. Ihre Augen sind winzig klein.

»Ach, na ja, nicht so gut. Es war ganz schön hart. Eine Zeit lang war ich obdachlos, aber jetzt bin ich in einer Unterkunft. Dafür muss ich Dave danken. Dave ist mein Freund.« Sie zeigt zu einem Mann, der an einer Bank lehnt und offensichtlich im Alkoholkoma ist.

Jean mustert Hannahs adrette Kleidung und das Kind. Sie bemüht sich, ein wenig gerader zu stehen, und lächelt Jocelyn zu. »Und was macht ihr hier?«, fragt sie.

»Wir gehen zu McIlroy«, antwortet Jocelyn. »Wir brauchen etwas aus der Kurzwarenabteilung.«

Jean schnaubt. »›Aus der Kurzwarenabteilung!‹ Wie vornehm bist du? Leck mich, Hannah, die ist doch nicht von dir, oder? Bist du auf die Füße gefallen und hast einen tollen Job gefunden?« Sie beugt sich zu Jocelyn, die zurückweicht und sich seitlich in die Falten von Hannahs Mantel drückt. »Wie heißt du denn?«

»Jocelyn Camilla Verity Holt.«

»Und wo wohnst du, Jocelyn Camilla Verity Holt?«

»Ich wohne in Lake Hall bei Downsley.«

»Ach, tust du das, ja? Oh, du bist echt der Brüller. Isst dein Dinner mit'm Silberlöffel, was? Was ist das?«

Jocelyn zeigt ihr das Buch, das sie bei sich hat. »Ich habe es schon zweimal gelesen«, sagt sie.

»Pony-Prinzessin«, liest Jean ab. »Hast du ein eigenes Pony? Ich wette, ja.«

»Wir sollten gehen«, sagt Hannah. Sie will nicht, dass Jocelyn ihrem Vater erzählt, Hannah würde Obdachlose kennen. Nicht, wo sich die Dinge zwischen ihnen so vielversprechend zu entwickeln beginnen.

Jean ist immer noch auf Jocelyn konzentriert und neigt ihr schmutziges Gesicht näher zu dem Kind. Hannah zieht Jocelyn hinter sich.

»Es war nett, dich zu sehen, Jean. Mach's gut.«

»Kannst du mir nicht ein bisschen Kleingeld geben?«

»Nein, tut mir leid. Ich habe keines bei mir. Wir müssen gehen.«

Als sie weggehen, fragt Jocelyn: »Wer ist die Dame?« Doch Hannah antwortet nicht. Sie geht so schnell wie möglich, zerrt Jocelyn mit sich, bis Jeans Rufen – »Vergiss deine alte Freundin nicht! Vergiss verdammt nochmal Jean nicht!« – nicht mehr zu hören ist. Sie vergisst den Zwischenfall, bis Jean drei Wochen später in Lake Hall aufkreuzt.

JO

Beim Krankenhaus peitscht solch ein kräftiger Wind über den Parkplatz, dass ich fürchte, er wird Mutter umpusten. Ich hole einen Rollstuhl. Darin wirkt sie zehn Jahre älter. Mir gehen ihre Anschuldigungen durch den Kopf, und ich frage mich, ob sie den Verstand verliert.

Dieselbe Ärztin wie beim letzten Mal, als wir hier waren, behandelt sie.

»Waren Sie wieder in der Schlacht, Mrs. Holt?«, fragt sie.

»Lady Holt«, erwidert meine Mutter. Hüstelnd erinnere ich sie an ihr Versprechen, nicht so überheblich zu sein. Sie blickt zu mir und hält den Mund. Sie wird geröntgt, ihr Handgelenk eingegipst, und sie bekommt noch mehr starke Schmerzmittel. Bei allem bleibt sie gespenstisch blass.

»Wie fühlst du dich?«, frage ich auf der Rückfahrt. »Etwas besser?«

Keine Antwort. Ich schalte das Radio ein. Es läuft *The Archers*, ihre Lieblingssendung, aber sie stellt es aus.

»Du musst mir zuhören«, sagt sie. Ihre Stimme ist dünn. »Was Hannah angeht, sie tut Ruby weh. Nichts ist so, wie du denkst.«

Ich steige auf die Bremse und lenke den Wagen in eine Haltebucht. Vor uns liegt das Tal, das seit Jahrhunderten das Zuhause unserer Familie ist.

»Hannah hat Ruby nichts getan. Ruby ist zehn. Sie sagt nicht immer die Wahrheit, Mutter.«

»Es ist die Wahrheit! Ich weiß es.«

»Wie kannst du dir so sicher sein? Warum sollte Hannah ihr so etwas tun? Warum?«

»Ich habe die Blutergüsse gesehen.«

»Ich habe sie auch gesehen.«

»Und?«

Ja, ich hatte selbst kleine Zweifel an Rubys Erklärung für die blauen Flecken, aber im Moment erinnere ich mich vor allem an die Klapse und die blauen Flecke, die Mutter mir früher beibrachte.

»Nichts«, sage ich. »Ich diskutiere das nicht mit dir.«

Dann fahre ich weiter.

Am späten Nachmittag rufe ich in Kalifornien an. Wider besseres Wissen hoffe ich, dass sich finanziell etwas tut und ich Faversham zum Teufel jagen kann.

Es gibt schlechte Neuigkeiten. Chris' Geschäftspartner klingt sehr ernst und entschuldigt sich in aller Form, sodass ich Mitleid mit ihm habe. »Es tut mir so leid. Ich hätte dich anrufen sollen«, sagt er. »Es sind keine guten Nachrichten, und ich habe gegrübelt, wie ich es dir sagen soll.«

Ich stehe am Fenster meines Zimmers und spüre den Schmerz in den Zehen, weil ich sie auf dem kalten Fußboden krümme, während ich zuhöre und versuche, mir nicht in die Wange zu beißen.

»Ich konnte die Firma nicht retten. Es tut mir so leid. Ohne Chris war es unmöglich weiterzumachen, und mir blieb keine andere Wahl, als den Laden zuzumachen. Ich habe wirklich gekämpft, Jo, ehrlich. Ich habe so hart gekämpft, wie ich konnte, trotzdem haben wir alles verloren.«

»Alles?«, flüstere ich. »Mein Anwalt hatte gesagt, es würde schwierig, aber ich wusste nicht, dass es vorbei ist.«

»Ist es, tut mir leid. Ich weiß nicht, was ich sonst sagen soll.«

Ich möchte ihm sagen, dass es mir auch für ihn leidtut, denn er ist jetzt ebenfalls ruiniert, aber ich bringe nichts heraus.

»Sie sehen furchtbar aus«, sagt Hannah.

Ich möchte meiner Tochter nahe sein, solange ich die Nachrichten verarbeite. Ruby sitzt mit einem Stück Zitronenkuchen und einer heißen Schokolade am Tisch. Da ist ein grüner Filzstiftstreifen am Kragen ihrer Schulbluse, der heute Morgen nicht da war, und er erinnert mich daran, wie jung sie noch ist. Ich küsse Ruby aufs Haar, und sie weicht zur Seite. Hormone, sage ich mir. Es ist normal.

»Hast du heute gemalt?«, frage ich.

Sie zuckt mit den Schultern.

»Ja oder nein, Ruby? Ich stelle dir eine Frage, und es ist höflich zu antworten.« Meine Geduld ist bereits arg strapaziert, und es ist ein Kampf, mich nicht im Ton zu vergreifen.

»Ja.«

Ich warte, dass sie mehr sagt, aber es kommt nichts. Sie schiebt ihren halb getrunkenen Kakao weg. »Darf ich zur Toilette gehen?«, fragt sie.

»Dafür brauchst du keine Erlaubnis. Du bist hier nicht in der Schule.«

Ruby blickt zu Hannah, bevor sie den Raum verlässt; es gefällt mir nicht, wie sie das tut, aber ich weise sie nicht zurecht. »Überleg dir, welcher Streit sich lohnt«, raten die Mütter in meinen Online-Chats.

»Jocelyn, ich sorge mich um Sie«, sagt Hannah. Sie hält mir eine Hand an die Stirn, und ich schließe die Augen.

»Mir geht es gut. Es war bloß ein langer Tag.«

»Das Verhalten Ihrer Mutter heute war sehr erschreckend. Ich mache mir Gedanken über ihre geistige Verfassung. Sie scheint so impulsiv geworden zu sein.«

»Impulsiv, paranoid, und das ist erst der Anfang. Sie machen sich ja keinen Begriff. Ich hoffe, dass ich nie wieder eine Woche wie diese erlebe.«

Sie sieht mich an, als könne sie meine Gedanken lesen, und wahrscheinlich kann sie es auch. Früher konnte sie es immer. »Ich bin hier, wenn Sie mich brauchen, meine Liebe.«

Es sind immer die freundlichsten Worte, die unsere Gefühle freisetzen. Mir ist, als müsste ich eine Last loswerden, sonst würde ich platzen. Ich erzähle Hannah alles, was Clemency mir erzählt hat.

Als ich fertig bin, räuspert sie sich und sagt: »Ach du meine Güte. Wie entsetzlich, so etwas von der eigenen Mutter zu erfahren.«

»Der Mutter *und* dem Vater.«

»Ja.«

Für einen winzigen Moment mustert sie mich irgendwie berechnend, und ein Anflug von Angst regt sich in mir. Bin ich zu weit gegangen? Würde Hannah meine Mutter bei der Polizei melden? Ich habe ihr soeben Munition geliefert, die sie nutzen kann, sollte sie sich wieder mit Mutter überwerfen, und auf einmal bin ich mir nicht sicher, wie schlau das war.

»Hannah«, sage ich, weil ich irgendwie zurückrudern will, doch sie beginnt gleichzeitig zu sprechen.

»Ich denke, das ist ein gewaltiger Schock für Sie, und es ist eine ernste Sache. Vor allem aber ist es eine Angelegenheit der Familie, deshalb behalten Sie es lieber für sich, solange Sie überlegen, ob oder was Sie unternehmen wollen. Haben Sie es noch jemand anders erzählt?«

»Nein, nur Ihnen.« Was für eine Erleichterung! Natürlich wird Hannah uns nicht verraten. Sie wird mich unterstützen. Ihr Rat ist gut. Sie weiß immer, was das Richtige ist.

»Dann bleibt es unter uns. Sie haben nichts Falsches getan.« Sie drückt meine Hand.

»Wer hat was Falsches getan?«, fragt Ruby von der Tür aus. Hannah behält ihre Hand auf meiner, bis ich sie wegziehe, weil es mir vor Ruby seltsam vorkommt. Meine Tochter soll mich nicht für ein Kind halten, das Trost braucht. Für sie muss ich stark sein.

»Niemand, Schatz«, sage ich.

»Jemand hat heimlich gelauscht«, sagt Hannah.

»Geht es um Granny?«, fragt Ruby. Wie lange steht sie schon da?

»Nein, nein. Es hat nichts mit Granny zu tun, und es ist nichts, worüber du dir Gedanken machen musst.«

»Ich fühle mich nicht so gut.«

»Schon wieder?« Sie sieht auch nicht gut aus. Hannah will aufstehen. »Nein, ist gut, ich gehe«, sage ich. An der Tür nehme ich Ruby in den Arm, und sie sackt ein wenig zusammen. Auf dem Weg nach oben lehnt sie sich mit dem Kopf an mich.

»Was ist mit dir?«, frage ich. »Bauchweh? Kopfweh?«

»Bauchweh, und ich bin ganz müde«, antwortet sie.

Oben zieht sie ihren Pyjama an, während ich die Tagesdecke zurückschlage, dann kuschelt sie sich unter ihre Bettdecke.

»Mum?«, sagt sie.

»Was ist, Süße?«

»Ich habe Hannah in Grandpas Arbeitszimmer gesehen. Sie hat in seine Schreibtischschubladen geguckt.«

»Vielleicht hat sie etwas gesucht.«

»Ich glaube, sie hat sein Zigarettenetui genommen.«

»Oh, Ruby, wirklich? Hast du gesehen, dass sie es genommen hat?«

»Ich habe gesehen, wie sie es in der Hand hatte.«

»Das ist aber nicht dasselbe, wie zu sehen, dass sie es stiehlt.«

»Ich glaube, sie hat es gestohlen.«

»Süße, mit solchen Behauptungen muss man sehr vorsichtig sein. Hast du gesehen, wie sie das Zigarettenetui mitgenommen hat?«

Sie schüttelt den Kopf.

»Dann hat sie es sich bestimmt nur angesehen, meinst du nicht?«

»Weiß ich nicht. Mein Bauch tut weh.« Sie verzieht das Gesicht vor Schmerz, aber ich erkenne nicht, ob es Show ist oder echt.

»Du brauchst Schlaf.«

Ich denke, ich weiß, was ihr wirklich fehlt. »Ich vermisse Daddy auch sehr, die ganze Zeit«, sage ich. Gewiss hat Hannah recht: Trauer ist die Ursache für Rubys Benehmen und ihr Unwohlsein. Muss es sein.

»Es ist nicht wegen Daddy«, entgegnet sie.

»Was ist es dann? Erzähl es mir.«

Sie zieht die Decke bis unters Kinn.

»Es ist wegen ihr.«

»Wem?«

»Hannah.«

»Was ist denn mit Hannah?«

»Weiß ich nicht.«

»Ist es nur komisch, dass sie jetzt hier ist, oder ist noch etwas anderes? Du kannst mir alles erzählen, das weißt du doch, nicht?«

Sie blickt mich an, die wässrigen Augen klar und so rein wie früher, als sie noch sehr klein und ich der Mittelpunkt ihrer

Welt war. »Ist schon gut«, sagt sie und blinzelt. Dann gähnt sie und rollt sich ganz klein zusammen. Die Augen fallen ihr zu. Wie winzig und verwundbar sie aussieht.

»Bald wird alles besser«, flüstere ich in ihr Haar. »Versprochen.«

VIRGINIA

Ich hämmere ans Fenster, um Geoff auf mich aufmerksam zu machen. Wir treffen uns an der Hintertür.

»Können Sie bitte nach dem Vorsprung an der Obstgartenmauer sehen?«, frage ich. »Ich glaube, der ist wacklig. Und könnten Sie hinterher zu mir kommen und mir sagen, ob Sie fündig geworden sind? Sprechen Sie bitte mit niemandem sonst darüber.«

Nach einiger Zeit kommt er wieder. »Lady Holt«, sagt er. Es kostet mich einige Mühe, die Augen zu öffnen. Linkisch steht Geoff in Socken an meiner Wohnzimmertür. Bisher habe ich ihn so gut wie nie im Haus gesehen.

»Die Kante war lose«, berichtet er. »Ich habe sie wieder festgemacht. Jetzt ist sie bombensicher.«

»Meinen Sie, dass sie jemand absichtlich gelockert hat?«

»Das kann ich nicht sagen.« Ich bin froh, dass er mich für meine Frage anscheinend nicht verurteilt, wie es Jocelyn tun würde. Geoff ist der Inbegriff der Loyalität. »Sie könnte sich auch gelockert haben, weil Ruby häufig obendrauf gestanden hat.«

Hannah kommt zu mir, als Jocelyn nicht im Haus ist. Als ich von der Toilette in mein Wohnzimmer zurückkehre, sitzt sie auf meinem Platz.

»Hinsetzen«, befiehlt sie.

Mir bleibt keine andere Wahl, als ihr zu gehorchen. Vorsichtig nehme ich Platz. Mein Handgelenk pocht, und mir ist ein bisschen schwindlig.

Sie lächelt. »Ich glaube, Sie haben sich immer noch Hoffnungen gemacht, dass die Leiche im See meine wäre.«

Darauf antworte ich nicht.

»Jocelyn hat mir von den Fälschungen erzählt.«

Mir wird flau. Natürlich hat sie das.

»Ich war schon in Sorge, weil hier alles ein bisschen heruntergekommen aussieht. Da dachte ich mir, dass das Geld knapp ist, aber ich muss gestehen, dass Ihr Geschäftsmodell genial ist. Haben Sie es sich ausgedacht oder Alexander?«

»Wagen Sie es nicht, seinen Namen auszusprechen.«

»Nett bitte«, warnt sie mich. Das Wort hatte sie bei Jocelyn dauernd benutzt: *Spiel nett, mach das nett, nett ist besser als garstig*. Es lässt mir die Haare zu Berge stehen.

»Wer es auch war, Glückwunsch«, sagt sie. »Die Geldquelle wird nie versiegen, wenn man es klug anstellt, nicht wahr? Ich habe ein bisschen nachgeforscht. Sie haben Ihre Fälscherin, Ihren sogenannten Fachmann, um die Werke zu begutachten, und verkaufen die Bilder. Und Sie haben eine riesige Familiensammlung, die Ihnen Glaubwürdigkeit verleiht.«

Sie hat recht. Alles, was wir getan haben, haben wir sorgfältig abgewogen und bis ins kleinste Detail geplant.

»Ich will beteiligt sein«, sagt Hannah. »Ich will, dass Sie mich miteinbeziehen und an den Gewinnen beteiligen, aber ich will auch Sicherheit. Sie geben mir den Holt-Katalog, den müssen Sie irgendwo verstecken. Ich fresse einen Besen, wenn der bei einem Wasserschaden zerstört wurde. Die gute Jocelyn in ihrer Naivität glaubt jeden Mist. Sie geben mir den Holt-Katalog, und als Gegenleistung haben Sie meine absolute Diskretion. Und einen Anteil, versteht sich. Ich denke, ich könnte tatsächlich nützlich für Sie sein. Vielleicht könnten Sie eine kleine alte Dame gebrauchen, die ein Gemälde auf ihrem Dachboden ›gefunden‹ hat und es schätzen lassen will. Können Sie sich die Gesichter der alten Säcke bei Sotheby's oder Christie's vorstellen, wenn ich da mit einem verstaubten alten Meister erscheine?«

Dazu darf es nicht kommen. Sie kann nicht mit uns zusammenarbeiten. Jocelyn erlaubt ihr, sich mehr und mehr in unserem Leben einzunisten. Wir werden sie nie los.

»Ich muss mit den anderen reden«, sage ich.

»Lassen Sie mich nicht zu lange warten.«

»Ja, ich habe verstanden.« Dennoch werde ich mir so viel Zeit lassen, wie ich kann.

»Ausgezeichnet«, sagt sie. »Tja, keine Ruhe den Verderbten. Ich muss mich darum kümmern, was Ruby zum Abendessen haben möchte.«

Ich will sie anflehen, Ruby nichts zu tun, doch das wage ich nicht. Viel zu groß ist meine Furcht, es könnte sie erst recht ermuntern, Ruby ins Visier zu nehmen. Deshalb verkneife ich mir die Worte, auch wenn meine Selbstbeherrschung so brüchig ist, dass mir eine andere Bitte herausrutscht: »Zerstören Sie nicht Jocelyns Leben.«

Ich bereue es sofort.

»Warum eigentlich nicht?«, fragt sie. »Schließlich hat sie meines zerstört.«

Da ist es. Endlich hat sie ihre Karten auf den Tisch gelegt: Geld ist angenehm, und sie wird so viel nehmen, wie sie kriegen kann, aber für Hannah ist Rache süßer.

Zumindest habe ich jetzt Klarheit, und bei aller Angst merke ich, dass mein Kampfgeist nach wie vor da ist. Ich habe eine Idee, und sie ist vollständig ausgeformt, einer kleinen Flamme gleich, die sich nicht auslöschen lässt. Ich bin stets eine Problemlöserin gewesen. Alexander und mich habe ich aus mehr Gräben gerettet, als man glauben will. Noch gebe ich mich nicht geschlagen.

»Jocelyn wird nie und nimmer bereit sein, bei der Fälschersache mitzumachen«, sage ich. »Es sei denn, Sie bitten sie. Mich würde sie eher hinter Gittern sehen wollen, als dass sie mir hilft. Ich widere sie an, wie Sie wissen, weil Sie dafür gesorgt haben.«

Sie überlegt. »Da könnten Sie recht haben. Na dann, überlassen Sie das mir. Und ich weiß, dass ich mich auf Ihre Unterstützung verlassen kann.«

»Selbstverständlich.«

Ich wahre die Fassung, bis sie aus dem Zimmer ist. Dann blicke ich durchs Fenster zum See hinaus. Ich habe einen Plan, dessen Schwäche indes darin besteht, dass ich ihn nicht allein umsetzen kann. Jocelyn wird mir helfen müssen, nur bin ich gegenwärtig weiter davon entfernt denn je, sie von irgendwas überzeugen zu können.

Die Schmerzen im Handgelenk sind furchtbar, werden minütlich schlimmer, und mir wird übel davon. Ich werde wohl nachgeben und einige Tabletten nehmen müssen. Als ich oben angekommen bin, macht es der Gips zu mühsam, sie aus der Folie zu drücken, deshalb kippe ich die Taschentuchpackung aus, in der ich die vorherigen Pillen verwahrt hatte. Sie fallen aufs Bett, und ich nehme jeweils eine. Als ich die übrigen wieder zusammenscharre und zurück in die Schachtel werfen will, sind es nicht so viele, wie ich gedacht hatte. Ich schüttle die Schachtel, doch sie ist leer. Nachdenklich sehe ich auf die Tabletten, die ich zusammengesammelt habe. Es sind eindeutig zu wenige.

Ich muss sie zählen, denke ich, weil hier etwas nicht stimmt. Aber zuerst muss ich mich hinlegen.

Als Ruby später zu mir kommt, sage ich: »Versprich mir, dass du nicht wieder auf die Obstgartenmauer kletterst oder sonst etwas tust, was ich dir normalerweise erlaube. Nichts Gefährliches. Kannst du mir das bitte versprechen? Nur bis ich sage, dass es wieder in Ordnung ist?«

»Ist gut«, antwortet sie mit einer Miene, die Unschuld und Folgsamkeit schlechthin spiegelt, aber wie kann ich ihr trauen?

1985

Hannah führt die Hunde der Holts aus, Jed und Bijou. Sie ist schroff mit Bijou, weil der goldbraune Cockerspaniel ein Geschenk von Alexander an Virginia war, und zieht Jed vor, denn er ist der Letzte in einer Linie von schwarzen Labradoren, die Alexander schon seit seiner Kindheit hält. Jed bekommt alle Leckerli. Sie gehen von Lake Hall, wo die Gärtner Buchenlaub zu riesigen Haufen harken, die Zufahrt hinunter und biegen in den Waldweg ein.

Dort sieht Hannah eine Frau aus Richtung des Dorfes schwankend auf sich zukommen. Ihr fällt die unpassende Kleidung auf, das erbärmliche Schuhwerk; dann begegnet sie dem Blick und stellt erschrocken fest, dass es Jean ist, die sogar noch deutlicher vom Trinken gezeichnet ist als das letzte Mal, als Hannah ihr begegnet ist.

»Ja, Scheiße nochmal!«, sagt Jean. »Du bist ja eine echte Augenweide. Ich dachte schon, ich habe mich verlaufen. Zu dir wollte ich.«

»Ich arbeite«, erwidert Hannah. »Das passt jetzt nicht. Du hättest vorher anrufen sollen.«

»Was machst du denn?«

»Ich führe die Hunde aus, und danach muss ich zum Einkaufen fahren.« Muss sie nicht, aber Jean soll nicht denken, dass sie wiederkommen kann.

Jean lässt die Schultern sacken und seufzt. »Tja, darf ich mit dir gehen? Ich bin aber total fertig, wir müssen also langsam machen.«

Sie stapfen über den von dichtem Unterholz gesäumten Weg; überall tropft noch das Regenwasser eines Schauers von den Zweigen. Ein Fasan huscht vor ihnen quer über den Weg, und beide Hunde jagen ihm nach.

Jean hat das Tempo eines Kleinkindes und jammert noch mehr, als es Jocelyn früher zu tun pflegte. Hannahs Verachtung für Jean wächst mit jeder Klage. Die Beschwerden schwanken zwischen unmittelbaren Sorgen (nasse Füße, keine Zigarette, keine Ahnung, wie sie nach Hause kommen soll, weil sie alles Geld für die Buskarte ausgegeben hat) und grundsätzlichen (pleite, abgewiesen von ihrem Freund, verstoßen von der Familie, und die Schweine vom Sozialamt drohen, ihr das Geld zu kürzen). Hannah hört sich alles ungerührt an und marschiert weiter, bis sie ein Ziehen an ihrem Arm spürt. Jean ist stehen geblieben.

»Ich habe nachgedacht«, sagt sie. »Kannst du mir nicht einen Job besorgen? Wir könnten wieder zusammenarbeiten.«

Hannah ist entsetzt. Sie kann an nichts anderes denken, als dass Jean sie zurück in die Gosse zieht, jetzt, wo sie sich erfolgreich herausgehievt hat und stolz darauf ist. Als sie gerade so weit ist, dass Alexander Holt ein Auge auf sie wirft.

»In der Richtung kann ich überhaupt nichts machen«, antwortet sie.

»Kannst du denn nicht wenigstens ein gutes Wort für mich einlegen?«

»Das würde nichts bringen.«

»Du bist ein Miststück, Hannah Burgess.«

Hannah merkt, dass ihre Geduld aufgebraucht ist. »Geh nach Hause, Jean. Du bist ziemlich neben der Kappe.«

»Treibst du es schon mit dem Ehemann?«

Unwillkürlich wird Hannah rot. »Du musst dich auf den Heimweg machen. Jetzt sofort.«

»Und was ist, wenn ich zum Haus gehe und ihnen erzähle, dass du nicht Hannah Burgess bist? Was ist, wenn ich ihnen sage, dass du Linda Taylor bist, die sich als eine andere ausgibt, keine ausgebildete Nanny?«

Jean zupft Hannah am Ärmel, und Hannah reißt den Arm weg. Sie hat zu viel zu verlieren, und das darf Jean ihr jetzt nicht nehmen.

»Geh«, wiederholt sie.

»Ich habe kein Geld. Ich versuche doch bloß, wieder auf die Beine zu kommen. Hab ein Herz.«

Inzwischen drehen die Hunde immer kleinere Kreise durchs Unterholz, und Hannah kann Ackerland zwischen den Bäumen sehen. Wir sind nahe am See, *denkt sie.*

»Ich kann dich nach Hause fahren, wenn du mit mir kommst, aber du darfst nicht ins Haus.«

»Und ich steige in keinen Wagen, ehe du mir nicht versprichst, ein gutes Wort für mich einzulegen. Oder ich schwöre dir, ich tue es. Ich komme in meinem besten Sonntagsstaat her, klopfe an die Tür und erzähle ihnen, dass du nicht die bist, für die du dich ausgibst.«

»Weiß jemand, dass du hier bist? Kann dich jemand abholen?«

»Keiner. Gibt ja nur mich und meinen Schnaps.«

»Gehen wir zurück zum Haus«, sagt Hannah. »Komm. Ich sehe mal, ob die Haushälterin da ist. Falls ja, stelle ich dich ihr vor, aber mehr kann ich nicht tun.«

»Ehrlich?«, fragt Jean.

Hannah nickt. »Ehrlich.«

Nachdem sie einige Schritte gegangen sind, schiebt Hannah

ihren Fuß vor Jeans. Jean schlägt der Länge nach hin. Betrunken, wie sie ist, funktioniert ihr Verstand zu langsam, um den Armen zu befehlen, sie abzufangen. Hannah hört Jeans Stöhnen und vergeudet keine Zeit. Rasch drückt sie Jean ein Knie zwischen die Schulterblätter, schlingt ihr die Hundeleinen um den Hals und zieht so fest und so lange, wie sie kann. Anfangs hält sie den Atem an, doch dann holt sie wieder Luft, einmal, zweimal, dreimal. Sie atmet ein und aus, während sie die Leinen sehr straff hält, bis ihre Arme zittern vor Anstrengung, die Luft aus Jeans Körper entweicht und sie aufhört zu zucken. Schließlich zwingt der Schmerz in den Armen Hannah, die Leinen loszulassen. Sie steigt von Jean herunter und betrachtet sie. Es sieht aus, als würde Jean noch schwach atmen, aber das ist schwer zu sagen. Hannah findet einen Stein und schlägt damit mehrmals auf Jeans Kopf.

Als sie aufhört, wirkt alles um sie herum sehr still. Die Hunde sind in der Nähe, aber nicht zu nahe. Jed winselt. Hannah schwitzt, und ihr Herz wummert. Jetzt wird Jean sich niemals zwischen sie und Alexander Holt stellen.

Sobald Hannahs Adrenalinrausch nachlässt, setzt die Sorge ein. Jean liegt mit dem Gesicht im matschigen Laub, und hier kann Hannah sie nicht lassen. Sie überlegt, welche Möglichkeiten sie hat, und schreitet zur Tat.

Es ist nicht leicht, Jean durch den Wald zu schleppen, aber zum Glück sind es nur fünfzig Meter. Am Waldrand steigt sie durch den Stacheldrahtzaun, der den Weg vom Anwesen trennt. Sie schleift Jean darunter hindurch, dann hebt sie den Stacheldraht an, damit die Hunde sicher durchkommen.

Die Gärtner arbeiten noch vor dem Haus, wo Rauch von ihren Laubfeuern aufsteigt. Hannah kann unbemerkt eine Schubkarre aus dem ummauerten Garten holen und schafft es, Jean hineinzuhieven. Vorher wickelt sie Jeans Kopf in ihren

Mantel ein, damit kein Blut in die Schubkarre gelangt. Sie schiebt sie den Hang hinunter, was schwieriger ist als gedacht, weil das Vorderrad wackelt, doch sie erreicht das Bootshaus. Dort nimmt sie den Schlüssel aus dem Versteck unter einem Stein, schließt auf und bugsiert die Schubkarre hinein. Es gelingt ihr, die Tote ins vertäute Boot zu kippen, ohne es zum Kentern zu bringen. Für einen Moment betrachtet sie Jeans Leiche, wie sie da im Boot liegt. Um dich ist es nicht schade, *denkt sie. Wenn es dunkel ist, wird sie wieder herkommen und Jean im See versenken. Bis dahin werden die Gärtner und die Haushälterin nach Hause gegangen sein, und die Holts sind in London, sodass nur noch sie und Jocelyn hier sind.*

Ihr ist klar, dass es nicht einfach wird, die Leiche zu versenken, aber sie geht davon aus, dass sie einige Steine finden kann, um sie zu beschweren.

Was für eine furchtbare Tragödie Jeans Verschwinden sein wird, *denkt Hannah; allerdings nur, falls jemand sie vermisst, und es klang nicht so, als wäre das sehr wahrscheinlich.*

JO

Ich rufe Faversham an und teile ihm mit, dass ich von den Fälschungen weiß. Bevor er Gelegenheit hat, lauter Entschuldigungen oder Erklärungen vorzubringen, würge ich ihn ab und sage ihm, dass ich noch ein paar Tage brauche, um für meine Mutter zu sorgen. Tatsächlich brauche ich mehr Zeit und Raum, um über alles nachzudenken.

Am anderen Ende entsteht eine Pause. »Natürlich. Das verstehe ich vollkommen.«

»Ich melde mich.«

»Aber warten Sie nicht zu lange.«

»Ich nehme mir so viel Zeit, wie ich brauche.«

»Selbstverständlich, das sollten Sie auch. Aber Sie sollten auch wissen, dass unser Stillleben nicht das einzige gute auf dem Markt ist und dass unser Kunde auch noch ein ungeduldiger Mann ist.« Was für eine Frechheit, und er belässt es nicht dabei. »Dies ist nicht ein Verbrechen von der Art, wie Sie vielleicht denken. Unser Kunde bekommt sein Gemälde.«

»Nicht das Gemälde, das er glaubt.«

»Es sieht identisch aus und hat die entsprechenden Papiere. Solange er nichts weiß, wird er es genießen, als wäre es das Original.«

»Ich rufe Sie in ein paar Tagen an.«

»Sehr gut. Und, Jocelyn?«

»Ja?«

»Sie machen Ihre Sache sehr gut. Vergessen Sie das bitte nicht. Es ist eine Freude, mit Ihnen zu arbeiten, und ich würde es auch gern weiterhin tun. Das meine ich vollkommen ernst.«

Er legt auf, und ich bin ein wenig erstaunt. Sicher bin ich immer noch wütend, doch etwas in mir glaubt ihm, und ich fröstle. *Lass dich nicht von einem Kompliment blenden*, denke ich. *Worte sind billig, vor allem bei Menschen, denen das Leben anderer nichts wert ist.*

Als ich raus zum Wagen gehe, fällt mir wieder ein, was Mutter über die Kante der Obstgartenmauer gesagt hat. Ich will sie mir ansehen. Die Kante ist absolut fest. Ich kann sie keinen Millimeter bewegen und verstehe nicht, was Mutters Theater sollte.

Auf dem Schulhof herrscht reges Treiben, und ich suche in der Kinderschar nach Ruby.

»Verzeihung, sind Sie zufällig Rubys Mum?«

»Bin ich.«

»Ich bin Claire, die Mum von Jacob.« Ich muss sie wohl verständnislos ansehen, denn sie ergänzt: »Jacob ist in Rubys Klasse.«

»Ah, okay, freut mich.«

Sie ist schick angezogen und hat ein Kleinkind in einem sehr teuren Buggy bei sich. *Oh Mist, frag mich bitte nicht, ob ich Tombolalose verkaufe oder einen Stand auf dem Schulfest aufstelle, denn ich habe keine Zeit!* Ich will mich ja integrieren, aber nicht so. Noch nicht. Ich kann nicht umhin, über ihre Schulter zu blicken, damit ich Ruby nicht verpasse.

Sie bemerkt es. »Ich halte Sie auch nicht länger auf, aber ich wollte mich persönlich für das entschuldigen, was Jacob Ruby angetan hat.«

Jetzt hat sie meine volle Aufmerksamkeit. »Wofür entschuldigen?«

»Er ist wohl ein- oder zweimal auf sie losgegangen. Er hat … ein bisschen Probleme. Die Lehrer sprechen schon mit ihm, aber ich will Sie nicht mit den Einzelheiten langweilen. Es tut mir nur sehr leid.«

Ihr kommen die Tränen, und nun erkenne ich neben der eleganten Kleidung, der durchtrainierten Figur und dem dicken Make-up, dass sie dunkle Ringe unter den leicht geschwollenen Augen hat.

»Was hat er gemacht?«

»Hat die Schule es Ihnen nicht gesagt?«

»Nein.«

»Mir haben sie erzählt, dass sie Ihnen eine Nachricht hinterlassen haben. Es tut mir leid. Ich dachte, Sie wissen Bescheid.«

Ich sehe auf mein Handy. Da ist eine Nachricht, die ich verpasst haben muss. Sie ist von Rubys Lehrerin, die mich fragt, ob ich beim Abholen fünf Minuten Zeit für ein Gespräch hätte.

»Was hat er denn gemacht?«

»Es tut mir so leid.« Nun fließen die Tränen. »Er hat Ruby geschlagen, sie geschubst und gestoßen. Die Lehrerin hat mit ihm geredet, genauso wie die Direktorin, sein Dad und ich, und er macht es nicht wieder, versprochen. Ich kann Ihnen gar nicht sagen, wie leid mir das tut.«

»Er hat sie verletzt?«

»Ja, es tut mir so leid.«

»*Jacob*, Ihr Sohn, hat sie verletzt?«

Sie nickt. Ihr Baby fängt an zu weinen.

»Danke«, sage ich. »Für die Entschuldigung. Das weiß ich zu schätzen, ehrlich. Ich gehe wohl besser gleich zur Lehrerin. Bitte, machen Sie sich keine Gedanken mehr.«

Sie wirkt überrascht. Vermutlich hat sie damit gerechnet,

dass ich zur Furie werde, aber ein bisschen Gerangel unter Schulkindern ist ganz ehrlich nicht mal halb so schlimm wie die Vorstellung, dass ein Erwachsener Ruby etwas tut. Erst recht nicht so schaurig wie der Gedanke, es könnte Hannah sein, oder – und daran habe ich durchaus schon gedacht – meine Mutter.

Rubys Lehrerin kriecht förmlich zu Kreuze, und sogar die Schulleiterin wird hinzugerufen. Ich bin regelrecht erleichtert, als sie mir versichern, dass sie alles in ihrer Macht Stehende getan haben, sich des Problems anzunehmen, und künftig besonders wachsam sein werden, damit sich so etwas nicht wiederholt.

Auf dem Rückweg zum Auto sage ich zu Ruby: »Süße, es tut mir leid, was passiert ist. Das muss schrecklich gewesen sein. Aber du musst nächstes Mal sofort einem Erwachsenen Bescheid sagen.«

»Habe ich. Ich habe es Hannah gesagt.«

»Das hätte sie mir erzählt.«

»Ich lüge nicht!«

»Bist du dir sicher? Versuchst du, Hannah in Schwierigkeiten zu bringen, weil du sie nicht magst? Jetzt wäre wirklich ein guter Zeitpunkt, mir zu sagen, ob du mir irgendwann nicht die Wahrheit gesagt hast.«

Sie kickt gegen den Boden und tritt ein wenig Moos aus dem Spalt, wo das Pflaster in eine alte Mauer übergeht, bevor sie es mit ihrer Schuhspitze zerdrückt.

»Ruby?«

»Ich habe nicht gelogen.«

»Weißt du noch, dass du Granny erzählt hast, Hannah hätte dir wehgetan?«

»Hannah hat mich gekniffen. Jacob schubst mich bloß manchmal.«

»Ruby! Du hast gerade gesagt, dass es Jacob war, der dir wehgetan hat, und ich habe dasselbe von Jacobs Mutter, deiner Lehrerin und der Schulleiterin gehört. Er hat es sogar zugegeben. Komm schon, Ruby, was ist los? Es ist sehr böse von dir, Hannah zu beschuldigen.«

»Sie tun mir beide weh!«

»Du darfst nicht lügen!«

»Ich lüge nicht! Warum glaubst du mir nicht?« Sie ist außer sich. Bevor ich antworten kann, schmeißt sie ihren Rucksack auf den Boden und rennt die Straße hinunter.

Ich rase hinter ihr her, weil der Gehweg nur noch rund fünfzig Meter weitergeht, bevor sich die Straße verengt und nur für den Autoverkehr ist. Kurz bevor sie um eine uneinsehbare Biegung rennt, bekomme ich Rubys Kapuze zu fassen. Ein Van kommt aus der anderen Richtung, hupt, und ich stoße Ruby rücklings in die Hecke. Ich bin so panisch und wütend, dass ich sie schlagen könnte. Stattdessen nehme ich sie fest in den Arm. »Ruby«, murmle ich immer wieder in ihr Haar. »Alles okay. Ich hab dich lieb. Fahren wir nach Hause. Lass uns zu Hause reden.«

»Will ich nicht.«

»Warum nicht?«

»Weil sie da jetzt wohnt.«

»Ruby! Sie ist nicht das Problem.«

Zu Hause verschwindet Ruby mit dem iPad in ihrem Zimmer. Mutter liegt vollständig bekleidet auf dem Bett und schläft.

Ich bin froh, eine Pause von beiden zu haben. In der Küche ist Hannah. »Ruby hat aber ein langes Gesicht gemacht«, sagt sie. »Ist alles in Ordnung?«

Ich erzähle ihr von den blauen Flecken, die Jacob verursacht hatte, und wie Ruby nach der Schule weggelaufen ist.

»Du meine Güte!«, sagt sie. »Ich hätte bemerken müssen, dass sie verletzt war. Jetzt fühle ich mich furchtbar.«

»Sie konnten nichts wissen. Sie hat es vor uns verheimlicht.«

»Armes kleines Ding. Das ist ein großes Geheimnis für solch einen kleinen Menschen.«

»Ja, ich weiß. Ich habe auch ein schlechtes Gewissen.«

»Müssen Sie nicht. Sie machen alles richtig, und Sie können nicht perfekt sein. Ruby muss wissen, dass sie geliebt wird, und sie braucht Stabilität. Beides bekommen wir gemeinsam hin. Ich denke, es ist nur eine Frage der Zeit, bis sie zur Ruhe kommt und fügsamer wird. Dann wird alles besser. Trauer kann brauchen, bis sie heilt.«

Ich beobachte, wie sie Mehl und Butter verknetet.

»Was machen Sie?«

»Crumble. Für Ruby. Sie hat gesagt, dass sie ihn gern mal probieren möchte, und wenn sie ihn mag, bringe ich ihr bei, wie man ihn macht.«

»Das ist nett.«

»Ich hoffe, Sie sind mir nicht böse, aber da wäre noch etwas.«

»Was?«

»Ruby war ein bisschen traurig, weil Sie versprochen hatten, ihr bei den Englischhausaufgaben zu helfen, und dann haben Sie es nicht getan.«

»Oh nein! Daran erinnere ich mich gar nicht.« Nach einer Pause von vielleicht wenigen Minuten kehren meine mütterlichen Schuldgefühle mit voller Wucht zurück.

»Ich habe gehört, wie Sie es gesagt haben.«

»Wann?«

»Nachdem Sie mit Ihrer Mutter aus dem Krankenhaus zurückgekommen sind. Da ist es verständlich, dass Sie es wieder vergessen haben.«

»Ich helfe ihr heute Abend.«

»Die Hausaufgaben mussten heute vorgezeigt werden. Keine Sorge. Ich habe ihr geholfen.«

»Meinen Sie, ich bekomme es jemals hin, alleinerziehend zu sein und zu arbeiten?«

»Dafür bin ich ja hier. Und es ist eine schwierige Zeit gewesen. Wie stehen Sie inzwischen zu der Arbeit?«

»Weiß ich noch nicht. Meine beste Option ist wohl, mir Arbeit in einer anderen Galerie zu suchen.«

»Müssten Sie da nicht Berufserfahrung vorweisen?«

»Wahrscheinlich.«

»Sie können jederzeit mit mir reden, wenn Sie möchten. Ich denke, wichtig ist, dass Sie nichts überstürzen. So! Die Streusel sind fertig.«

Ich schaue zu, wie sie die Streuselmischung auf eine Schale mit Apfelstücken und Brombeeren gibt. Es erinnert mich an so viele Mahlzeiten mit ihr in meinem Kinderzimmer früher.

»Übrigens ist mir ein Gedanke gekommen«, sagt Hannah. »Vielleicht würde es Ihnen helfen, wenn Sie den Holt-Katalog hätten. Das könnte Ihnen einigen Einfluss auf die anderen verschaffen, meinen Sie nicht?« Sie schiebt den Crumble in den Ofen.

»Es wäre eine Idee«, sage ich.

»Wahrscheinlich eine dumme.«

»Nein, nicht unbedingt.«

Ich denke über Hannahs Vorschlag nach, während ich Rubys Zimmer aufräume. Sie liegt im Bett und tippt auf ihrem iPad herum.

»Du kannst mir ruhig helfen«, sage ich.

»Wenn ich das Spiel zu Ende gespielt habe.«

»Nein, jetzt.«

»Noch zwei Minuten.«

Sie hat Ringe unter den Augen, also gebe ich nach. Es ist ein interessanter Gedanke, dass mir der Katalog eine gewisse Macht verleihen würde. Ich hatte nicht daran gedacht, den Spieß umzudrehen, aber eventuell geht es. Verlockend ist es auf jeden Fall.

Ich habe die Arme voll mit schmutzigen Sachen von Ruby, als wir Mutters Schrei hören. Sofort lasse ich die Sachen aufs Bett fallen, und wir laufen hinaus auf den Flur. Mutter ist oben an der Treppe und hält sich am Geländer fest, als gelte es ihr Leben.

»Was ist los?«, frage ich.

»Ich bin gestolpert. Jemand hat den Läufer auf der obersten Stufe gelöst.« Mit zitternden Fingern zeigt sie auf die Läuferkante. Ich sehe sie mir an. Sie scheint ein bisschen lose, aber nicht zerfranster als andere Teppiche hier.

»Das war Hannah«, zischt Mutter. Sie schwankt und klammert sich an das Geländer, als wäre sie in einem Tornado. Sie sieht ziemlich irre aus.

»Unsinn! Du darfst solche Sachen nicht sagen. Ruby, geh in dein Zimmer!« Ruby soll diesen Quatsch nicht hören.

Ich bringe Mutter zurück in ihr Zimmer, und sie legt sich hin. Sie atmet schwer, hat die Augen geschlossen, aber den Mund offen. Wäre ihr Atem nicht, sähe sie wie eine Tote aus.

»Ich kenne jeden Zentimeter in meinem Haus; da ist keine Falte in dem Läufer«, sagt sie nach einer Weile.

Ich nehme ein Fläschchen mit Schmerzmitteln von ihrem Nachttisch. »Du bist benommen von diesen Mitteln, Mutter. Ruh dich aus. Und lass dieses verrückte Gerede.«

»Das ist auch so eine Sache. Die Pillen.«

»Nein, Schluss jetzt. Bitte. Ruh dich aus.«

Ich schließe ihre Schlafzimmertür von draußen und lehne

mich dagegen. Ruby steht auf dem Flur. »Was machst du hier?«

»Ich will zu Granny.«

»Lass Granny jetzt schlafen. Und, Ruby?«

»Ja?«

»Ich will nicht, dass du Granny irgendwas erzählst von Hannah mit Grandpas Zigarettenetui oder dass Hannah dir wehtut oder sonst irgendwas.«

»Ist gut.« Ausnahmsweise widersetzt sie sich nicht, was ein Segen ist.

»Danke«, sage ich und küsse sie auf die Stirn. Ihre Augenringe sind jetzt wirklich dunkel, aber ich denke, dass es einfach nur an dem dämmrigen Licht im Flur liegt.

Ich bringe sie in ihr Zimmer und gehe nach unten, weil ich Zeit für mich brauche. Es ist einer dieser Momente, in denen ich kaum aufhören kann, davon zu fantasieren, wie das Leben wäre, gäbe es nur Hannah, Ruby und mich in Lake Hall. Wie viel leichter wäre eine Zukunft ohne Mutter.

Der erste Ort, an dem ich nach dem Holt-Katalog suche, ist das Arbeitszimmer meines Vaters, denn dort war er früher. Ich sehe sämtliche Regale durch, finde ihn aber nicht. Auch in den Schreibtischschubladen schaue ich nach, doch dort ist er ebenfalls nicht.

Ich weiß nicht, wo ich als Nächstes suchen soll. Ratlos stehe ich am Fenster und blicke hinaus zu dem See und den Gartenanlagen. Die Wasseroberfläche ist so glatt, dass sich der Himmel in ihr spiegelt. Dichte Wolken haben sich zusammengebraut, sodass er einer unheimlichen Zitadelle ähnelt. Nahe dem Ufer treibt totes Laub im Wasser. Was für ein entsetzlicher Ort, sein Leben zu beenden.

Was hatte mein Vater gedacht, wenn er hier stand? Er muss

es oft getan haben. Ich lehne mich ans Fenster und schaue hinauf zu den Zimmern des Kindertrakts im anderen Flügel des Hauses. Ich erinnere mich an die Aussicht auf dieses Fenster hier von Hannahs Zimmer aus. In die umgekehrte Richtung ist der Blick weniger gut, weil die Brüstung den unteren Fensterteil verdeckt. Hannah konnte eine Menge sehen, wenn sie nach unten blickte, aber nicht umgekehrt. Es ist ein verstörender Gedanke. Niemand möchte ausspioniert werden.

Nochmals suche ich die Schreibtischschubladen ab. Mir fällt das Zigarettenetui ein. Bei der Suche nach dem Katalog ist es mir nicht aufgefallen, und jetzt finde ich es nicht. Hatte Ruby recht mit ihrer Behauptung, dass Hannah es genommen hat? Oder hat Ruby es vielleicht genommen und beschuldigt mal wieder jemand anders? Sie ist eine kleine Elster, wenn es um Mutters Schmuck geht. Schon häufiger musste ich sie losschicken, einen von Mutters Ringen zurückzubringen, bevor sie in die Schule geht. Oder Mutter hat es weggenommen. In letzter Zeit klingt sie weniger steif als vielmehr rührselig, wenn sie über meinen Vater spricht. Es könnte sein, dass sie sich das Etui geholt hat, um etwas von ihm bei sich zu haben.

Ich reibe mir die Augen. Auch wenn ich rastlos und verwirrt bin, fehlt mir die Energie, weiter nach dem Holt-Katalog zu suchen.

Im Blauen Salon brennt ein Feuer, und die Fotoalben sind auf der Ottomane aufgestapelt. Ich nehme eins davon hoch, denn ich bin auch neugierig, ob es mehr Aufnahmen von unserem Haus in Belgravia gibt. Ich will wissen, ob Mutter und ihre Gang irgendwie das Foto von mir vor dem Vanitas-Stillleben gefälscht haben. Gehörte uns das Gemälde überhaupt jemals?

Langsam blättere ich in dem Album, entdecke aber keine weitere Aufnahme von unserem Esszimmer in Belgravia. Allerdings schlägt mein Herz etwas schneller, als ich feststelle, dass zwei Albumseiten zusammenkleben. Behutsam löse ich sie. Es sind Fotografien, die wir zuvor nicht gesehen hatten: ein paar Bilder von den Hunden meiner Eltern und zwei von meiner Mutter. Die musste mein Vater aufgenommen haben. Mutter in ihrem Schlafzimmer hier in Lake Hall, wie sie ihm zwei verschiedene Kleider zeigt. Sie wirkt kokett, und hinter ihr türmen sich mehr Kleider auf dem Bett. Ich erinnere mich, dass es oft so aussah, wenn sie Sachen anprobierte. Für Mutter war Anziehen eine Kunstform.

Ganz oben auf dem Stapel ist ein Kleid, an das ich mich definitiv erinnere, weil es meines war. Das Kleid, das ich an dem Abend trug, bevor Hannah fortging. Ich erkenne es sofort wieder, weil es damals solches Aufsehen erregte. Nun schaue ich genau hin, denn etwas daran stimmt nicht. Ich habe das Kleid als blau in Erinnerung, doch Hannah versicherte mir, dass es grün war. Das Kleid auf dem Bett ist blau, also irre ich, dass es meines war? Nein. Es ist ganz offensichtlich eine Kindergröße. Das ist jenes Kleid, und mir kommt es eigenartig vor, dass Hannah so beharrlich behauptete, meine Erinnerung wäre falsch.

Mit einem mulmigen Gefühl klappe ich das Album zu. Das Kleid ist nicht das Einzige, wobei Hannah insistiert, dass ich mich irre. Auf einmal beunruhigt es mich, denn da sind all die anderen Dinge, an die ich mich angeblich falsch erinnere. Es ist weniger der Umstand, dass sie mich wiederholt auf Kleinigkeiten hinweist, die ich vergessen habe, als vielmehr ihre Andeutung, dass ich mich an so gut wie nichts richtig erinnere. Ich glaube nicht, dass mein Gedächtnis derart schlecht ist – war es zumindest nicht immer. Dieses Foto von dem Kleid beweist, dass ich recht habe.

DETECTIVE ANDY WILTON

»Ray war ein mieser Kerl«, sagt sie zu den Detectives. Sie starrt aus dem Fenster, als wäre dort der Tadsch Mahal zu sehen, keine verwilderte Ligusterhecke. Ihre Haut ist faltig und gelb, und sie hat dicke Tränensäcke.

Die DNS der Jane Doe hatte eine Teilübereinstimmung mit Ray Palmer ergeben, einem Mann mit einem Strafregister so lang wie sein Arm. Er ist tot, und Andy und Maxine reden mit seiner Witwe.

»Wir fragen uns, ob irgendwelche weiblichen Angehörigen von Ray verschwunden sind. Es müsste in den 1980ern gewesen sein.«

Maxine steht an der Tür, und Andy wünschte, sie würde sich hinsetzen, aber ihr ist hier nicht wohl. »Es riecht nach Tod«, sagte sie im Hausflur.

Andy macht es nichts aus. Er sieht den Tod nüchtern. Man kämpft hart, um zu erreichen, was man sich vorgenommen hat, ist seine Ansicht, und dann stirbt man eben. Auf den Rest hat man sowieso keinen Einfluss. Entsprechend achtet er Leute, die ein anständiges Alter erreichen. Außerdem mag er sie, weil man von ihnen oft klarere Antworten bekommt; sie haben ja schon eine Menge gesehen. Ausgenommen natürlich Lady Holt mit ihrer manipulativen Art.

Die Frau neben ihm entstammt einer völlig anderen Welt.

Das Teuerste in ihrem Zimmer ist ein altmodischer Reisewecker zum Zusammenklappen, dessen Kunstlederhülle rissig ist, wo sie auf den fleckigen Metallrahmen stößt. Die Frau ist so warmherzig und offen wie Lady Holt kalt, herablassend und undurchsichtig.

»Jean ist damals verschwunden«, sagt sie. »Rays Nichte. Sein Bruder, Jeans Dad, war genauso übel wie Ray. Hat die alle geprügelt. Jean ist eines Nachts weg. Sie hatte die Chuzpe, sich aus dem Staub zu machen. Einige Jahre später, sowie sie sich traute, denn er hätte sie windelweich gedroschen, wenn sie auch nur Jeans Namen erwähnt hätte, hat ihre Mum ihre Spur erst nach Leeds und von da nach Bristol verfolgt. Aber es war zu spät, denn da war sie auch nicht mehr. Danach nichts mehr. Vielleicht hat sie geheiratet oder ist ins Ausland gegangen. Ich habe oft an Jean gedacht. Und ich hoffe, sie hat was aus sich gemacht. Es wäre eine schreckliche Vorstellung, dass es mit ihr ein böses Ende genommen hat.«

»Wie ist Jeans voller Name?«, fragt Andy.

»Jean Grace Palmer. Grace nach Grace Kelly. Ich erinnere mich auch an ihren Geburtstag, weil es derselbe ist wie meiner, der zweite Juli. Nur dass sie 1957 geboren ist und ich 1937. Was für ein feuriges Ding sie war. Wäre vielleicht besser gewesen, wenn nicht. Wissen Sie, was mit ihr passiert ist, Detective?«

»Sagen Sie Andy«, antwortet er. »Nein, ich weiß es nicht, aber ich sage Ihnen Bescheid, wenn ich Neuigkeiten habe. Sie erfahren es als Erste, versprochen.«

Ihm ist bewusst, dass er gehen sollte, doch er bleibt und redet noch ein paar Minuten mit ihr, weil er den Gedanken nicht erträgt, dass sie allein hier sitzt, die scheußliche Hecke anstarrt und nichts als die Erinnerungen an ein vermisstes Mädchen hat, mit dem es doch ein böses Ende genommen hatte.

Maxine ruft im Büro an, während er fährt.

»Ich brauche alles, was ihr zu einer Jean Grace Palmer findet, geboren am zweiten Juli 1957. Sie ist unsere Jane Doe.«

JO

Mit dem geschlossenen Fotoalbum in der Hand sitze ich da. Vielleicht bin ich zu müde, um jetzt über alles nachzudenken.

Hannah sieht zur Tür herein.

»Ich fahre kurz zu Pewsey, ehe sie zumachen«, sagt sie. »Brauchen Sie etwas?«

»Nein, ich glaube nicht.«

»Denken Sie nochmal nach. Sind Sie sicher, dass Sie nichts vergessen haben?«

»Ja, bin ich.« Glaube ich jedenfalls. Ich lächle, als sie geht, und erst als sie draußen ist, lasse ich die Schultern sinken.

Müde steige ich die Treppe hinauf; ich habe ein schlechtes Gewissen wegen dem, was ich vorhabe. Ich will nicht in Hannahs Zimmer herumschnüffeln, aber ich weiß nicht, was ich sonst tun soll, um mich bezüglich des Zigarettenetuis zu vergewissern.

Die Fenster auf dem Treppenabsatz sind so dunkel wie der Himmel draußen. Einige Regentropfen sind durch eine der Bleinähte gedrungen und rinnen innen am Glas nach unten. Ich sehe die Rücklichter des Wagens verschwinden, als Hannah aus der Einfahrt auf die Straße fährt.

Unter Rubys Tür im ersten Stock dringt ein wenig Licht hervor, und ein noch hellerer Schein kommt vom Treppenaufgang am Ende des Korridors. Wie ein Leuchtturmstrahl, der mich nach oben lockt.

Als Hannah einzog, beschloss sie, wieder in ihrem alten Zimmer im Dachgeschoss zu wohnen, um ein wenig Privatsphäre zu haben. Und während ich nun hinaufsteige, nimmt meine Neugier zu. Ich möchte Ruby beweisen, dass sie sich irrt und Hannah das Etui nicht gestohlen hat; aber ich will auch wissen, wie Hannah dort oben wohnt.

Auf der Treppe bin ich vorsichtig. Die Stufen sind ausgetreten und rutschig, und eine hängt in der Mitte durch. Obwohl ich weiß, dass Hannah nicht da ist, wird mir ein bisschen mulmig, als ich mich ihrer Zimmertür nähere. Das hier verletzt sowohl ihre Privatsphäre als auch ihr Vertrauen. Ich drehe den Knauf und drücke, aber die Tür ist abgeschlossen. Auch die zu meinem alten Zimmer ist verschlossen. Warum hat Hannah das Gefühl, ihre Zimmer verriegeln zu müssen?

Ich bücke mich und spähe durchs Schlüsselloch. Viel kann ich nicht erkennen, bekomme jedoch Herzklopfen, als ich die vagen Umrisse einiger ihrer persönlichen Sachen sehe. Der Anblick des leeren Zimmers am Tag nach ihrem Fortgang hatte sich so tief in mein Gedächtnis eingebrannt, dass es mir surreal vorkommt, ihre Sachen wieder dort drinnen zu sehen.

Nun bin ich umso entschlossener, mir Zugang zu dem Zimmer zu verschaffen. Ich gehe wieder nach unten und suche in den Küchenschubladen nach dem Bund mit den Generalschlüsseln, die Anthea mir zurückgegeben hat, als ich sie im Pub traf. Die Schlüssel sind schnell gefunden, und jetzt eile ich die Treppe schneller hinauf, als ich es mich normalerweise trauen würde.

Meine Hände zittern, während ich mehrere Schlüssel ausprobiere, ehe ich den richtigen gefunden habe. Kaum dreht er sich im Schloss, hole ich tief Luft und öffne vorsichtig die Tür. Die Angeln quietschen. Drinnen schalte ich das Licht an.

Das Zimmer ist so blitzsauber, spartanisch und ordentlich,

wie Hannah es schon früher immer hielt, allerdings gibt es kleine Anzeichen von Luxus, die ich nicht erwartet hätte: ein Handtuch neben dem Waschbecken, das zu dick und flauschig ist, um aus dem Wäscheschrank von Lake Hall zu stammen; ein Morgenmantel innen an der Tür, dessen Stoff sich wie Seide anfühlt, was das eingenähte Schild bestätigt.

Es sind auch vertraute Dinge da, vor allem das Porzellankatzenpaar auf dem Kaminsims – Siamkatzen in Spielpose. Als Kind habe ich Hannahs Porzellankatzen geliebt und sie darum beneidet. Nur hätte ich geschworen, dass die Kätzchen damals schwarz mit weißen Pfoten und Nasen waren, also sind diese nicht ganz so, wie ich sie in Erinnerung habe. Aber wobei ist das dieser Tage schon so?

Hier drinnen zu sein fühlt sich sehr seltsam an. Alles ist ungemein vertraut und doch anders. Es kommt mir vor, als wäre ich in einem Museum meiner Kindheit, in dem die Andenken nicht ganz stimmig sind. Ich bin in die Vergangenheit zurückgekehrt, fühle mich aber nicht heimisch darin, sondern entfernt von ihr, wie eine Zuschauerin.

Ich setze mich auf den Hocker vor Hannahs Frisierkommode, und mir wird klar, dass ich dieses Zimmer nicht durchsuchen kann. Es wäre vollkommen falsch.

Dieser Frisiertisch ist so anders als Mutters viel opulenterer unten. Der Spiegel ist klein, stockfleckig und schlecht beleuchtet. Auf der zerkratzten Platte liegen eine Haarbürste und ein Kamm ordentlich nebeneinander, daneben steht eine schlichte Gesichtscreme, und das war es.

Ich sollte gehen, denke ich. Von hier oben kann ich nicht hören, wenn Hannah zurückkommt, und ich würde sterben vor Scham, sollte sie mich ertappen. Dennoch rühre ich mich nicht. Ich will nur noch ein paar Minuten, um meine Gefühle besser zu verstehen.

Beim Blick in den Spiegel werde ich der Jahre gewahr, die vergangen sind, seit ich das letzte Mal hier saß. Früher machte Hannah mir vor diesem Spiegel das Haar, und ich schaute manchmal zu, wenn sie sich hier fertig machte. »Willst du sehen, wie ich mir das Gesicht mache?«, fragte sie, und ich reichte ihr alles an, was sie brauchte. Hin und wieder bat ich Hannah, mich auch zu schminken. Es war eine meiner Methoden, Mutter zu kränken. Ihr erlaubte ich nicht, mich zu schminken, egal wie oft sie es anbot. Das durfte nur Hannah, und ich betrachtete mich dabei fasziniert im Spiegel.

»Die Sache ist die«, pflegte Hannah zu sagen, während sie mir die Wangen puderte. »Mit Make-up kannst du verändern, wer du sein willst und was die Leute von dir denken.« Was für ein berauschender Gedanke das war!

Die Frisierkommode hat zwei Schubladen. Ich ziehe die erste auf und finde darin Hannahs säuberlich geordnete Kosmetika, wie ich es erwartet hatte. Ich bin heute ungeschminkt. Nun nehme ich Hannahs Konturenstift heraus und zeichne einen dunkelroten Rand um meine Lippen. Es ist die Farbe, die ich als Kind am liebsten mochte. Den passenden Lippenstift trage ich sorgsam mit dem Pinsel auf, wobei ich auf die Linien achte, wie Hannah es mir vor Jahren gezeigt hat. Der Lippenstift fühlt sich schwer an.

Ich mustere mein Spiegelbild und greife nach dem Eyeliner. Es ist leicht, den Teil von mir auszublenden, der weiß, dass ich dies hier nicht tun sollte, denn der andere ist beharrlicher und will nicht aufhören. Ist es so falsch, nur für einen Moment an meine Gefühle von damals anknüpfen zu wollen, bevor Hannah ging?

Ich versuche, exakt nachzuahmen, was sie früher tat, wenn sie mich schminkte, und male mir schwarze Linien auf die Oberlider, die ich in den Lidwinkeln auslaufen lasse.

»Deine Wimpern brauchen viel Farbe, weil sie so dünn sind«, höre ich sie im Geiste sagen. »Dazu brauchen wir eine ruhige Hand für die Wimperntusche. Eine Schicht nach der anderen. Sieh nach oben.«

Ich hielt den Atem an, während sie arbeitete, öffnete die Augen so weit wie möglich und versuchte, nicht zu blinzeln. Nun nehme ich die Wimperntusche aus der Schublade und trage sie sanft auf, bis ich lange, volle Wimpern habe.

Ich blicke zu meinem Spiegelbild. Mein Teint ist sehr blass.

»Du kannst dir in die Wangen zwicken, dann bekommen sie etwas Farbe«, sagte Hannah, »aber netter ist es mit ein wenig Rouge.«

Früher trat sie nach dem Auftragen des Rouges einen Schritt zurück, um ihr Werk zu begutachten. »Fertig!«, sagte sie. »Was für eine hübsche kleine Puppe du bist! Hannahs kleines Püppchen!«

Ich suche in der Schublade nach dem Rouge, kann es aber nicht finden, deshalb ziehe ich die andere Schublade auf. Sie klemmt nach wenigen Zentimetern. Ich rüttle leicht, doch sie bewegt sich nicht. Kräftiges Zerren funktioniert genauso wenig.

Ich versuche, die Hand hineinzuschieben, was durch den Winkel erschwert wird. Mit den Fingerspitzen stoße ich gegen etwas, das die Schublade blockiert. Es fühlt sich erschreckend vertraut an. Ich verrenke mich ein wenig, um die Hand weiter hineinschieben zu können. Dabei schürfe ich mir den Handrücken auf, und es tut weh, befeuert aber zugleich meine Entschlossenheit. Ich ignoriere den Schmerz und arbeite mich weiter vor, bis ich den Gegenstand zu fassen bekomme.

Ich weiß, was es ist. Etwas, das nicht hier sein dürfte.

Vorsichtig taste ich es mit den Fingern ab, hoffe, dass ich mich irre, doch die Oberfläche und die Konturen sind so vertraut, wie ich erwartet habe. Dieses Objekt hat sich mir fest ins Gedächtnis eingebrannt, und ich weiß, wie ich es anfassen muss, damit es sich perfekt in meine Hand schmiegt.

Es ist das Zigarettenetui meines Vaters.

Ich atme kaum, als ich es aus der Schublade nehme und an mein pochendes Herz drücke.

Ich fühle mich wie betäubt, unfähig, mich zu rühren.

Im Spiegel sehe ich das gealterte Gesicht von Hannahs kleinem Püppchen, und zwischen meinen Fingern schimmert die Emaille des Fabergé-Etuis, dessen Gold eine Patina hat, die von den Händen meines Vaters stammt. Dieses Etui gehört Hannah nicht. Sie hat kein Recht, es zu haben, also warum ist es hier?

Wie gebannt starre ich mein Spiegelbild an. Es ist eine grotesk geschminkte Version meiner selbst, verfälscht wie alles andere. Was ist mein wahres Ich? Diese angemalte Kreatur oder die Frau unter der Maske?

Ich weiß nicht mehr, wem oder was ich glauben soll.

Hinter mir geht die Tür auf, und meine Tochter erscheint. Ihr rundes Gesicht mit den kornblumenblauen Augen taucht hinter meinem im Spiegel auf, unbefleckt.

Sie soll mich jetzt nicht sehen. Sie soll nicht wie ich werden.

»Geh raus«, sage ich.

Sie geht.

Ich blicke wieder zu meinem Spiegelbild, und alles, was ich sehe, ist meine Mutter.

DETECTIVE ANDY WILTON

»Ich will mit der Nanny reden«, sagt Andy. »Sie hat zur Zeit der Jagdgesellschaft in Lake Hall gearbeitet, und anscheinend ist sie zurück. Damit dürfte sie die einzige Person sein, die inzwischen nicht hundert Jahre alt ist. Wenn wir Jean Palmer mit den Holts oder ihren Genossen in Verbindung bringen können, sind wir schon einen Schritt weiter. Und wir müssen die Fotos verbreiten. Mal sehen, ob ich eins davon, zusammen mit dem Namen und so, am Wochenende in die Zeitung bekomme.«

»Ich bin vorangekommen mit einer erweiterten Liste von Freunden und Partnern der Holts aus der Zeit damals«, sagt Maxine. »Denen könnten wir die Fotos auch zeigen.«

»Machen wir, und hoffen wir, sie sind nicht solche kompletten …« – er flüstert einen Kraftausdruck, denn der Chef geht durchs Büro – »… wie der letzte Typ, den wir befragt haben. Aber konzentrieren wir uns erstmal auf das Personal. Die werden eher ausscheren. Mir kann keiner erzählen, dass jeder, der für die Holts gearbeitet hat, ihnen loyal bleibt. Das glaube ich keine Sekunde. Würde Virginia Holt jemanden, der sich um ihr Kind kümmern soll, nicht wahnsinnig machen?«

Er greift nach einem Ausdruck des *Evening-Advertiser*-Artikels, den er in der Bücherei gefunden hat, und zeigt auf die Frau mit der kleinen Jocelyn Holt auf dem Arm.

»Sieh sie dir doch nur zusammen an«, sagt er. »Schreit das für dich nicht nach Ärger?«

Maxine nimmt den Ausdruck.

»Es ist komisch«, sagt sie. »Sie steht mit ihrem Mann da, aber eine andere Frau hält das Kind.«

»Genau!«

»Aber ist das nicht ein normales Oberklassending?«

»Nur ist es nicht normal, oder?«

Sie sieht wieder hin. Alle lächeln, doch erreicht ihr Lächeln nicht die Augen. Selbst auf dem körnigen Bild ist zu erkennen, dass in dieser kleinen Gruppe mehr Anspannung als Wärme herrscht.

»Du hast recht«, sagt Maxine.

»Überprüfen wir den Hintergrund der Nanny und machen für nächste Woche einen Termin mit ihr.«

Inzwischen hat er ein richtiges Foto von Jean, das ihre Tante ihm gegeben hat. Es wurde kurz vor ihrer Flucht von zu Hause aufgenommen und ist eine großartige Ergänzung zu den Bildern von der Schädelrekonstruktion. Jean sieht jünger aus, als sie zum Zeitpunkt ihres Todes war, und da ist ein Funkeln in ihren Augen. Sie scheint voller Leben und Freude. Man bekommt eine Ahnung, was für ein Mensch sie war, und das könnte ein paar Erinnerungen wachrufen.

JO

Rubys Auftauchen hat mich aus meiner Träumerei gerissen. Grob wische ich mir das Make-up vom Gesicht, angeekelt, und stopfe das Papiertuch in meine Tasche.

»Mom?« Ruby muss noch vor der Tür sein.

»Ja.«

»Was machst du da?«

»Ich räume etwas für Hannah weg. Geh nach unten, ich komme gleich.«

»Hannah ist wieder da.«

Für einen Moment bin ich unentschlossen, ob ich das Zigarettenetui mitnehmen soll oder nicht. Ist es besser, es zu haben und in Sicherheit zu wissen oder es bei Hannah zu lassen, damit sie nicht merkt, dass ich in ihrem Zimmer war? Ich beschließe, es mitzunehmen. Es ist zu kostbar, um es zu verlieren. Und es gehört uns, nicht ihr.

Ruby wartet an der Treppe. Sie beobachtet, wie ich zitternd die Tür abschließe. Wir hören Schritte auf der Hintertreppe. Jetzt will ich Hannah nicht zur Rede stellen, nicht vor Ruby und nicht bevor ich mir überlegt habe, was ich sagen will.

Einen Finger an den Lippen bedeute ich Ruby, mir den Korridor entlang, weg von der Treppe zu folgen. Ich öffne die Tür zu einem winzigen Raum voller abgedeckter Sachen. Ich erkenne die Umrisse der Dinge, die ich einst geliebt habe: ein Puppenhaus, ein Dreirad.

Leise schiebe ich Ruby in das Zimmer und schließe die Tür hinter uns so lautlos wie möglich, als die Schritte oben ankommen.

»Mom?«, fragt Ruby nach einem Moment. Ihre Augen leuchten. Sie ist nicht sicher, warum wir hier sind, aber sie genießt das Verstecken.

»Pst!«

Ich bete, dass Mutter nicht nach uns ruft und Ruby den Mund halten kann. Wir bleiben, wo wir sind, stumm und regungslos, bis es mir irgendwann albern vorkommt, mich in meinem eigenen Zuhause zu verstecken. Und ein bisschen schäme ich mich. Ich überlege, ob ich hinausschleichen soll, wage es aber nicht, falls Hannah herauskommt. Ihr Zimmer ist zwischen uns und der Treppe, und ich fürchte, sie würde jede Ausrede durchschauen, die ich mir ausdenken könnte, warum wir hier oben sind.

Nach einer Weile fühlen sich die Stille und die Dunkelheit drückend an. Unsere Augen haben sich angepasst, und ich sehe, wie Ruby durch den Raum tapst und die Staublaken hochhebt, um darunterzulinsen.

Hannah muss das Zigarettenetui genommen haben, nur warum sollte sie es wollen? Warum gerade dieses Zigarettenetui? Bei jedem anderen Gegenstand hätte ich es leichter verstehen und vergeben können. Vielleicht brauchte sie das Geld. Vielleicht ist ihre finanzielle Situation übler, als ich dachte. Aber dieses Zigarettenetui gehörte nicht bloß meinem Vater, es *war* mein Vater. Sie weiß, wie viel es mir bedeutet. Wie kann sie es wagen?

Als wir endlich hören, wie Hannahs Zimmertür geöffnet und wieder geschlossen wird, gefolgt von ihren Schritten auf der Treppe, geht Ruby zur Tür. Ich halte sie noch kurz zurück. Hannah soll genug Zeit haben, bis ganz nach unten zu gelangen.

»Bereit?«, flüstere ich nach einer Weile.

Wir schlüpfen so leise aus dem Raum, wie wir hineingehuscht sind, und ich schließe die Tür, hinter der die ordentlich verstauten Relikte meiner Kindheit zurückbleiben. Vorsichtig steigen wir auf Socken die Treppe hinunter. Der Korridor im ersten Stock ist leer. Ruby sieht aus, als wolle sie mich fragen, was los ist, aber ich kann ihre Fragen jetzt nicht beantworten.

»Kannst du bitte nach Granny sehen?«, frage ich.

»Darf ich ihr vorlesen?«

»Ja, was immer du willst.«

»Hast du nach dem Zigarettenetui gesucht?«

»Geh zu Granny.«

Ich muss allein sein.

In meinem Zimmer sitze ich auf dem Bett und starre auf das Etui.

Ich müsste wissen, was ich Hannah sagen und was ich tun soll, doch anstelle der Klarheit, die ich suche, ist in mir nichts als Schock und Unsicherheit in einer alles durchdringenden Leere.

DETECTIVE ANDY WILTON

»Ihr Name ist Jean Grace Palmer«, sagt Andy. »Und ihre Leiche ist im See von Lake Hall in Downsley aufgetaucht. Laut Forensik ist sie ungefähr 1984 gestorben. Ihre Familie hatte sie da schon seit zehn Jahren nicht mehr gesehen, und wir haben noch niemanden gefunden, der sie in den Achtzigern kannte. Wenn du uns ein bisschen Platz in der Zeitung gibst, um ihr Foto zu veröffentlichen, wäre das sehr hilfreich. Vielleicht kann ich dir dann auch mal etwas zukommen lassen.«

»Darf ich den Lake-Hall-Fall mit reinbringen?«

»Klar, warum nicht, aber bitte nicht vor Montag, ja?«

»Dann schick es mir rüber«, sagt Dennis Westcott. »Ich sehe, was ich tun kann. Ein mysteriöser Schädel könnte sich auf der Titelseite besser machen als die Bauarbeiten am Kreisverkehr, die bisher alles sind, was ich habe und haben werde, es sei denn, Swindon gewinnt auf wundersame Weise das Spiel. Die Hoffnung stirbt zuletzt. Sehen wir uns morgen Abend im Wheatsheaf?«

»Ja, wahrscheinlich.« Falls seine Freundin ihn lässt, aber er ist nicht so blöd, das zu sagen. Dennis würde sich totlachen.

»In Ordnung, Junge.«

»Bis dann, Dennis.«

»Und?«, fragt Maxine, als er aufgelegt hat.

»Nächste Woche. Eventuell Titelseite.«

»Gut gemacht.«

»Hast du schon einen Termin mit der Nanny ausgemacht?«

»Noch nicht. Ich habe es versucht, aber niemanden erreicht. Ich probiere es morgen weiter.«

»Lass es nicht schleifen. Ich habe da so ein Gefühl bei ihr.«

JO

Hannah ist vor mir auf und macht Porridge für Ruby. Beim Aufwachen bin ich benommen und durcheinander. Was ich überhaupt an Schlaf bekommen habe, war alles andere als erholsam – eher verstörend. Während ich zu begreifen versuchte, warum das Etui in Hannahs Schublade war, kamen immer neue Gedanken hinzu und wirbelten wild durcheinander, unmöglich aufzuhalten, so wie eine Flutwelle.

Ob Hannah bemerkt hat, dass das Etui weg ist, weiß ich nicht, denn sie sagt nichts und ich auch nicht. Ich muss es ansprechen, sicher, doch mir will nicht einfallen, wie ich es anstelle, ohne dass es zu einer Konfrontation gerät. Und ich kann Hannah nicht konfrontieren. Es ist unvereinbar mit dem, was wir füreinander sind oder waren. Andererseits kann ich gar nicht mehr sagen, was das ist.

»Haben Sie gestern nach dem Holt-Katalog gesucht?«, fragt sie, als sie Ruby den Sirup reicht.

»Nein, werde ich aber.« Ich will ihr nicht die Wahrheit sagen, und ich bereue zutiefst, ihr von den Fälschungen erzählt zu haben, denn ich bin nicht mehr sicher, ob ich ihr trauen kann.

»Das muss ein faszinierendes Dokument sein.«

»Keine Frage.«

»Wie geht es Ihrer Mutter heute Morgen?«

»Weiß ich nicht. Ich habe nicht nach ihr gesehen.«

»Es geht ihr gut«, sagt Ruby. Sie malt mit dem Sirup ein Muster auf ihren Porridge.

»Ist alles in Ordnung, meine Liebe?« Hannah ignoriert Ruby und sieht mich mit einem Blick an, der mich zu durchbohren und jeden meiner Gedanken zu lesen scheint.

»Ja, alles gut.« Ich stehe auf und kehre ihr unter dem Vorwand, dass ich Rubys Schultasche überprüfe, den Rücken zu.

»Sind Sie sicher?«

Ich nicke. »Ich bringe Ruby heute Morgen zur Schule, weil ich hinterher noch einige Besorgungen machen will.«

Das Zigarettenetui habe ich in meine Handtasche gesteckt, bevor ich nach unten gekommen bin. Ich will es bei mir behalten.

»Was hast du gestern Abend in Hannahs Zimmer gemacht?«, fragt Ruby, als wir losfahren.

»Süße, darüber reden wir noch, aber nicht jetzt, okay? Wir besprechen es heute Abend, Ehrenwort.«

Wir halten an einer schlecht einsehbaren Kreuzung. Ich recke den Hals, um mich umzuschauen, und vermeide es, Ruby anzusehen.

Natürlich muss ich Hannah ansprechen, auch wenn mir davor graut. Hannah darf nicht einfach Sachen meines Vaters nehmen, erst recht nicht diese. Und es besteht die Möglichkeit, dass sie eine gute Erklärung hat, sage ich mir, auch wenn ich mir schwerlich vorstellen kann, welche das sein könnte.

An der Schule angekommen, bringe ich Ruby zum Schulhof. Sie stolpert über den Bordstein, als wir über die Straße gehen, und ich kann sie gerade nach an der Kapuze ihrer Jacke abfangen.

»Geht es dir gut?«

»Ich bin müde.«

»Du musst aufpassen, wo du hintrittst.«

Sie zuckt mit den Schultern und zieht die Jacke fester um sich. Es ist kalt, und der Wind spielt mit Rubys Haarspitzen. Ihre Lippen sind blau.

»Alles in Ordnung, Schatz?«

Sie nickt. »Bis dann.« Sie duckt sich weg, ehe ich ihr einen Kuss geben kann.

»Jo?« Eine der Mütter holt mich neben meinem Wagen ein. »Wir wollen mit ein paar Müttern auf einen Kaffee nach Marlborough. Wir haben noch einen Platz frei, falls Sie wollen?«

Sie zeigt zu ihrem Wagen, an dem zwei Frauen stehen und sich eine weitere zu ihnen gesellt. Stans Mum ist bei ihnen und sieht zu mir. Ich lächle, was sie nicht erwidert. Vielmehr grenzt ihr Blick an Feindseligkeit, und damit kann ich momentan nicht umgehen.

»Das ist sehr nett, vielen Dank«, sage ich zu der Frau, die mich eingeladen hat. »Ein anderes Mal gern, nur heute Vormittag habe ich Termine.«

Sobald ich in meinem Wagen sitze, schäme ich mich. Ich hätte mitfahren sollen. Es war eine Gelegenheit, die Mütterclique kennenzulernen, und in einem solch kleinen Dorf wie diesem gibt es nur die eine. Ich blicke ihnen nach, als sie losfahren, und schlage aufs Lenkrad. Wann wird mein Leben normal? Ich könnte ihnen hinterherfahren und fragen, ob ich mich doch zu ihnen setzen kann, aber dazu fehlt mir der Mut.

Ich öffne meine Handtasche. Inmitten des üblichen Durcheinanders findet sich das Zigarettenetui meines Vaters. Ich hatte vorgehabt, nach Marlborough zu fahren und einige Zeit nachzudenken, aber jetzt tue ich es lieber nicht mehr, weil ich den Müttern nicht begegnen will. Nach Lake Hall zurückfahren und Hannah gegenübertreten kann ich auch nicht, ehe ich mir nicht über manches im Klaren bin. Und unmöglich kann ich Mutter hiervon erzählen. Wie sie reagiert, weiß ich schon.

Ich nehme das Etui aus der Tasche und öffne es. Der Geruch nach altem Tabak trägt mich zurück in die Arme meines Vaters, zurück zu jenen Momenten, nach denen ich mich immer so gesehnt hatte, in denen er mich umarmte und mir seine ganze Aufmerksamkeit schenkte. Dann wollte ich platzen vor Glück. Ich habe ihn angebetet.

Nachdenklich klappe ich das Etui zu. Nun weiß ich, wohin ich will.

Der Weg ist kurz. Nach fünfminütiger Fahrt biege ich auf den kleinen Parkplatz ein. Die Dorfkirche liegt in einer Senke am Rande von Downsley.

Ich folge dem Weg zwischen den Grabsteinen hindurch. Das Zigarettenetui ist nun in meiner Jackentasche, und ich halte es fest, während ich gehe. Die Grabsteine liegen auf einem sanften Hang verstreut, und auf vielen wiederholen sich die immer gleichen paar Familiennamen, umrahmt von Flechten. Der Friedhof ist den Elementen ausgesetzt, und ich fühle die volle Kraft des scharfen Windes. Er wird erst weniger, als ich das Holt-Mausoleum erreiche.

Unser Mausoleum befindet sich seitlich vom Weg an prominenter Stelle. Es ist das mit Abstand prächtigste Bauwerk hier. Die Tür wird von zwei kannelierten Säulen und zwei steinernen Engeln auf Sockeln flankiert. Sie knien einander gegenüber. Im Gebet oder aus Ehrfurcht vor den Generationen von Holts, die hier beigesetzt sind? Dem Aussehen nach könnte es beides sein. Auf der Vorderseite der Sockel sind die Namen der Holts eingemeißelt.

Bisher bin ich nicht am Grab meines Vaters gewesen. Ich habe es gemieden, und es schockt mich, seinen Namen unter den anderen zu lesen, weil es so endgültig wirkt.

Ich berühre die Buchstaben und stelle fest, dass ich um die Jahre weine, in denen ich den Kontakt zu ihm auf ein Minimum beschränkte. Seine Nähe war ohne die meiner Mutter nicht zu haben, und das hielt ich nicht aus. Ich weine, weil Ruby ihn nie kennengelernt hat, und ich weine, weil ich ihn so sehr geliebt habe. So sehr, dass es schmerzt, daran zu denken. Er war mein Daddy, und meine Mutter war schuld, dass er und ich nicht die Beziehung hatten, die wir hätten haben sollen. Auf dem Sockel ist neben seinem Namen noch Platz für den meiner Mutter, der dort einst eingraviert werden wird. Sie werden für immer beieinanderliegen. Alles wäre anders, wäre ihr Name dort anstelle von seinem. Alles wäre besser.

»Jocelyn! Dachte ich mir doch, dass Sie es sind!« Der Vikar kommt mit wehendem Talar auf mich zu. »Ich möchte Ihren privaten Moment nicht stören, doch ich konnte nicht umhin, Ihr Leid zu bemerken. Kann ich helfen, oder wären Sie lieber allein?«

»Nein danke, es geht schon. Und ich muss auch los.« Ich will nicht mit ihm über das reden, was ich denke. Ebenso wenig möchte ich, dass er mich weinen sieht. Der Mann tratscht sehr gern.

»Sie wissen, wo Sie mich finden, falls Sie mich brauchen.«

Mir fällt kein Small Talk ein, um die Situation elegant zu lösen, also gehe ich an ihm vorbei, doch er ist auf einmal neben mir. »Haben Sie die gesehen?«, fragt er.

Seitlich vom Mausoleum steckt ein großer frischer Blumenstrauß in einer Steinvase.

»Von wem sind die?«

»Von Ihrer Mutter, nehme ich an.«

»Mein Vater hat Lilien gehasst.«

»Ach du liebe Güte. Nun, sicher hätte er die Geste dennoch geschätzt.«

Ich verstehe nicht, warum die Blumen hier stehen. Gewiss hätte Mutter niemals Lilien an sein Grab gestellt, also muss es jemand anders gewesen sein. Jemand, der ihn nicht ganz so gut kannte wie Mutter. Meine Hand umklammert das Zigarettenetui. *Kann es Hannah gewesen sein?*

»Ich muss gehen«, sage ich zum Vikar. »Vielen Dank.«

Er steht an der Kirchenpforte und blickt mir nach. Beim Fahren umfasse ich das Lenkrad energisch. In einer scharfen Kurve schlingert der Land Rover plötzlich, und ich schaffe es mit einiger Mühe, ihn gerade eben unter Kontrolle zu bringen, ehe er noch im Graben landet. Ich bremse so heftig, dass ich den Motor abwürge.

Als ich mich wieder gefangen habe, lasse ich den Wagen erneut an und fahre sehr vorsichtig weiter. Mir ist schlecht vor Angst und Nervosität. Ich muss nach Hause und Hannah auf das Etui ansprechen.

Wild entschlossen, Hannah sofort zu suchen, betrete ich den Korridor, wo mich jedoch Musik überrascht. Es ist, als würde ich in eine Klangmauer laufen, und für einen Sekundenbruchteil kommt es mir vor, als wäre mein Vater noch da. Die Musik ertönt aus seinem Arbeitszimmer, so wie früher immer. Es ist eindeutig die Stimme seines Lieblingssoprans. Sie erhebt sich meisterhaft zu einer Arie, wird immer höher und schwebt, einer sich fein kräuselnden Rauchfahne gleich, über der Holzvertäfelung.

Die Arbeitszimmertür ist einen Spalt offen. Ich schiebe sie weiter auf. Meine Mutter sitzt in dem Ohrensessel gegenüber der Tür und hält sich das Handgelenk. Als sie sieht, dass ich etwas sagen will, schüttelt sie kaum merklich den Kopf. Ich schiebe die Tür weiter auf. Hannah sitzt auf dem Stuhl meines Vaters hinter dem Schreibtisch. Vor ihr liegt ein altes Hauptbuch. Der Einband ist schlicht, bis auf den handgeschriebenen Titel: »Verzeichnis der Kunstwerke in der Holt-Sammlung.«

»Sehen Sie nur, was Ihre Mutter gefunden hat!«, sagt Hannah.

»Ah, das ist ja wunderbar«, antworte ich. Mir ist sehr unwohl bei dem Anblick, wie sie da am Schreibtisch sitzt, und die Atmosphäre im Zimmer fühlt sich befremdlich und falsch an. Ich blicke zu Mutter, doch sie starrt aus dem Fenster. Ihr Kinn ist gereckt, und die Sehnen an ihrem Hals sind gestrafft. Etwas ist passiert.

»Ich verstehe Ihren Widerwillen, sich an dem Geschäft mit Fälschungen zu beteiligen, von dem Ihre Mutter Ihnen erzählt hat«, sagt Hannah. »Aber ich denke, es wird Zeit, offen zu reden. Setzen Sie sich.« Ich zögere. »Hinsetzen, Jocelyn. Bitte!«

Ich nehme auf dem Stuhl ihr gegenüber Platz. Sie redet mit mir wie mit einem Kind.

»Ich weiß, dass Sie nicht mitmachen wollen, und das verstehe ich, aber ich glaube, Sie treffen die falsche Entscheidung«, sagt Hannah. »Nun, ich habe eine Idee, und wir werden Folgendes tun. Machen Sie die Musik aus, bitte.«

Ich beuge mich zur Stereoanlage hinüber und schalte die Musik aus. Die Stille ist beklemmend.

Hannah zieht etwas über den Schreibtisch zu sich heran. Es ist ein altmodischer Kassettenrekorder.

»Nicht!«, sagt Mutter, was eher nach einem Stöhnen als nach einem Wort klingt.

Hannah lächelt. »Still, Virginia! Also, Jocelyn, ich möchte, dass Sie genau hinhören.«

Meine Mutter senkt den Kopf, während Hannah sich auf dem Stuhl meines Vaters zurücklehnt. Mein Unbehagen nimmt zu. »Was ist das?«

Hannah legt einen Finger an die Lippen. Zunächst höre ich

nur Rauschen, dann ertönt eine Stimme. Es ist die Stimme meines Vaters, die seine Gegenwart heraufbeschwört, als wäre er mit uns im Zimmer, so erschreckend klar klingt sie.

»Bist du das wirklich?«, fragt er.

»Ja«, antwortet eine Frau. »Ich bin es.«

»Sie!«, sage ich zu Hannah. »Still!«, befiehlt sie und stellt den Ton lauter. Das aufgenommene Gespräch schwillt an und füllt den Raum aus. Es schmerzt ungemein, meinen Vater zu hören. Mutter sieht mich immer noch nicht an.

Mein Vater sagt:

Wie kannst du das sein?

Du meinst: »Wie kann eine Tote wieder lebendig werden?«

Du warst in einer üblen Verfassung, als ich dich zuletzt gesehen habe.

Und du warst schon immer ein Meister der Untertreibung, Alexander.

Wir haben uns solche Sorgen gemacht, nachdem du verschwunden warst.

Du meinst, nachdem ihr meine Leiche in den See geworfen habt?

Schweigend höre ich zu, und mir wird schlecht. Ich kann nicht glauben, was ich höre. Mein Vater ein Mörder? Oder beinahe ein Mörder? Er kann kein richtiger Mörder sein, denn Hannah ist jetzt hier. Es sei denn, dies ist nicht Hannah. Aber das kann nicht sein.

Wieder sehe ich zu Mutter, doch sie bleibt vollkommen still und verzieht keine Miene. Das Gespräch geht weiter. Hannah spielt mit meinem Vater, der sich vergeblich bemüht, die Fassung zu wahren.

Hast du mich nie geliebt, Alexander?
Ich liebe Virginia.
Nicht mal, wenn wir zusammen waren?
Ich denke nicht, dass ich das beantworte.

»Ich kann mir das nicht anhören!«, sage ich und stehe auf. Ich bin verzweifelt, und mir ist speiübel. Mein Vater hätte niemals eine Affäre mit Hannah gehabt, oder? Nicht Hannah. Sie gehörte mir. Er gehörte mir. Sie gehörten nicht einander. Es wäre undenkbar gewesen, dass Hannah und mein Vater zusammen waren, ein Verrat an allem, woran ich glaubte.

Und mein Vater hätte nie jemanden verletzt, oder?

Abermals drehe ich mich zu Mutter, doch sie sieht mich nach wie vor nicht an. Ich denke an das Zigarettenetui in Hannahs Schublade und die frischen Blumen an seinem Grab, die Mutter da nie hingestellt hätte.

»Zuhören!«, befiehlt Hannah.

Das Band läuft weiter, und ich höre mir an, wie Hannah meinem Vater sagt, dass sie Geld für ihr Schweigen über die Geschehnisse jener Nacht fordert. Er versucht Einwände vorzubringen, wird zunehmend verzweifelter und flehender, während Hannahs Stimme zunehmend härter wird.

Wenn du nicht zahlst, erzähle ich allen, was passiert ist.
Sag ihnen, dass ich es war.
Muss es deine Tochter nicht erfahren?
Nein. Ich übernehme die Verantwortung für alles und mache dem ein Ende.
Und woher bekomme ich dann mein Geld? Ich müsste Virginia fragen. Vielleicht erzähle ich einfach allen die Wahrheit.
Nein, bitte!

Ich könnte sagen, dass Virginia mich gestoßen hat.
Nein.

Seine Stimme bricht.

Wer hat mich gestoßen, Alexander?
Nein, das werde ich nicht aussprechen.
Dann tue ich es. Jocelyn war es, die mich gestoßen hat. Wie schrecklich jähzornig sie doch sein konnte. Das hätte ich nicht erwartet. Du hast es gesehen. Sie hat mich absichtlich gestoßen. Sie wollte, dass ich stürze.
Nein, hat sie nicht. Du weißt, dass es ein Unfall war. Jocelyn hat dich geschubst, aber sie wollte nicht, dass du die Treppe hinunterstürzt.
Doch, wollte sie. Sie hat ihren geliebten Daddy mit mir gesehen und konnte es nicht ertragen. Sie wollte, dass ich sterbe.

Hannah hält die Aufnahme an und mustert mich so gründlich, dass ich mich wie gehäutet fühle. Mutter hält sich die gesunde Hand vors Gesicht. Ich knie mich vor ihren Sessel.

»Ist das wahr? Habe ich Hannah die Treppe runtergestoßen?«

Sie schüttelt den Kopf verhalten und bedeckt immer noch ihr Gesicht.

»Sag es mir! Was ist passiert?«

»Wir dachten, dass sie tot ist«, sagt Mutter. »Ich habe nach ihrem Puls gefühlt.«

»Sie haben mich in den See geworfen«, fährt Hannah dazwischen. »Als wäre ich einfach nur Müll. Lästiger Ballast. Von dem Sturz war ich bewusstlos. Sie haben mich sehr fest gestoßen, müssen Sie wissen. Das hätte ich Ihnen gar nicht zugetraut, Sie waren ein so stumpfsinniges Kind. Eine Enttäuschung für uns alle, nicht wahr, Virginia?«

»Seien Sie still!«, sage ich. »Mutter soll es mir erzählen.«

Ich nehme Mutters gesunde Hand und ziehe sie ihr vom Gesicht. »Was ist passiert?«

»Dein Vater hatte eine Affäre mit Hannah, und du hattest sie nach deinem Bad überrascht. Erinnerst du dich? Du musstest baden, nachdem du dir das Kleid ruiniert hattest.«

Ich schüttle den Kopf. An das Bad erinnere mich, aber danach an nichts mehr.

»Deinen Vater und Hannah zusammen zu sehen hat dich sehr geschockt, und du warst verstört. Du hast Hannah geschubst. Du hast sie geschubst, und sie fiel die Treppe hinunter, aber es war ein Unfall, Schatz. Du wolltest ihr nicht wehtun. Du wolltest die beiden nur trennen.«

»Sie waren nicht da, Virginia!«, sagt Hannah. »Sie wollten es, Jocelyn. Sie wollten mich umbringen. Letztlich sind Sie auch nur eine typische Holt. Sie fanden, dass ich nicht gut genug für Ihren Daddy war, also haben Sie mich die Treppe runtergestoßen, damit ich sterbe.«

»Du warst nicht mal sieben Jahre alt!«, widerspricht Mutter. »Kein Kind in dem Alter hat die Absicht zu töten.«

»Ich weiß, was ich gesehen habe«, sagt Hannah.

Schock pulsiert in mir. Ich bin verwirrt, entsetzt und fassungslos. Erschüttert. Und ich versuche, mich an irgendwas davon zu erinnern, doch da ist nichts. Gar nichts. Ich fühle, wie Mutter meine Hand drückt.

»Möchten Sie wissen, wie ich überlebt habe?«, fragt Hannah. »Als ich zu mir kam, lag ich im Kohlenschuppen, eingewickelt wie ein Braten. Mein Kopf fühlte sich doppelt so groß an und tat weh. Mir war schwindlig und schlecht. Ich musste sehr kämpfen, um das Seil zu lockern und mich zu befreien.

Aber ich konnte nicht aus dem Schuppen. Sie hatten ihn abgeschlossen. Ich rief um Hilfe, schrie, doch niemand hörte mich. Also habe ich versucht, mich zu beruhigen und nachzudenken. Können Sie sich vorstellen, wie ich mich fühlte? Sollte ich warten, bis sie zurückkommen, und ihnen ausreden, was immer sie mit mir vorhatten? Riskieren, dass sie zu Ende brachten, was Sie angefangen hatten? Sollte ich sie angreifen, wenn sie zurückkehrten? Ich war schwach, blutete und hatte Schmerzen. Meine Kopfwunde war übel, und es gab nichts in dem Schuppen, was ich als Waffe hätte benutzen können, vor allem nicht gegen beide. Also stellte ich mich tot. Ich wickelte mich, so gut es ging, wieder ein, damit sie mich so vorfanden, wie sie mich abgelegt hatten, und wartete, was sie mit mir machen würden. Falls ich mich wehren müsste, dachte ich, dass es günstigere Orte dafür gäbe als den Kohlenschuppen. Und die ganze Zeit, Jocelyn, gab es eines, was ich nicht vergaß. Was mich bei Kräften hielt, war der Gedanke, dass ich mich eines Tages an diesem verwöhnten, elenden kleinen Mädchen rächen würde, das alles hatte, was es sich wünschen konnte, aber fand, ich wäre nicht gut genug für seinen Vater.

Natürlich waren Ihre Eltern in solcher Panik, als sie mich holen kamen, dass ihnen die veränderten Knoten nicht auffielen. Das hatte ich gut gemacht. Nachdem sie mich in den See geworfen hatten, ließ ich mich sinken. Sie hatten Gewichte an die Seilenden gebunden. Ihr Plan war, dass ich am Grund des Sees bleiben würde. Und das wäre ich auch, wäre ich bewusstlos gewesen, wie sie dachten. Das Wasser war so kalt. Ich hatte keine Zeit gehabt, tief Luft zu holen, aber ich blieb unter Wasser, solange ich konnte. Es war leicht, mich zu befreien, als ich den Atem nicht mehr anhalten konnte, weil ich die Seile nur lose geknotet hatte. Ich tauchte so leise wie möglich auf, und zum Glück sah Ihre Mutter mich nicht. Sie hätte es gekonnt. Ich holte Luft und tauchte wieder unter. Schließlich schwamm ich zur Insel und wartete dort, bis ich es nicht mehr ertrug und zurück ans Ufer schwamm. Und erinnern Sie sich, Virginia? Sie hatten einen Beutel mit Sachen für den Flohmarkt in den Wirtschaftsraum gestellt. Ich stahl ihn, und Sie haben es nie bemerkt. In trockenen Sachen, Ihren Sachen, verließ ich Lake Hall. Meine nassen nahm ich ebenfalls mit. Sie sollten keinen Verdacht schöpfen, dass ich überlebt hatte. Ich wusste ja nicht, wie weit Sie gehen würden, um mich zu jagen und zu vollenden, was Jocelyn angefangen hatte.«

»Du dachtest, dass ich sie umgebracht habe?«, frage ich Mutter.

»Ihre Mutter hat Sie gedeckt, weil Sie eine Mörderin waren. Und vergessen wir nicht den Schädel im See. Wen sind Sie sonst noch losgeworden, Virginia? Es war nicht das erste Mal, dass Sie da eine Leiche versenkt haben, oder? In Ihrer Familie sind alle geborene Mörder. Die Holts lassen jeden verschwinden, den sie wollen, wann sie wollen. Andere Leute sind entbehrlich für Sie. Es ist ekelhaft.«

Hannahs Worte sind abscheulich. Ich versuche, sie auszublenden und mich auf Mutter zu konzentrieren. Sie soll mir erzählen, was geschehen ist. »Ich erinnere mich nicht daran. An nichts.«

»Wir hatten dir eine von meinen Pillen gegeben«, sagt Mutter. »Wir hatten gehofft, dass sie deine Erinnerung auslöscht, und das hat sie.«

»Mit anderen Worten«, folgert Hannah, »ich habe Sie in der Hand, Sie gehören beide mir, so wie Sie mich einst besaßen, und wenn Sie nicht mit mir hierüber reden wollen, werden Sie sich damit abfinden, dass ich jetzt Teil Ihres Lebens bin. Falls nicht, erzähle ich der Polizei alles, was ich weiß.«

»Und lassen sie wissen, dass Sie eine Erpresserin sind?«, fragt Mutter.

»Sollte es dazu kommen, ist es ein kleiner Preis für die Gerechtigkeit, die ich verdiene, meinen Sie nicht? Ich werde eine Erpresserin sein, aber Sie beide sind schlimmer. Ich hoffe, so weit wird es nicht kommen. Sicher werden Sie beide meinem Vorschlag zustimmen. Es wäre ein solcher Jammer um Ruby, nicht wahr, wenn hier eine Polizeiermittlung stattfindet.«

Sie drückt einen Knopf auf dem Kassettenrekorder, und der Deckel springt auf. Dann nimmt sie die Kassette heraus.

»Ich habe Kopien davon«, sagt sie. »Nur für den Fall, dass Sie glauben, sie zu zerstören würde Ihre Probleme lösen.«

Nachdem sie die Kassette in die Tasche gesteckt hat, steht sie auf. Sie streicht ihren Rock glatt und nimmt den Holt-Katalog. Ich bin zu perplex, um zu reagieren, und bleibe vor Mutter knien, während ich zusehe, wie Hannah das Zimmer verlässt.

Erst als sie weg ist, ist der Bann all des Entsetzlichen gebrochen. Auf einmal ist es mir unerträglich, so nahe bei Mutter zu sein. Ich brauche Raum. Rasch ziehe ich meine Hand aus ihrer und rücke ab. Mir ist, als könne ich nicht richtig atmen.

»Mutter, ist das wirklich wahr?«

»Liebes, es tut mir so leid. Wir wollten, dass du es nie erfährst.«

VIRGINIA

Der Schmerz ist höllisch. Ich versuche, ihn zu ignorieren, aber das ist unmöglich. Mit jedem Wort von Hannah wurde er schlimmer, als sei er die Strafe für alles.

»Tut dein Handgelenk weh?«, fragt Jocelyn. Es ist das Erste, was sie nach einer halben Ewigkeit sagt, und sie klingt heiser. Seit Hannah uns allein gelassen hat, sitzt sie in dem Sessel mir gegenüber, hat nur hin und wieder eine Frage gestellt, ansonsten aber geschwiegen. Ich habe ihre Fragen schweren Herzens beantwortet, ihr bestätigt, was keine von uns wissen will.

»Hannah hat mir wehgetan«, erzähle ich ihr jetzt. »Sie wollte den Katalog, und ich wollte ihn ihr nicht geben.«

Hannah ist keine besonders starke Frau. Ich bin größer und wahrscheinlich so fit wie sie, doch es ist nicht schwierig, jemandem Schmerzen zuzufügen, dessen Handgelenk bereits gebrochen ist.

»Was hat sie getan?«

»Ist nicht wichtig. Es geht wieder vorbei.«

»Willst du ein Schmerzmittel?«

»Nein, lieber nicht.« Obwohl ich nicht sicher bin, wie viel es nützt, einen klaren Kopf zu behalten, da ich keine Ahnung habe, was ich tun soll. Während Jocelyn verarbeitet, was sie erfahren hat, fühle ich mich wie eine völlige Versagerin. Es gab eine Sache, vor der ich meine Tochter schützen musste – das

Wissen um die Geschehnisse jener Nacht –, und ich habe es nicht vermocht.

Ich schwimme, was die Frage angeht, wie wir mit Hannah verfahren sollen, habe keinen Plan. Mir fällt nichts ein, wie uns zu helfen wäre.

»Wieso erinnere ich mich an nichts?«, fragt Jocelyn. »An gar nichts.«

»Trauma, Medikamente, eine Kombination von beidem. Menschen verdrängen traumatische Erinnerungen, Schatz. Für deinen Vater und mich fühlte es sich wie ein Geschenk an. Wir konnten unser Glück kaum fassen.«

Jocelyn sieht benommen aus. Mir ist klar, dass sie alles nach und nach erfassen muss, doch ich wünschte, es wäre nicht so. Wir müssen irgendwas tun, und zum ersten Mal im Leben werde ich mich wohl oder übel auf jemand anders verlassen müssen.

Ich blicke zu einer Fotografie von Alexander. *Es tut mir leid*, denke ich. *Es tut mir leid, dass ich es nicht konnte. Am Ende hat Hannah gewonnen.*

Jocelyn, Ruby und ich sind Hannah so ausgeliefert wie ein Fuchs der Hundemeute. Ich mag gehofft haben, ich wäre gerissen genug, die Jagd länger durchzuhalten, lange genug, um sie am Ende sogar zu überlisten, aber jetzt gibt es keinen Ausweg mehr. Wir gehören ihr.

»Liebes, kannst du mir nach oben in mein Zimmer helfen? Ich fühle mich sehr schwach.«

Langsam gehen wir die Treppe hinauf, und ich muss mich sehr auf meine Tochter stützen. Neben meinen Schmerzen fühle ich das Gewicht der Familiengeschichte schwer auf mir lasten. Ich spüre, wie sich Schuld und Scheitern mit erbarmungsloser Beharrlichkeit in mir verquicken.

Oben an der Treppe steht Hannah.

»Holla!«, sagt sie. »Ich hoffe, Sie beide berappeln sich wieder, denn ich habe eine Idee. Ich denke, wir drei sollten gemeinsam zu Abend essen, und zwar nicht in der Küche. Nein, ich finde, es ist ein richtiges Dinner im Esszimmer angezeigt, wo alles hübsch aussieht, wir eingeschlossen. Wäre das nicht nett? Wir können planen, wie es weitergeht. Ich habe ein wenig nachgeforscht und schon eine Menge Ideen für unseren Kunsthandel.«

Jocelyn und ich bleiben auf dem Treppenabsatz stehen. Ich bin ein wenig außer Atem, und Hannah lächelt. Sie blüht regelrecht auf, und es ist scheußlich.

»Nun, was meinen Sie?«, fragt sie.

»Ja«, antworte ich. »Das wäre nett. Überlassen Sie es mir.«

»Sagen wir, Drinks um acht im Blauen Salon und hinterher das Abendessen?«

»Natürlich.«

Jocelyn hält meinen Arm fester, sodass ich zusammenzucke, was sie indes nicht bemerkt. Kaum sind wir in meinem Schlafzimmer, flüstert sie: »Ich mache das nicht!«

»Wir haben keine Wahl«, sage ich. »Was können wir denn tun? Wir müssen an Ruby denken.«

Ich sitze auf der Bettkante. Nichts täte ich lieber, als mich hinzulegen und zu schlafen. Da fühle ich etwas unter der Hand. Es ist eine von meinen Tabletten. Ich hebe sie auf und halte sie Jocelyn hin.

»Ich hatte meine Schmerzmittel in der Taschentuchbox gesammelt«, sage ich, »weil sie so stark sind und ich sie nicht mehr nehmen wollte. Die habe ich wieder rausgeholt, nachdem ich mir das Handgelenk gebrochen hatte, aber es fehlten welche, und ich glaube, Hannah könnte sie Ruby ins Essen geschmuggelt haben. Ruby hat sich seit ihrer Ankunft hier verändert. Sie ist jetzt immerzu müde, und sie war vorher so vital.

Und hör mir zu: Ich glaube, Hannah könnte dasselbe mit dir getan haben, als du klein warst. Uns fiel es erst auf, als sie weg war, weil wir Pillenfläschchen fanden, als wir ihr Zimmer ausräumten.«

Jocelyn starrt mich an, während sie zuhört. Es bricht mir das Herz, sie so erschüttert zu sehen, und ich kann nur hoffen, dass sie jetzt auf meiner Seite ist. »Wie halten wir sie auf?«, fragt sie. Ich sehe, dass sie im Geiste unglaubliche Szenarien durchspielt, aber ich weiß schon, dass es unmöglich ist. Vorerst müssen wir es ertragen. Hannah ist imstande, richtig zu verletzen. Das hat mir der heutige Morgen gezeigt.

»Wir müssen erstmal tun, was sie will«, antworte ich. »Das ist sicherer.«

Sie schüttelt den Kopf, doch ich nehme den Telefonhörer auf und wähle die Nummer, die ich auswendig kenne.

»Hallo?«, sage ich, als sich eine vertraute Stimme meldet. »Hier ist Lady Holt. Haben Sie zufällig ein schönes Stück Kalbsbraten da, das Sie mir zurücklegen können? Eine Lammkrone würde es auch tun. Und wenn Sie ein Schatz sind, schicken Sie es mir her? Ich habe heute Abend überraschend Besuch und bin nicht ganz gerüstet.«

Als ich auflege, starrt Jocelyn mich an, als wäre ich irre.

»Wir müssen das tun, Schatz«, sage ich. »Sie wird ein anständiges Dinner erwarten.«

Sie schüttelt den Kopf. Eine Träne rinnt ihr über die Wange und tropft auf meine Bettdecke. Sie sagt: »Ich weiß nicht, wie man Kalb zubereitet, und du kannst das mit deinem gebrochenen Handgelenk nicht.«

»Keine Sorge, ich sage dir, was du tun musst.«

Es wird ein gutes Essen, und es wird Hannah überzeugen, dass wir sie ernst nehmen.

Einen besseren Plan habe ich nicht.

JO

Mutter und ich arbeiten zusammen in der Küche. Wie in Trance habe ich Ruby von der Schule abgeholt. Ich erinnere mich an nichts von dem, was sie im Auto oder seit wir zu Hause sind, gesagt hat, doch sie scheint es nicht zu bemerken. Sie ist begeistert, dass Mutter und ich gemeinsam kochen, und will unbedingt helfen.

Mutter holt ihre Messertasche mit Sabatier-Messern hervor. Sie erklärt Ruby, wofür welches Messer ist, und zeigt ihr, wie sie Karotten diagonal schneidet.

»So sehen sie viel eleganter aus«, sagt sie.

Ruby ist vorsichtig, trotzdem ist mir bei jedem Schnitt, den sie macht, unwohl.

Als ich die Kartoffeln abgieße, steigt eine Dampfwolke vorm Küchenfenster auf. Als sie sich auflöst, sehe ich Hannah draußen um das Haus herumgehen. Durch die Hintertür kommt sie herein.

»Was für ein hübscher Anblick!«, sagt sie. »Ich freue mich schon auf unser Dinner.« Behutsam nimmt sie ihr Kopftuch ab, und ich sehe, dass sie beim Friseur war.

Ruby blickt von Mutter zu mir. »Wer kommt noch zum Essen?«, fragt sie.

»Niemand, nur wir, Liebes«, antwortet Mutter.

»Aber du hast gesagt, dass ich Würstchen darf.«

»Darfst du auch«, sage ich. »Das Dinner ist nicht für dich.«

»Es wäre viel zu langweilig«, ergänzt Mutter. »Das würde dir keinen Spaß machen.«

»Ja«, bestätigt Hannah, »dem stimme ich zu. Allerdings könnte es andere Abende geben, an denen du bei uns sitzt, Ruby, denn es wäre gut für dich, bessere Manieren zu lernen. Meinen Sie nicht auch, Virginia?«

Zuerst bleibt Mutter die Antwort im Hals stecken, doch sie fängt sich so weit, dass sie etwas sagen kann, was mehr ist, als ich fertigbringe. »Ja, es ist eine gute Idee, elegantes Auftreten zu lernen, Ruby. Und jetzt sollten wir wohl den Tisch decken. Würdest du mir helfen?«

Die beiden gehen aus der Küche, und Hannah sagt: »Duftet das Essen nicht schon gut?« Sie begutachtet das Gemüse, das ich vorbereitet habe. »Haben Sie vergessen, dass ich keinen Brokkoli mag, Jocelyn? Den können Sie wieder wegpacken.«

Ich lege das Messer hin und stelle den Brokkoli zurück in den Kühlschrank.

»Wie spät ist es?«, fragt Hannah.

»Halb sieben.«

»Perfekt! Ich denke, ich nehme ein Bad. Wir sehen uns dann zu den Drinks.«

Im Esszimmer deckt Ruby nach Mutters Anweisungen den Tisch.

»Ich kann das nicht«, sage ich.

»Und wir kommen nicht an die guten Kerzenhalter«, sagt Mutter. Sie bedeutet mir mit einem warnenden Blick, nicht vor Ruby zusammenzubrechen. Ich öffne den Schrank und nehme die Leuchter heraus. Sie sind schwer. Die Kristalltropfen an den Rändern zittern, als ich sie auf den Tisch stelle.

»Schau mal!«, sagt Ruby und zeigt mir die winzigen Silberlöffel für die Salznäpfchen.

»Sehr zart.«

»Die sind so niedlich! Und sieh dir den hier an!«

Sie gibt mir einen silbernen Serviettenring. Es ist der meines Vaters; an der Seite sind seine Initialen eingraviert. Ich spüre, dass Mutter mich beobachtet, doch als ich zu ihr sehe, wendet sie den Blick ab.

»Den werden wir nicht benutzen«, sage ich. »Nicht heute Abend.«

Ruby ist froh, dass sie früh ins Bett darf.

»Ich möchte ja gern mit dir und Granny essen und mich schick machen«, sagt sie. »Aber nicht mit Hannah.«

»Das verstehe ich.«

Sie gähnt. »Ich bin müde.«

»So siehst du auch aus. Du darfst noch eine halbe Stunde an dein iPad und danach ein bisschen lesen, wenn du willst, aber mach um halb neun das Licht aus, okay? Ich sehe später nach dir.«

Sie drückt mich innig. »Ich fand es schön, mit dir und Granny das Dinner zu machen.«

An der Tür ihres Zimmers bleibe ich noch einmal stehen. »Gute Nacht«, sage ich. Sie hört mich nicht, weil sie schon ihre Ohrstöpsel drin hat. Ich schließe die Tür fest hinter mir.

Ich sehe nach dem Essen und verbringe ewige Zeiten vor meinem Kleiderschrank. Die Bluse von Hannah werde ich nicht anziehen, und ich habe sonst nichts Passendes.

Parallel behalte ich die Uhr im Auge. Es ist fast acht, und ich muss noch das Horsd'œuvre vorbereiten, obwohl ich lieber ersticken würde, als es mit Hannah zu essen. Ich komme mir wie eine Bedienstete vor, aber das ist wohl auch der Plan.

Ich gehe zu Mutters Zimmer. Sie hat Schwierigkeiten, ihr

Kleid anzubekommen. Und sie ist noch nicht geschminkt, was sie verwundbar, blass und alt wirken lässt.

»Kannst du mir helfen?«, fragt sie. Zwar hat sie ein Kleid mit weiten Ärmeln gewählt, trotzdem macht der Gips es schwer hineinzukommen. Ich helfe ihr und schließe den Reißverschluss an der Seite.

»Was ist mit dir?«, fragt sie. Ich bin im Morgenmantel.

»Ich weiß nicht, was ich anziehen soll.«

»Soll ich dir helfen?«

»Müssen wir das machen?« Noch nie habe ich mich so hilflos gefühlt.

»Ich denke schon. Und du kannst das, Jocelyn. Du hältst es schon durch.« Sie sieht weniger sicher aus, als sie klingt. »Das ist das erste Mal, dass ich dich anziehen darf«, sagt sie, und es trifft mich. Es ist beinahe das Verletzendste, was ich heute gehört habe, denn zum ersten Mal lasse ich den Gedanken zu, dass Mutter sich so oft bemüht hat, mir nahe zu sein, über so viele Jahre, und jedes Mal habe ich sie zurückgewiesen. Wegen Hannah.

Wie viel Schaden es angerichtet haben muss.

Mutter öffnet ihre beiden Wandschränke. Die Sachen hängen dicht an dicht, und viele der Kleider und Jacken sind noch in die dünne Plastikfolie von der Reinigung gehüllt. Darunter stapeln sich Schuhkartons. Es ist ein Modeschrein.

»Mal sehen«, sagt sie. »Ich finde ja, dass dir Grün und Blau am besten stehen.« Sie geht ihre Kleider durch und zieht eins heraus. »Du würdest wundervoll aussehen in ...«

Sie beendet den Satz nicht, denn die Tür geht auf, und Hannah sieht herein. »Hier seid ihr!«, sagt sie. »Ich habe mich gewundert, wo ihr zwei steckt. Macht ihr euch gemeinsam fertig? Das ist ja süß! Darf ich mitmachen?«

Sie trägt das Kleid, das ich sie in Marlborough anprobieren

sah, und hat sich stärker geschminkt, als ich es je an ihr gesehen habe. Außerdem hat sie Diamantohrringe angelegt, die meiner Mutter gehören und davor meiner Großmutter gehörten. Sie sind ein Familienerbstück. Mir wird schlecht.

Hannahs Augen leuchten, als sie in Mutters Wandschränke schaut.

»Meine Güte! Was für eine gigantische Auswahl. Ich hatte ja keine Ahnung! Ach, na ja, vielleicht doch. Also, mal sehen, welche meine Lieblingsstücke sind.«

Sie schiebt Mutter beiseite und wühlt grob in den Kleidern. Mutter erträgt es kaum.

»Was ist los, Virginia? Sorgen Sie sich, dass ich nicht gut genug bin, um Ihre Kleidung zu berühren?«

»Nein, aber einige der Kleider haben Museumswert, und man muss vorsichtig mit ihnen umgehen.«

»Stimmt das?«, fragt Hannah. »Wäre dies hier eins davon?« Sie reißt ein Kleid heraus und hält es sich an. »Wie sehe ich aus? Ich glaube, ich möchte heute Abend lieber eins von Ihren Kleidern mit ›Museumswert‹ tragen. Wäre das in Ordnung, Virginia?«

Sie zieht weitere Kleider heraus, zerrt die Hüllen und Plastikfolien herunter, lässt einige auf den Fußboden fallen und schleudert andere aufs Bett oder über die Frisierkommode.

Mutter und ich können nichts anderes tun, als mit anzusehen, wie die Kleider um uns herum auf den Boden fallen und die Plastikhüllen mit einem sanften Seufzen zusammensinken. Es ist wie der letzte Atemzug des Lebens, wie wir es kannten. Ich habe das Gefühl, Hannah wird nicht aufhören, bis sie beide Wandschränke geleert hat, doch auf einmal hält sie inne.

»Das ist es!«, sagt sie. »Ich habe es schon einmal getragen, Virginia, wussten Sie das? Ich hatte es aus Ihrem Schrank genommen und anprobiert. Es war nicht das einzige Kleid, das ich anprobiert hatte, aber mein Lieblingsstück, weil ich gesehen hatte, wie Alexander Sie anschaute, wenn Sie es trugen. Ich muss sagen, ich sah sagenhaft darin aus. Vielleicht sollte ich es jetzt anprobieren, dann sehen Sie es selbst.«

Hannah streift ihr Kleid ab und steht in Unterwäsche vor uns. Es sind Seidendessous mit Spitze, und ich wende mich ab. Sie hat Mühe, in Mutters Kleid zu kommen. Als sie sich vorbeugt, um es nach oben zu ziehen, verfangen sich ein paar Haarsträhnen in der Perlenstickerei, und sie muss sie losreißen. Ich hoffe, dass es wehtut. Angestrengt zieht sie das Kleid über die Schenkel, die Hüften und den Bauch.

»Reißverschluss«, sagt sie, als sie es anhat. Ich ziehe den Reißverschluss nach oben, was nicht einfach ist. Das Kleid ist zu eng, und es ist eklig, wie sich der wundervolle Stoff über Hannahs Haut spannt. Ich kann es nicht erwarten, die Hände wegzuziehen.

»Sie waren immer fetter als ich, Hannah«, sagt Mutter, und ich spüre, wie Hannah sich verkrampft. Schließlich habe ich den Reißverschluss zu und trete zurück.

Hannah bewundert sich im Spiegel, ehe sie sich zu uns dreht und eine gekünstelte Pose einnimmt. »Es sieht genau so aus, wie ich es in Erinnerung habe. Aber wissen Sie, was noch besser war, als das hier zu tragen, Virginia? Wissen Sie, wann ich mich so richtig wie Sie fühlte?«

Mutter starrt sie bloß an. Auf Hannahs Wangen sind rote Flecken. Sie genießt das hier.

»Wenn Alexander in mir war«, sagt Hannah.

»Stopp!«, rufe ich. »Das reicht.«

»Das entscheiden nicht Sie, meine Liebe.«

»Bitte, wir tun, was Sie verlangen.«

»Tja, vielleicht hätte ich mehr Vertrauen, wenn Sie nicht so hinterhältig wären, Jocelyn.«

»Ich weiß nicht, was Sie meinen.«

»Das Zigarettenetui. Ich nehme an, Sie haben es genommen, es sei denn, Ruby war es. Sie können es mir jetzt bitte holen. Ich hätte es gern heute Abend zurück.«

»Es gehört Ihnen nicht.«

»Jocelyn«, sagt Mutter. »Ist schon gut. Hol es.«

»Es ist nicht gut. Selbst wenn mein Vater eine Affäre hatte, gehörte er auch uns, nicht nur Ihnen. Er war mein Vater!«

»Haben Sie gewusst, dass er Sie von mir unter Drogen setzen ließ, damit er nachts in mein Zimmer kommen konnte?«

»Nein! Das ist nicht wahr. Mutter?«

»Ich weiß es nicht, Schatz. Tut mir leid.«

»Das ist nicht wahr!«

»Sie haben so viel verschlafen. Wir waren ein sehr leidenschaftliches Paar«, sagt Hannah.

»Das hätte er nie getan.« Der Gedanke ist mir zuwider.

»Oh doch, natürlich. Die ganze Zeit hat er es getan. Weil ihm nichts an Ihnen lag. Er wollte Sie nicht mal. Er hatte sich immer einen Jungen gewünscht, wussten Sie das? Ich sollte ihm einen schenken.«

Ihre Worte schaukeln sich hoch, und jedes trifft mich an einer anderen Stelle.

»Aber Alexander war solch ein Gentleman«, sagt sie unerträglich schwärmerisch, als wäre er nur für sie allein geschaffen gewesen. »Er hätte Sie niemals wissen lassen, wie sehr er Sie verachtete. Bei mir hingegen wurde er nie müde, es zu sagen. Wie haben wir über Sie gelacht, weil Sie so ernst und verzweifelt bemüht waren, ihm zu gefallen. Er fand es erbärmlich. Sie haben ihn gelangweilt. Arme kleine Jocelyn Holt, verachtet von ihrer Mutter und ihrem Vater. Aber wer konnte Sie schon ernsthaft lieben? Sie haben Ihren Vater in jeder Hinsicht enttäuscht. Äußerlich ein so nichtssagendes, langweiliges Mädchen und innerlich nichts als ein widerliches, mörderisches kleines Miststück.«

Sie wendet sich wieder zum Wandschrank um. »Also, Schuhe. Ist es nicht ein Glück, dass wir dieselbe Größe haben, Virginia?«

Ich blicke auf ihren hässlichen Rücken, wo ich den Reißverschluss hochgezogen habe. Sie ist nur Fleisch und Knochen in dem Kleid meiner Mutter, nichts als teigige Masse und brechbare Knochen. Wie kann sie es wagen, solche Dinge zu sagen? Ihre Worte sind pures Gift. Der Druck in meinem Kopf ist gewaltig, und ich halte es nicht mehr aus. Etwas in mir zerbricht mit absoluter Endgültigkeit.

Ich schnappe mir eine Plastikhülle vom Bett und wickle mir die Enden um die Hände, bis nur noch wenige Zentimeter übrig sind, ungefähr so breit wie ein Gesicht. Alles in mir kocht vor Wut. Alles in mir will dies hier beenden.

Hannah ist kleiner als ich und weniger stark, und ich packe sie, ehe sie reagieren kann. Ich stülpe ihr die Plastikhülle so straff über den Kopf, wie ich kann, und reiße sie nach hinten. Sie verliert das Gleichgewicht. Ich ziehe die Hülle noch strammer. Hannahs Knie knicken ein, und sie fuchtelt mit den Armen, als sie sich zu befreien versucht. Schon jetzt bekommt sie keine Luft mehr. Ich höre es. Beim Einatmen versiegelt das Plastik ihren Mund.

Ich sinke auf die Knie, damit ich den Druck beibehalten kann, und ziehe sie mit mir. Die Muskeln in meinen Armen, im Nacken und den Schultern schreien, aber ich ziehe weiter und wickle das Plastik immer mehr auf, sehe Hannah leiden, und es fühlt sich so gut an. Sie gibt schreckliche Geräusche von sich, während sie zu atmen versucht, kämpft heftig, hält jedoch nicht lange durch, denn die Kunststofffolie spannt sich straff über ihren Mund und ihre Nase, eingesogen zu einem perfekt konkaven »O«, obszön gedehnt, aber stabil.

Diesen Kampf verliert sie, und ich will die letzte Person sein, die sie sieht, bevor sie stirbt. Ihre Augen sind weit offen, als wolle sie in ihrer Verzweiflung Sauerstoff durch sie aufnehmen. Ich schaue direkt hinein, bis sie aufhört zu blinzeln. Es fühlt sich gar nicht lange an, überhaupt nicht lange, obwohl es dauern muss, denn ich keuche und bin selbst außer Atem. Und dann schluchze ich. Mutter legt mir eine Hand auf die Schulter. »Sie ist tot. Jocelyn, du kannst jetzt loslassen. Sie ist tot.«

Es ist schwer, sie loszulassen. Ich will die Plastikfolie für immer stramm halten. Ich will, dass sie Hannah für alles bestraft, was sie uns angetan hat, doch ich beginne zu zittern, als Mutter mich berührt.

Als ich die Hände aus den Plastikwickeln löse, sind sie stellenweise weiß, stellenweise rot angeschwollen. Der Anblick bannt mich. Ich höre Mutter meinen Namen und anderes sagen, was nicht zu mir durchdringt. Erst als das Telefon klingelt, kann ich meinen Blick von ihnen lösen.

DETECTIVE ANDY WILTON

Es ist fast halb neun am Freitagabend, als Andy aus dem Pub torkelt. Sie sind um fünf auf ein paar Pints hergekommen, und irgendwie hat er die Zeit aus den Augen verloren. Er hat nichts gegessen und den Spinningkurs verpasst, den er mit seiner Freundin machen wollte. Auf seinem Handy sind sechs verpasste Anrufe von ihr und zwei sehr genervte Nachrichten. Er hört das Ende der einen, als seine Kollegen hinter ihm aus dem Pub kommen. Die Tür schwingt wild hinter ihnen.

»Andy, Alter! Kommst du mit auf ein Curry?« Ihr Atem bildet Wolken in der kalten Luft. »Maxine kommt auch.«

Maxine war den ganzen Tag auf einer Weiterbildung und hatte nicht auf seine Nachrichten geantwortet.

»Ja, ich bin dabei.« Er geht die Straße entlang hinter ihnen her. Seine Freunde sind alle große, fitte Kerle. Er mag sie verdammt gern. In der Kälte schlägt er den Jackenkragen hoch und steckt sich eine Zigarette an. In diesem Moment weiß er, dass seine neue Beziehung das Wochenende nicht überdauern wird. Sollte seine Freundin nicht bis morgen früh mit ihm Schluss gemacht haben, wird er die Sache beenden.

Maxine sitzt bereits vor einem Pint Lager.

»Fragt nicht!«, sagt sie. »Der Kursleiter hat uns gezwungen, die Handys wegzuschließen. Es war ein langer Tag, aber ich habe gute Neuigkeiten.«

»Einen Termin mit der Nanny?«, fragt Andy.

»Nein, den mache ich gleich Montagmorgen, versprochen.«

»Geht es um euren Gutshausfall?«, fragt einer der Jungs.

»Ja, wir haben einen Namen dank der DNS. Die Familie hat behauptet, auf den Bildern von der Schädelrekonstruktion niemanden zu erkennen, aber jetzt haben wir richtige Fotos. Ich will sie ihnen zeigen und sehen, wie sie auf den Namen reagieren.«

»Es gibt noch mehr«, sagt Maxine. Sie reicht ihm ihr Handy, und er liest die E-Mail eines Kollegen:

Überprüfung hat etwas Interessantes ergeben. Hannah Maria Burgess, geb. 7. November 1957, ist am 1. Februar 1973 mit 15 Jahren gestorben. Sie hat sich selbst erstickt.

»Die Nanny ist nicht, wer sie zu sein behauptet«, sagt Maxine.

»Ach du Schande«, murmelt Andy.

»Ruft die Familie doch jetzt schon an und lasst sie über das Wochenende schwitzen«, schlägt sein Kollege vor.

»Meinst du?« Das Bier macht ihn benommen.

»Nein«, sagt Maxine. »Das ist lächerlich. Es ist spät, und du hast zu viel getrunken.«

Stimmt, allerdings muss Andy zugeben, dass ihn die Idee, Lady Holt an einem Freitagabend zu ärgern, reizt.

Maxine sieht es ihm an. »Lass es! Dann sind die nur sauer, und wir müssen sehen, wie sie reagieren. Das wäre total unprofessionell.«

»Ich mache nur einen Termin aus«, entgegnet er. »Ich erzähle ihnen gar nichts.« Er geht aus dem Restaurant und sucht sich eine ruhige Ecke am Ende einer schmutzigen Seitengasse. Von dort ruft er Lake Hall an.

»Hallo?« Es ist Virginia Holt. Ihre Stimme ist nicht schwer zu erkennen.

»Mrs. Holt, hier ist Detective Andy Wilton.«

»Es ist sehr spät für einen Anruf.« Sie klingt nicht ganz so streng wie sonst.

»Ja, aber es ist wichtig.« Eine Entschuldigung bekommt sie von ihm nicht.

»Was gibt es?«

»Ich würde gern am Montagmorgen zu Ihnen kommen.«

»Zu mir?«

»Ihnen, Ihrer Tochter und der Nanny.«

»Das wird nicht gehen.« Bildet er es sich ein, oder war da ein leichtes Zittern, als würde etwas nicht stimmen?

Beim Reden geht er auf und ab und will fragen, ob etwas ist, stolpert aber über den Bordstein und muss sich abfangen.

»Hallo?«, fragt sie. Er lehnt sich an eine Mauer und schließt die Augen. Wie idiotisch von ihm, denn er ist zu betrunken für dieses Telefonat. Von seiner Warte aus sieht er seine Freunde im Restaurant. Sie winken, dass er wieder reinkommen soll. Und er muss etwas essen. Er kann Virginia Holt nicht übertrumpfen, wenn er so besoffen ist, deshalb muss er das jetzt beenden.

»Neun Uhr Montagmorgen. Ich erwarte Sie alle dort. Es ist wichtig.«

Andy muss mehrmals auf das Display tippen, um das Gespräch zu beenden.

VIRGINIA

Ich stelle das Telefon zurück in die Station auf meinem Nachttisch.

Jocelyn starrt mich blind an. Sie steht unter Schock. Genauso war es mit ihrem Vater, als Hannah das erste Mal »starb«.

»Wer war das?«, fragt sie.

»Niemand. Verwählt.« Sie muss es nicht wissen.

»Du hättest nicht drangehen sollen.«

»Doch, musste ich.«

Hannah liegt regungslos mitten in meinem Schlafzimmer, in meinem Kleid. Meine anderen Kleider sind in bestickten und mit Perlen verzierten Haufen um sie herum verteilt; die Schutzhüllen sind überall verstreut. Plastikfolien und Seidenpapier rascheln um meine Füße, als ich aus dem Zimmer gehe. Es ist, als würde ich durch sie hindurchwaten.

So leise wie möglich öffne ich Rubys Tür. Das Licht bei ihr ist aus. Ich nähere mich dem Bett. Ruby liegt mit dem Gesicht zum Fenster, ihr iPad vor ihr auf dem Kissen und die Ohrstöpsel drin. Ich habe mich schon oft schlafend gestellt und suche in ihrem Gesicht nach Anzeichen, dass sie noch wach ist. Aber ihr Körper ist so entspannt und ihre Atmung so tief und regelmäßig, dass ich sicher bin, sie schläft. Ich glaube nicht, dass sie etwas gehört hat.

Nachdem ich wieder rausgegangen bin, lehne ich mich an die Tür und hole einige Male tief Luft. Ich weiß, was jetzt zu tun ist, und ich fühle mich nicht mehr hilflos.

Jocelyn sitzt gebeugt auf meiner Bettkante und blickt über Hannah hinweg, als wäre die Leiche nicht da. Ich setze mich zu ihr und achte darauf, sie nicht zu berühren. Ein Schock ist unberechenbar.

»Schatz«, sage ich. »Hör mir zu. Was geschehen ist, ist geschehen.«

Sie blickt nur kurz zu mir und wieder weg.

»Jocelyn, es sind jetzt Dinge zu tun, und die kann ich nicht allein schaffen. Ich brauche deine Hilfe, und danach müssen wir nie wieder an das hier denken oder darüber reden.«

Sie sieht durch mich hindurch, und ich werde ein wenig nervös. Ihr Vater war auch so, aber bei ihm wusste ich besser, wie ich zu ihm durchdringe.

»Jocelyn. Jo.«

Nichts. Sie schließt die Augen. Ich neige mich zu ihr und sage sehr langsam und deutlich: »Hör mir gut zu. Ruby darf diese Leiche hier nicht finden. Wenn du mir jetzt nicht hilfst, könnte aber genau das passieren. Jetzt komm!«

Wie ferngesteuert bewegt sie sich, doch wenigstens rührt sie sich.

Wir ziehen Hannah das Kleid aus, und ich hole einen Kleidersack aus Alexanders Schrank. Nach seinem Tod hatte ich fast alles weggegeben, bis auf die Dinge, die einen familiären Wert haben. In dem Kleidersack ist ein Militärmantel, den seine Vorfahren getragen hatten. Ich nehme ihn heraus. Es ist ein riesiger, schwerer Mantel, der nach Mottenkugeln riecht. Der Kleidersack ist sehr stabil und ein wenig länger als Hannah.

Jocelyn legt ihn auf dem Boden aus, und wir rollen Hannah

hinein. Dann drückt Jocelyn Hannahs Arme und Beine fester an sie und beginnt, am Reißverschluss zu ziehen, was nicht einfach ist.

»Warte!«, sage ich. »Nimm ihr die Ohrringe ab.«

Sie löst die Diamantclips von Hannahs Ohrläppchen. Nun schließt sie den Sack mühsam. Wir sehen auf den Korridor und zerren die Leiche nach draußen und die Hintertreppe hinunter, damit wir nicht an Rubys Zimmer vorbeimüssen. Mit nur einem intakten Handgelenk kann ich sie unmöglich nach unten tragen, also lasse ich Hannahs Kopf auf die Stufen schlagen, wie ich es schon beim ersten Mal hätte tun sollen.

Wir schaffen die Leiche zum See. Der Weg ist uns beiden so vertraut, dass das silbrige Mondlicht ausreicht. Wo der Kleidersack mit der Leiche entlangschleift, wird das feuchte Gras plattgedrückt. Mein Handgelenk schmerzt extrem, was mich jedoch nicht ablenkt.

Bis wir das Ufer erreichen, keuchen wir beide. Jocelyn holt das Kajak aus dem Bootshaus. Es ist für zwei Personen, was bedeutet, dass sie die Leiche allein hinausbringen muss.

»Wir müssen sie beschweren«, sagt Jocelyn.

»Ich weiß, was zu tun ist. In einem Buch habe ich von einer Leiche gelesen, die in einem Fischernetz auftauchte. Jemand hatte den Bauch aufgeschlitzt, damit er sich nicht aufbläht und die Leiche nach oben treibt.« Das Buch hat mir verraten, was ich gern schon beim ersten Mal gewusst hätte, als ich Hannah versenkte, denn hinterher hatte ich furchtbare Albträume, dass ihre Leiche wieder hochkommt, obwohl wir sie beschwert hatten.

»Hol mir meine Messer«, sage ich.

Sie nickt, ist vollkommen konzentriert.

»Und du hast gedacht, ich lese zu viele Krimis, Schatz«, füge ich hinzu.

Sie läuft über den Rasen zum Haus hinauf und verschwindet darin, umrahmt vom Licht aus dem Wirtschaftsraum. Ich beobachte Rubys Fenster, habe Angst, dass jeden Moment das Licht angehen könnte. Hier draußen ist es eisig, doch ich halte es aus und recke den Hals, während ich auf Geräusche lausche.

Jocelyn kehrt mit dem Messerset zurück.

»Wickle es auf«, sage ich.

Sie rollt die weiche Tasche ganz auseinander, damit wir jedes Messer in seinem Fach sehen können. Es sind nicht alle da, weil wir einige zum Kochen benutzt hatten, doch eines ist hier, das ideal ist. Es ist das mit der knapp fünfzehn Zentimeter langen Klinge, von der ich weiß, dass sie sehr scharf ist. Nun öffne ich den Kleidersack, bis Hannahs weicher Bauch entblößt ist.

»Sieh weg«, sage ich, was Jocelyn jedoch nicht tut.

Ich halte das Messer zwischen dem Gips und meiner gesunden Hand, umklammere mit den Fingern den Griff und versenke es so tief in Hannahs Bauch, wie es geht. Das wiederhole ich noch zweimal an anderen Stellen. Das Geräusch ist entsetzlich, und der Anblick der Schnitte ist scheußlich. Aber es fließt kein Blut. Diesmal ist Hannah wirklich tot. Jocelyn würgt und läuft ein paar Schritte weg, wo sie die Hände auf die Knie stemmt. Sie hustet und übergibt sich ins Gras. Ich knie mich hin, um das Messer im Seewasser zu reinigen. Mit meiner unversehrten Hand gelingt es mir, den Kleidersack wieder zu schließen. Inzwischen habe ich meine Schmerzen beinahe vergessen, denn wir sind so gut wie fertig.

»Jocelyn!«, sage ich. »Wir müssen uns beeilen. Wenn Ruby uns hört und hinaussieht …«

Sie wischt sich den Mund ab, richtet sich auf und schaut zu Rubys Fenster. Alles ist dunkel, wie es sein soll. Ein Kauz schreit im Wald, als wir das Kajak an den Rand des Sees ziehen und die Leiche hineinhieven. Anschließend schieben wir es ein wenig hinaus, und ich halte es, während Jocelyn einige Steine in den Kleidersack packt, ehe sie ihn erneut verschließt. Man kann nicht vorsichtig genug sein.

Jocelyn steigt in das Kajak. Sie zittert schlimmer als ich, und ihr Morgenmantel wird am Saum ganz nass.

Als sie hinauspaddelt, beobachte ich jeden Paddelschlag, obwohl mir die Kälte bis in die Knochen fährt und Wolken immer wieder das Mondlicht verdunkeln.

Nahe der Insel hört Jocelyn auf zu paddeln. Ich kann sie nicht richtig sehen, aber ich höre sie. Sowie ich das Platschen vernehme, mit dem die Leiche im Wasser landet, atme ich auf. Im Geiste sehe ich vor mir, wie das Kräuseln der Wasseroberfläche langsam verebbte, als ich vor Jahren dasselbe tat.

Auf dem Rückweg lässt der Mond die Bugwellenränder des Kajaks weiß aufleuchten, doch ansonsten ist alles still, und Rubys Zimmer bleibt dunkel.

Im Wirtschaftsraum schließe ich die Tür und ziehe Jocelyn den Morgenmantel aus. Ich wickle sie in einen langen Daunenmantel von mir und führe sie in den Blauen Salon. Dort stehen noch die Gläser für unsere Drinks mit Hannah bereit. Das Eis im Champagnerkübel ist geschmolzen. Ich schalte eine Stehlampe ein, schüre das Feuer und hole eine Daunendecke, die ich Jocelyn überhänge. Dann schenke ich uns beiden einen Whisky ein.

»Trink«, sage ich. Der Alkohol brennt in meiner Kehle.

Jocelyn trinkt und verzieht den Mund.

»Wir erzählen keinem, was passiert ist«, sage ich.

Sie nickt.

»Wir erzählen es niemandem, weil wir Ruby schützen müssen. Wenn es herauskommt, wird alles, was Hannah wollte, eintreten, und das kann ich nicht zulassen. Wir können es nicht zulassen.«

Jocelyn trinkt noch einen Schluck. Diesmal nimmt sie den Whisky besser auf. Feuerschein tanzt auf ihrem Gesicht.

»Ja«, sagt sie.

JO

Mutter möchte Toast mit Käse zum Mittag. Ruby reibt den Käse, und Mutter überbackt den Toast einhändig.

»Wo ist Hannah?«, fragt Ruby.

Mutter sieht mich an, doch ich schüttle den Kopf, weil ich es nicht sagen kann.

»Sie ist weggegangen«, antwortet Mutter.

»Für immer?«

»Ja.«

»Kommt sie nie mehr zurück?«

»Nie mehr.«

Zunächst scheint Ruby erschrocken, dann umarmt sie Mutter und mich abwechselnd. Dabei strahlt sie.

Ich kann nichts essen.

»Der Detective hat angerufen«, sagt Mutter. »Ich habe vergessen, es zu erwähnen. Er will uns am Montag besuchen.«

»Was hast du ihm gesagt?«

»Ich musste zustimmen. Er bestand darauf.«

»Nein.«

»Ich glaube, daran kommen wir nicht vorbei, Jocelyn.«

»Das geht nicht.«

VIRGINIA

»Jean Palmer«, sagt der Detective. »Jean Grace Palmer.«

Er hat uns ein neues Foto mitgebracht und sagt, es ist von der Frau, deren Schädel sie rekonstruiert haben. Nun legt er es auf den Tisch zwischen uns, wie sie es im Fernsehen machen. Ich erkenne die Frau nicht. Sie ähnelt niemandem, den ich kenne oder kannte.

»Nein«, sage ich. »Bei dem Gesicht klingelt bei mir nichts.«

»Was ist mit Ihnen?«, fragt der weibliche Detective. Sie hat sehr wache Augen.

»Nein«, antwortet Jocelyn. »Bei mir auch nicht.«

Sie klingt ruhig. Gut.

»Wo ist Ihre Nanny?«, fragt die Frau.

»Es tut mir sehr leid, dass sie nicht hier sein kann«, erkläre ich. »Es ist ziemlich peinlich, aber sie ist weitergezogen. Sie hat uns in der Nacht von Freitag auf Samstag ganz unerwartet verlassen, ohne eine Kündigung und ohne eine Adresse anzugeben. Wir haben keine Ahnung, wohin sie ist. Dasselbe hat sie schon einmal mit uns gemacht, vor Jahren. Wir sind ganz erschrocken.«

»Ach ja?« Sie und ihr Kollege wechseln einen Blick.

»Die Sache ist die«, sagt Detective Wilton. »Wir glauben, dass Ihre Nanny vielleicht nicht Hannah Burgess heißt. Unsere Nachforschungen haben ergeben, dass eine Hannah

Maria Burgess mit demselben Geburtsdatum und Geburtsort am ersten Februar 1973 gestorben ist, als sie fünfzehn Jahre alt war.«

Jocelyns Schock sieht so echt aus, wie sich meiner anfühlt.

»Könnten Sie uns sagen, wann genau Hannah zum ersten Mal aus Ihrem Haus verschwunden war?«

»1987«, antwortet Jocelyn.

»Sie haben ein sehr gutes Gedächtnis.« Die Polizistin notiert es sich.

»So etwas vergisst man nicht. Ich mochte sie sehr und war verzweifelt, als sie einfach weg war. Es war, als hätte sie sich in Luft aufgelöst. Ich erinnere mich, dass es im Frühjahr war, denn am Tag davor hatten wir noch einen Spaziergang gemacht, um uns die Narzissen anzusehen.«

»Und was hat sie kürzlich wieder zurück in Ihr Leben geführt?«

»Sie kreuzte einfach vor unserer Haustür auf«, antworte ich. »Ganz schön dreist, wenn Sie mich fragen.«

»Hatte sie gesagt, warum?«

Jocelyn schüttelt den Kopf. »Nein, nicht so richtig. Nur dass sie neu anfangen wollte, nachdem sie ihre Mutter gepflegt hatte. Mehr nicht.«

»Sie hat nie viel von ihrem Privatleben erzählt«, ergänze ich. »Wir haben das respektiert.«

»Dürfen wir uns mal ihr Zimmer ansehen?«, fragt Detective Wilton. »Es könnte hilfreich sein, wenn wir irgendwas für eine DNS-Probe finden.«

»Sie hat ihr Zimmer ausgeräumt, aber Sie dürfen es sich gern ansehen. Und ihre DNS müsste im ganzen Haus sein.«

»Haben Sie bemerkt, dass irgendwas im Haus fehlt, was ihr nicht gehörte?«

»Nein.«

»Darf ich fragen, wie Sie sich Ihr Handgelenk gebrochen haben?«

»Ich bin gefallen. Das passiert in meinem Alter.«

Jocelyn führt sie nach oben, und ich folge ihnen. Auf dem Treppenabsatz oben bleibe ich stehen, weil mir etwas einfällt. In meinem Schrank finde ich das Kleid, dass Hannah trug, als sie starb.

Ich bringe es nach unten und warte in der Diele. Bald sind die anderen wieder zurück.

»Da hat sie aber ordentlich aufgeräumt und saubergemacht, was?«, sagt Detective Wilton.

»Sie hatte Übung. Schließlich hat sie das nicht zum ersten Mal gemacht. Ich habe nachgedacht, während Sie oben waren. Vielleicht können Sie hiervon ihre DNS abnehmen. Ich hatte es ihr letzte Woche geliehen. Sie fragte, ob ich ihr etwas zum Anziehen für eine Party borgen könnte, also bot ich ihr an, dieses Kleid anzuprobieren. Wenn ich es anziehe, verfängt sich immer mein Haar in den Perlen. Vielleicht war es bei ihr ja auch so.«

Er greift nach dem Kleid und knautscht es ungeschickt in seiner großen Hand.

»Vorsicht! Es ist Haute Couture und hat Museumswert.«

Seine Kollegin nimmt ihm das Kleid lächelnd ab und hängt es sich über den Arm. »Danke«, sagt sie. »Wir werden gut darauf achtgeben.«

Sie streichen uns mit Wattestäbchen durch die Mundhöhle, um unsere DNS auszuschließen.

Jocelyn und ich blicken ihnen nach, als sie wegfahren.

»Du hättest ihnen die Ohrringe geben können«, sagt sie.

»Die sind für Ruby.«

JO

»Holst du mich heute ab?«, fragt Ruby. Sie hüpft um mich herum. Es geht ihr viel besser, und sie ist weniger müde. Sie ist richtig vergnügt.

»Ich bringe dich zur Schule, aber Granny holt dich ab. Ich komme erst spät, wenn du schon im Bett bist.«

»Fährst du nach London?«

»Ja.«

»Kannst du mir ein Ouija-Brett kaufen?«

»Nein.«

»Aber Stan möchte eins haben.«

»Dann kann Stan seine Mutter bitten, ihm eins zu besorgen.«

Nachdem ich Ruby zur Schule gebracht habe, verbringe ich den Vormittag in Elizabeths Atelier, wo wir gemeinsam mit Mutter planen, ehe ich den Zug nach London nehme, um mich mit Faversham und einem Kunden zum Essen zu treffen.

Als wir im Restaurant ankommen, ruft mich der Detective an.

»Entschuldigen Sie mich kurz, da muss ich drangehen.«

Ich stehe unter der Markise, wo Hängekörbe voller winterlichem Efeu baumeln, und beobachte, wie Taxis sich am Bordstein drängeln, um lauter elegante Fahrgäste abzusetzen.

»Was kann ich für Sie tun?«, frage ich.

Detective Andy Wilton ist nach wie vor sehr sparsam mit Worten. »Wir haben eine familiäre Übereinstimmung mit der

DNS vom Kleid Ihrer Mutter gefunden. Es war ein recht langwieriger Prozess, die Leute ausfindig zu machen, aber wir halten es für gesichert, dass die DNS zu einer Frau namens Linda Taylor gehört.«

»Aha?«

»Linda Taylor hat eine Zeit lang im Haushalt des Bruders der verstorbenen Hannah Burgess gearbeitet, also nehmen wir an, dass sie dort auf die Idee kam, sich Hannah Burgess' Identität anzueignen. Vor allem konnten wir eine Verbindung zwischen Linda Taylor und Jean Palmer herstellen – der Leiche aus Ihrem See –, weil sie eine Weile zusammengewohnt haben.«

»Bedeutet es das, wonach es klingt?«

»Noch ist nichts sicher, aber ich kann Ihnen sagen, dass wir Linda Taylor alias Hannah Burgess als Verdächtige im Mordfall Jean Palmer suchen.«

»Sie meinen, Hannah könnte Jean Palmer ermordet haben? Und ist dann zurückgekehrt, als der Schädel auftauchte? Warum?«

»Eine Möglichkeit wäre, dass Jean Palmer gedroht haben könnte, Hannahs wahre Identität zu enthüllen, woraufhin Hannah sie angegriffen hat. Ich kann Ihnen nicht sagen, warum sie zurückgekommen ist, aber sie könnte von dem Schädelfund gelesen haben und wollte vielleicht lieber überwachen, was passierte. Es ist nicht ungewöhnlich, dass Täter versuchen, sich in die Ermittlungen einzuschalten. Es gibt ihnen die Illusion von Kontrolle. Jedenfalls halten wir es nicht für einen Zufall, dass sie zum zweiten Mal verschwunden ist, nachdem wir Jean identifiziert haben.«

»Weil sie befürchtet hat, dass Sie die Verbindung zwischen ihr und Jean aufdecken?«

»Diese Möglichkeit werden wir untersuchen.«

»Oh mein Gott.«

»Und wir tun alles, was wir können, um sie zu finden, also machen Sie sich bitte keine Sorgen. Würden Sie mich umgehend verständigen, wenn Sie von ihr hören?«

»Ja, natürlich«, sage ich. »Glauben Sie, sie kommt nochmal wieder?«

»Ich könnte mir vorstellen, dass sie weit weg ist, und wir tun unser Bestes herauszufinden, wo.«

»Vielen Dank, Detective. Ich kann Ihnen gar nicht sagen, wie dankbar wir sind, dass Sie uns informiert haben.«

Ich rufe Mutter an und teile ihr die Neuigkeiten mit.

Ich komme spät nach Hause, aber Mutter hat auf mich gewartet. Sie ist ausgelassen. »Sie werden nie auf die Idee kommen, hier nach ihr zu suchen«, sagt sie. »Jetzt nicht mehr. Ich kann es gar nicht glauben. Wer hätte das gedacht?«

Sie schenkt uns einen Drink ein und reicht mir ein Glas. »Chin-chin«, sagt sie. »Darauf, dass es vorbei ist. Endlich.«

»Cheers«, antworte ich.

Ich bin vollkommen unvorbereitet, als sie mich zu umarmen versucht, und zucke zusammen. Unsere Wangen stoßen aneinander, worauf ich unwillkürlich zurückweiche.

Mutter macht einen Schritt rückwärts, als hätte sie sich verbrannt.

»Entschuldige«, sage ich.

»Nein, ich verstehe es.«

»Es ist nur …« Ich weiß nicht, wie ich den Satz beenden soll. Mutter macht Anstalten, mein Gesicht zu berühren, hält jedoch inne.

Ich trete vor und lege die Arme um sie.

»Tut mir leid«, sage ich. »Es war nur ein kleines Andenken von Hannah.«

DANKSAGUNG

Helen Hellers Anregungen haben diesen Roman und seine Figuren vom ersten bis zum letzten Wort geprägt. Danke, dass du das Schreiben zu einem solchen Vergnügen gemacht hast!

Ein riesiges Dankeschön an meine Lektorinnen, Emily Krump in New York und Emily Griffin in London, deren kluge Anmerkungen und großzügige Unterstützung dieses Buch so viel besser gemacht haben. Und herzlichen Dank an Julia Elliott und Becky Millar.

Für die Hilfe von Liate Stehlik bei William Morrow und Selina Walker bei Century & Arrow bin ich zutiefst dankbar. Danke euch beiden.

Die Verkaufs-, Marketing-, Werbe- und Herstellungsteams sind entscheidend für den Erfolg eines Buches. Ich bin Jen Hart, Lauren Truskowski, Molly Waxman und Kaitlin Harri in den USA sowie Sarah Harwood, Sarah Ridley, Natalia Cacciatore und Linda Hodgson in Großbritannien wie auch allen anderen, die sich für meine Bücher einsetzen, überaus dankbar.

Besonders erwähnen möchte ich die Leute bei HarperCollins Canada. Dank an Leo Macdonald für seine Unterstützung (und seine inspirierende Fotografie) und an Mike Millar sowie das ganze sagenhafte Team in Toronto.

Ein besonderer Dank geht an Ceara Elliot für das umwerfende Coverdesign der Originalausgabe.

Herzlichen Dank auch an Jemma McDonagh, Camilla Ferrier und alle bei The Marsh Agency für alles, was ihr tut. Ich weiß das enorm zu schätzen.

Dank an die Lektoren und Verleger, die meine Bücher international übersetzen, und an die Teams, die mit ihnen zusammenarbeiten. Ich bin euch allen sehr dankbar, und es war so schön, einige von euch in diesem Jahr persönlich kennenzulernen!

Es ist ein Glück, mit solch talentierten und wunderbaren Menschen zu arbeiten.

Buchhändler, Blogger, Rezensenten, Schriftstellerkollegen und Leser sind alle Teil der großen Unterstützergemeinschaft, die meine Arbeit selbst an einem schlechten Tag zu einer großen Freude macht. Ganz herzlichen Dank an euch alle.

An der Heimatfront danke ich den beiden pensionierten Detectives, die mir großzügig ihre Zeit und ihren Rat zur Verfügung stellen bei allem, was mit Polizei zu tun hat. Wir hatten keine Gelegenheit, über dieses Buch zu sprechen, aber für das nächste reserviere ich einen Tisch! Alle Fehler oder Freiheiten, die ich mir bezüglich der Polizeiarbeit genommen habe, gehen allein auf meine Kappe.

An meine Schreibpartnerinnen Abbie Ross, Annemarie Caracciolo, Philippa Lowthorpe und andere Freunde nah und fern: Danke für eure wunderbare Ermutigung!

An Sean Burrows, Nick Lear, Jrae Davis, Ben Shepherd, John Hewer, Brett Marsden, Jake Burrows und Richard Banister: Danke, dass ihr mir ein neues Arbeitszimmer gebaut habt für die Zeit, in der ich dieses Buch geschrieben habe. Es hat Spaß gemacht, Seite an Seite mit euch zu arbeiten.

Meine Familie hat eine sagenhafte Geduld bewiesen, während ich dieses Buch schrieb. Jules, danke für die Omeletts und den Rotwein. Rose, Max und Louis, danke. Ich bin unendlich stolz auf euch.